추 천 사

교회는 영적 기관이기 때문에 세상과 분리된 독자적인 영역 속에서 세상과의 관계를 부정적으로 보는 것을 거룩한 것처럼 여기며 교회행정에 대해 무관심하던 시절이 있었는가 하면 교회성장학에 대한 다양한 이론들이 물밀듯이 한국교회에 들어오면서 마치 교회행정은 교회성장을 이루어내기 위한 수단과 도구인 양 이해되던 때도 있었습니다. 그러나 교회행정을 세상과 분리된 것도 세상에 종속된 것도 아닌 세상과 구별되면서도 세상을 향한 하나님의 소명을 감당하기 위한 교회의 거룩한 사명이라는 관점에서 교회행정학의 이론을 구축함으로, 교회는 스스로를 위한 존재가 아니라 세상과의 관계 속에서 그 존재의 의미가 분명함을 한국교회에 도전한 본서를 저는 기쁜 마음으로 추천합니다.

저자이신 김동일 박사님은 군산삼성교회를 목회하시면서 평택대학교에서 목회학박사를 첫 번째로 취득하신 분으로, 평택대학교를 비롯해 여러 신학교에서 후학들을 지도하시다 지금은 영남사이버대학교의 교수로 목회와 학문의 영역에서 성실하게 발전을 이루어내신 분이십니다. 김 박사님께서 저와 같이 평택대학교에서 연구하시던 때 교회의 본질과 선교적 사명을 달성하기 위해서 교회행정은 교회 전체(제 분야)를 포괄적으로 조직하고 관리 운영하는 선교적 교회론의 제반 활동을 증진시키는 목적을 가지고 있음을 머리 맞대고 함께 고민했던 기억이 납니다. 금번에 발간하신 책을 보니 교회행정의 기원을 하나님의 세상을 구원하시기 위한 사역에 두고 목회사역을 단순히 개 교회의 확장 또는 확대에서 하나님의 사람들을 훈련하여 그들로 교회의 사역에 적극적으로 참여하여 세상 가운데 하나님의 나라를 어떻게 침노시킬 것인가를 목회자와 교인들로 하여금 고민하게 만드는 교회행정에 대한 패러다임 전환의 시각을 제공하고 있습니다.

그리스도께서 하나님께 순종하심같이 목회자도 그리스도를 본받아 하나님께 순종하고 또 목회자의 지도를 따라서 온 교회가 하나님께 순종함으로 건강한 교회는 하나님께 순종하는 교회임을 잘 안내함으로, 본서는 목회자가 되기를 소원하여 신학을 공부하는 신학도 뿐 아니라 현재 목회의 현장에서 교회를 이끄는 선장으로서 교회라는 배가 험난한 세파를 헤쳐서 어느 곳을 향해 나아가야 할지를 고민하는 목회자에게도 훌륭한 나침반의 역할을 하리라 확신합니다.

김동일 박사님을 지도한 교수로서 교회행정에 대한 방향만 제시했을 뿐인데 김 박사님께서는 목회의 현장에서 이를 적용하고 개선해서 교회행정을 목회현장의 귀한 매뉴얼로 발전시키셨습니다. 청출어람(靑出於藍)이라는 고사가 생각이 납니다. 제자가 스승을 넘어서는 것을 보는 기쁨이 바로 이 마음일 것입니다. 목회현장에서 아쉽게 느끼는 목회 전반에 관한 지침서로써 교회행정학뿐 아니라 목회학의 교재로도 본서가 한국교회에 귀한 선물이 되기를 기도합니다.

2016년 8월 24일
이광희 (평택대학교 실천신학 교수)

추 천 사

현존하는 성육신으로서 그리스도의 교회는 모든 사람들에게 구원과 희망을 주는 공동체입니다. 우리는 교회를 통해서 그리스도를 만나고, 교회를 통해서 구원의 기쁨과 즐거움을 경험하며, 교회를 통해서 내일에 대한 희망을 품고 살아갑니다. 교회를 통해서 유한한 인생을 무한한 삶의 영역으로 옮겨 놓습니다. 교회는 보이지 않는 하나님을 볼 수 있는 곳이며, 들리지 않는 하나님의 음성을 들을 수 있는 곳이고, 희미하고 불확실한 삶의 의미와 가치를 분명하고 확실하게 발견할 수 있는 곳입니다.

행정이란 공동의 목표를 성취하기 위한 합리적인 방법을 위해 필요합니다. 요즈음 그리스도의 몸으로서 교회에 무슨 행정이 필요하냐고 묻는 이는 없습니다. 하지만 여전히 교회에서의 행정은 성(聖)과 속(俗)의 이원론적 바탕 위에 있습니다. 이러한 딜레마 속에서 성서적인 교회행정을 위한 서적이 김동일 교수님에 의해 세상에 나온 것을 축하드립니다. 평택대학교 대학원에서 교회행정학으로 학위를 받으시고 오랫동안 우리 영남사이버대학교에서 교회행정학을 강의하신 교수님의 탁월하시고 살아있는 강의를 듣는 것 같은 감동을 이 책을 통해 느낄 수 있습니다.

김동일 교수님은 본서를 "교회행정의 범주에서 갖는 학문성과 교회라는 현장성, 그리고 복음적이며 영적인 측면을 고려하여" 집필하였다고 서언에서 말씀하신 것을 끝까지 잘 지키셨습니다. 영적인 부분을 고려하다 보면 아카데믹한 부분을 소홀히 할 수 있고, 아카데믹한 부분을 강조하다 보면 영적인 부분이 약해질 수 있는데, 김동일 교수님은 본서에서 이 두 마리 토끼를 다 잡으셨습니다. 교회행정학에 대해 알기를 원하시는 분은 바로 이 책에서 출발하십시오. 후회하지 않으실 것입니다.

확실하면서도 세련되게, 권위가 있으면서도 세심하게 교회행정에 대해 설명하고 있는 본서가 세상에 나오기 전에 먼저 읽고 추천사를 쓸수 있는 영광을 주신 김동일 교수님께 감사를 드립니다.

2016년 8월 24일
윤기봉 교수
철학박사
영남사이버대학교 신학과 학과장

서 언

목회에 대한 소명은 받았지만, 목회보다는 신학이란 학문에 매료되어 신학대학에 들어가게 되었다. 신학을 계속 공부하기를 원했지만, 현실은 목회현장에 먼저 부름을 받게 되었다. 부목사와 담임목사를 거쳐, 교회를 개척하면서도 항상 머무는 생각은 신학생들에게 신학이란 학문을 가르치고 싶은 마음이었다. 기회가 와 석사와 박사 과정에서 공부를 하게 되었고 신학교에서 강의를 할 수 있게 되었다. 하나님의 은혜였다. 그리고 학문의 결과인 「교회행정학」이란 책을 내게 되었다. 이 책은 평택대학교 이광희 교수님의 "교회성장과 행정"이란 강의를 통해 이루어진 것이다. 그리고 학생들의 요구로 기존의 책을 보완하여 「현대 교회행정학」이란 제목으로 다시 출판하게 되었다.

교회에서 '행정'이란 말이 사용되는 것 자체가 좀 어색하게 여겨진다. 처음부터 행정이란 용어가 등장한 것이 아니고 최근 들어 사용된 것이기 때문이다. 또한 행정을 모른 상태에서 전문적인 행정의 이론을 의식하지 않고 자연스럽게 행정이 이루어졌기 때문이다. 또한 교회는 영적인 기관인데 굳이 행정이 필요할 까라는 생각 역시 행정에 대해 부정적인 시각을 갖게 한다. 그럼에도 교회는 행정이란 원리를 사용하였다.

교회행정은 목회자의 비전수립, 기획, 조직, 인사, 재정, 리더십, 경영, 관리, 감독, 평가 및 진단, 피드백(환류)에 대한 전반적인 과정을 다룬다. 영적인 교회이지만 영적인 질서를 이루기 위해 교회행정의 과정이 필요하다. 바울 사도는 교회는 그리스도의 몸이라고 하였다. 그리스도의 몸은 각 성도들의 지체로서의 몸으로 이루어진다. 교회는 성도들의 지체로서의 몸을 구성하기에 몸으로서의 유기적인 질서를 이루어야 한다. 건강한 몸은 유기적인 질서와 조화가 잘 이루어질 때 이루어진다. 건강한 교회 역시 마찬가지이다. 교회행정은 건강한 교회를 이루기 위한 중요한 역할을 한다. 건강한 교회일수록 교회행정의 시스템이 잘 이루어져 있다.

목회자의 목회 철학에 따라 교회행정의 방향이 다를 수 있다. 행정은 정치와 경영의 개념과 유사하다. 현대 교회행정은 정치와 경영의 일원화를 이루어나가는 현상이다. 교회 안의 소그룹, 평신도들에게 사역을 위임하는 형태이다. 평신도 지도자들이 기획, 관리, 경영, 정치 등의 리더십을 발휘하며 교회행정을 이루어나가는 현상이다. 오늘날 셀 처치의 경향을 말해 준다. 그런데 평신도 지도자들의 리더십을 위임하면서도 교회의 몸은 그리스도의 몸으로 이루어져 있기에 그리스도의 리더십을 따라야 한다. 또한 교회의 지도자인 목회자의 리더십을 따라야 한다. 목회자의 비전, 목회 철학을 존중하며 따르는 교회행정이 되어야 한다.

건강한 교회의 행정은 드러나지 않아야 한다. 철저한 행정 시스템으로 교회가 이루어져야 한다. 행정은 영적인 것 보다 드러나서는 안 된다. 교회에서 드러나는 것은 영적인 예배 사역, 제자훈련 사역, 기도 사역, 전도사역, 찬양 사역 등 영적인 사역이 드러나야 한다. 행정은 이러한 영적인 사역이 잘 일어날 수 있도록 돕는 역할을 할뿐이다. 그러므로 교회행정은 절대적으로 필수이지만, 그것이 교회의 영적인 사역보다 우선일 수 없다.

교회행정은 끊임없이 피드백하는 과정이 순환적으로 이루어져야 한다. 기획에서부터 평가 실행에 옮기는 과정까지 순환적으로 교회 성장과 성숙에 도움을 줄 수 있어야 한다. 진정한 교회행정은 교회가 양적으로만 성장하게 하는 것이 아니라 질적인 성장과 성숙, 유기체적인 총체적인 성장과 성숙으로 이루어나가야 한다. 가장 중요한 교회행정과 성장은 위로부터 내려 주시는 성령의 감동으로 이루어져 나가야 함을 밝혀 둔다.

본서는 교회행정의 범주에서 갖는 학문성과 교회라는 현장성, 그리고 복음적이며 영적인 측면을 고려하여 전개하였다. 교회행정은 행정이라는 일반적 행정원리를 사용함으로 갖는 비 영적인 측면을 고려하여야 한다. 행정에 너무 치우친 나머지 영적인 원리를 상실하게 될 위험이 있기 때문이다. 그러므로 교회행정은 행정의 원리를 사용함과 동시에 그 원리들이 성경적이며, 영적인 분위기에 온전히 스며들어야 한다.

본서는 총 3부로서 제1부는 교회행정의 이해로 교회행정에 대한 제반 개념을 설명하였으며, 제2부는 교회행정의 과정으로 교회행정을 진행하는 과정에 대한 전반적인 과정을 제시하였고, 제3부는 교회행정의 여러 부문의 행정으로 교육행정 등 교회 안에서 이루어지고 있는 행정의 각 부문에 대해 다루었다.

이 책은 평택대학교 신학전문대학원 2004년도 제2학기 박사 과정의 '교회성장과 행정' 강의안으로 준비가 된 것이며, 영남사이버대학교 신학과와 기독교대한성결교회 교역자 양성원 호성신학교에서 '교회행정학' 과목으로 강의한 것을 수정, 보완하여 집필하게 되었으며, 시대의 상황을 고려하여 「현대 교회행정학」이란 제목으로 증보하여 집필하게 되었다. 이 책이 나오기까지 강의와 연구, 집필을 할 수 있도록 배려해주신 평택대학교 이광희 교수님과 영남사이버대학교 신학과 학과장 윤기봉 교수님께 감사를 드린다.

2023년 3월 10일

<차 례>

제1부 교회행정의 이해

I. 교회행정의 개념

A. 교회행정의 필요성

한국교회는 지난 1960년대부터 80년대까지 10년마다 교인 수가 배가, 급성장을 이뤘다. 짧은 기독교 역사 가운데 급성장을 이룬 한국교회는 더 복잡하게 된 구조를 효율적으로 운영해 나가기 위해 행정의 필요성을 느꼈고, 여기에 교회행정이란 개념이 발전하게 되었다.

교회행정의 역사는 짧다. 실제로 기독교 내에 체계적으로 받아들여진 것은 1950년대이었다 고 본다. 조동진의 견해를 보면,

"1923년만 하더라도 미국 안에 어느 신학교에서도 교회행정학이 교과과정에 채택되고 있지 않았다. 그러나 그 후 40년 미만에 교회행정학은 모든 신학교의 정규 과목이 되고 그 학문적 연구 범위도 넓어졌다.[1]

본격적으로 교회행정이 대두되게 된 것은 20세기 초부터 교회의 역할에 대한 인식이 달라지면서 이론 신학의 범주를 넘어 실천신학에 대한 관심도가 차차 높아지기 시작하면서부터이다. 실천신학에 대한 관심도가 높아짐에 따라 좀 더 체계적이고 조직적인 학문

---

1) 조동진, 「현대 교회행정학」 (서울: 도서출판 별, 2001), p. 51.

인 교회행정학이 많은 교회들로부터 관심을 불러일으키게 되었다. 그리하여 교회의 재정이나 인사 관리 또는 교회 건축과 조직 관리 등이 설교나 심방, 교육 못지않게 중요하게 인식되었다. 아울러 소형 교회와는 달리 중, 대형 교회의 등장은 교회 사역에 있어 전문화와 효율성을 요청하게 되었다. 이러한 급격한 변화가 결국 교회행정의 필요성을 절감하게 만들었으며, 결국 전통적인 의미를 나타내는 목사를 단지 목회자로서의 역할보다는 목회 지휘자, 행정가, 경영자로서 그 역할을 새롭게 인식하게 되었다.[2]

오늘날 교회행정은 목사로 하여금 수없이 많은 행정적인 책임을 이행해야만 하게 만들고 있다. 그 대표적인 예를 들면 아래와 같다.[3]

(1) 교회의 여러 가지 계획과 프로그램을 역량 있는 행정 수완으로 추진하는 일.

(2) 교단과 지역사회와 관련된 교회 밖의 여러 회의에 참석하는 일.

(3) 교회의 예산을 위시해서 건축 헌금, 교단의 상회비 등을 포함한 교회의 재정적인 운영을 위한 활동.

(4) 교회나 지역사회에서 기관장으로서 필수적인 역할을 감당하는 일.

(5) 교회 건물들과 재산의 개선과 발전을 위한 지도자의 역할.

(6) 제때에 보내는 민첩한 서신 회답, 정확한 기록과 통계, 노회나 총회에 보내는 그때그때의 보고서, 서신 왕래, 사무직원의 관리 등등의 사무처리.

---

2) 황성철,「교회 정치 행정학」(서울: 총신대학교 출판부, 2004), pp. 26-27.
3) Alvin J. Lindgren,「교회개발론」박근원 역 (서울 : 대한기독교출판사, 1979), pp. 13-14.

(7) 자기 교회에 있어서 소정의 프로그램 추진을 위한 교단 사무처와의 협조와 교회 밖에서 모이는 회의에 평신도가 꼭 참여하도록 하는 일.

(8) 자기 교회 일 밖에 교단의 간부로나 다른 교단 사업의 지도자로서 뽑혀 일하는 것.

(9) 자기 교회 안에 있는 여러 조직체의 활동에 교인들이 참여하도록 격려하면서 지난해의 활동보다 더 효과적인 운영을 위해서 노력하는 일.

(10) 어느 프로그램이건 재빨리 그리고 무난하게 추진할 수 있는 지도자로서의 역량을 제공하는 일.

(11) 교회 안에 있는 반대 세력을 잘 다루는 인사문제의 전문가로서 일함으로 교회 프로그램의 지연과 교회가 상처를 받는 일이 없도록 하는 일.

(12) 지역사회의 여러 층의 지도자들과 잘 어울리는 일

교회가 교회행정을 왜 필요로 하게 되었는가? 그 이유에 대해 다음의 몇 가지를 생각할 수 있다.

첫째, 인간은 생각하며 행동하는 존재이다.

그러기에 계획하고 조직하고 관리하는 운영행정이 등장하게 되었다. 교회는 영적인 기관이지만 그 교회의 몸을 이루는 지체들은 사람이란 점이다. 즉 영적이면서 사람들이 모인 공동체이기에 그 사람들을 효과적으로 어떻게 이끌고 가야 할 것인가? 라는 문제의 인식이 교회행정을 필요로 여기게 되지 않았나 생각이 된다.

둘째, 변화하는 환경과 문화와 사회 속에서 잘 적응하는 행정력이 필요하다.

현대사회는 첨단 과학 문명 발전의 시대이다. 또한 정보화, 다원화, 다변화와 가변성의 시대이다. 또한 다가오는 예측할 수 없는 미래사회에 효율적으로 적응하기 위해서도 교회행정이 필요하다.

셋째, 한국교회는 이제 성장 위주의 목회보다 보존과 성숙의 단계이다.

한국교회의 급성장, 교회의 대형화에 따라 교회의 구조가 복잡화되었다. 이로 인한 조직의 혼란과 행정적 혼돈이 성장과 함께 혼합되었다. 이런 문제점을 해결하기 위해 최근에 교회행정에 관심을 갖게 되었다. 교회행정은 성장에서 성숙으로 가는 과정적 요청이다. 교회행정은 교회의 성숙을 이루는 길이다.

넷째, 목회자의 업무가 과중으로 스트레스가 가중되는 것을 적절히 해결하기 위해서다.

교회행정은 목회에 있어 2차 업무이다. 그런데 현대 목회에서 목회 본질 1차 업무인 전도와 선교보다 교회행정에 더 많은 시간을 소모하므로 목회자의 어려움과 스트레스가 가중 된다. 더욱이 제한된 시간에 많은 업무를 처리하는 것이 상당한 스트레스가 된다.

메이비스(Curry Mavis)는 심방과 상담을 위해 목회자의 전체 시간 중 4분의 1을, 예배와 설교를 위하여 4분의 1을, 그리고 교회행정을 위하여 2분의 1을 배정, 가급적이면 교회관리와 행정을 위하여 전체 시간의 4분의 3을 투여하는 것이 더욱 좋다고 하였다.4)

사회학자 사무엘 블리저드(Samuel Blizzard)는 목회자 690명 대상 설문을 조사하였는데 가장 중요하게 생각하며 즐겨하는 목회자의 업무는 설교자, 목회자, 제사장직, 교사 순이었고, 가장 중요하

---

4)「목회와 신학」20(1991년 2월), p. 95.

게 생각하지 않는 업무가 교회행정이었다.[5]

상대적으로 교회행정은 점점 그 중요성이 드러남으로 목회자의 딜레마가 있고, 이 딜레마는 곧 목회자의 스트레스가 된다. 목회자로 하여금 탈진하게 만드는 여러 가지 요인이 있지만, 그 가운데서 가장 중요한 요인은 역시 행정이다(학교에서 일선 교사가 학생들을 가르치는 일보다 행정의 업무가 더 많게 되는데 이때 교사 역시 스트레스를 받는다).

이와 같이 교회행정은 현대사회의 등장과 함께 교회의 성장과 함께 교회행정의 필요성을 갖게 되었고, 그 가운데서 교회행정의 '효율성'을 고려하는 측면이 요구되었다.

B. 교회행정의 위치

교회는 세상과 더불어 살아가고 있으나 세상에 속하지 않는다. 뿐만 아니라 교회는 천사들의 집단이 아니라 죄인들이 예수 그리스도를 통해 변화되기 위한 구원의 방주이다. 그러므로 교회는 구원의 방주의 역할을 담당하기 위하여 이광복은 그림 1과 함께 다음의 두 가지의 요소로 조화를 이루어야 한다고 설명한다.[6]

(그림 1 - 교회의 요소)

생명의 근원인 복음	+	복음을 담는 그릇	=	열매(結實)

---

5) David S. Luecke and Samuel Southard, *Pastrol Administration* (Waco : Word Books, 1966), p.11.
6) 이광복, 「교회행정학의 실제」 (서울: 횃불출판사, 1998), p. 8

생명의 근원인 복음은 영원히 변할 수 없는 불변적인 요소이다. 성경 말씀 역시 불변의 진리이다. 그러나 변할 수 없는 진리인 복음과 말씀을 전파하기 위한 수단으로 '교회행정'이 필요하다. 교회행정은 '복음을 담는 그릇'의 역할을 한다. 그래서 교회행정은 끊임없는 노력과 연구를 통하여 시대에 부응할 수 있는 탄력성과 적응력을 갖추어야 한다. 복음은 불변하지만, 그 복음을 전파하는 '교회행정'은 가변적이다. 그리고 '수단(도구)'로 사용된다. 또한 '교회행정'이 잘못될 때 불변의 진리인 성경의 말씀으로 돌아가서 바른 진리 가운데 '교회행정'이 되어야 한다. 그러므로 교회행정은 성경의 기준으로 바로 세워져야 한다.

복음의 알곡이 열매를 맺기 위해서는 적절한 교회행정이 필요하다. 그런데 교회행정의 위치는 수면 위로 드러나서는 안 된다. 교회행정의 체계는 완벽하게 갖추되, 겉으로 드러나는 것은 영적인 것이어야 한다. 즉 기도 소리, 찬양, 말씀을 공부하는 것, 봉사와 헌신, 아름다운 교제 즉, 영적인 것이 드러나야 한다. 또한 교회행정은 프로그램이 중심이 아니라, 그 프로그램을 운영하는 사람이 중요시되어야 한다. 물론 사람이 드러나서는 안 되겠지만 교회행정을 하다 보면 정작 사람을 놓치는 경우가 많기 때문이다. 이런 면에서 교회행정은 교회와 성도들이 영적으로 성장하고 성숙하게 되도록 수면 밑에서 보조하는 역할을 하여야 한다.

C. 교회행정의 정의

교회행정이란 말은 교회와 행정의 복합어이다. 그러므로 교회행정은 결국 교회와 행정을 함께 연구하지 않으면 안 된다.[7] 교회는

---

7) 손병호. 「교회행정학 원론」 (서울: 도서출판 유앙게리온, 2000), p. 32.

신앙공동체이며 그리스도의 몸으로 이루어진 유기체적 조직이다. 이러한 교회 안에서 행정을 적용시켜 나가는 것이다. 교회행정의 정의를 살피기 전에 행정이란 개념을 먼저 살펴보아야 한다.

1. 행정의 개념

지금까지 많은 행정학자들이 행정이란 무엇인가에 관한 정의를 시도하였으나 아직까지 만족할 만한 정설은 없다. 그 이유는 첫째, 최근 행정에 대한 지식이 급격히 확대되고 변화가 빠르기에 이론 적인 체계가 정립되기 전에 또 새로운 이론을 요구하기 때문이며, 둘째, 행정의 경계가 분명하지 않으며 행정의 내용과 기능이 동태 적으로 시대에 따라 변화되고 있기 때문이기도 하다.[8]

그러면 행정이란 무엇인가? 흔히 행정이란 정치를 행하는 것이라 고도 하고 정치 권력을 행사하는 국가의 활동이라고도 한다. 그러 나 영어의 「public administration」이라는 말을 구성하고 있는 「administration」은 '봉사하다(administer)' 라는 뜻을 가진 라틴어 「ad(to)+ministrare(serve)」가 결합된 말에서 나왔다고 한다.

일반적으로 「administration」이 정부의 행정과 민간의 경영을 다 같이 가리키는 뜻으로 사용되므로 행정학에서는 public administration을 '공공행정'이라고 번역하여 사용하고 특별한 설 명이 없는 한 공공행정을 그냥 행정이라고 사용하고 있다. Waldo 는[9] 넓은 의미의 행정을 '고도의 합리성을 지닌 협동적 인간 노력 의 한 형태'라고 정의하고 있는데 합리적 행동이란 목적과 수단 간의 관계를 올바르게 연결 시킴으로 원하는 목적을 실현시키기

---

8) Felix A. Nigro and Lloyd G. Nigro, *Morden Public Administration* (New York : Harper and Row, 1984), p. 3.
9) Dwight Waldo, The Study of public administration (New York : Random House, 1955).

위하여 정확하게 계산된 행동이라는 뜻이다. 또한 합리적 인간 노력에는 여러 가지의 형태가 있을 수 있는데 그중의 하나가 행정이며, 이것에 의하여 추구하려고 하는 것은 일정한 목적과의 관련 아래에서 판단되어야 한다.10) 좁은 의미의 행정은 정부 관료제를 중심으로 행정부의 구조 및 공무원의 활동을 포함하는 개념이다.

2. 행정의 개념에 대한 학설의 변천

시대적으로 변천되어 온 행정의 개념은 다음과 같다.

1) 행정관리설

1880년대부터 1930년대까지 행정학의 초창기의 대표적인 견해이다. W. Wilson은 '행정의 분야는 사무의 분야'11) 라고 했으며, L. D. White는 '행정은 국가목적 달성을 위한 사람과 물건의 관리'12) 라고 정의하고 있다. 이는 정치·행정의 분리 형태인 이원론을 전제한다.

2) 정치 기능설

1930년대 중반 이후부터 M. E. Dimock,13) P. H. Appleby14)

---

10) 박용치, 「현대행정학 원론」 (서울 : 경세원, 2001), p. 4.
11) Woodrow Wilson, "The Study of *Administration*" *Political Science Quarterly* vol.2,(june 1887), p. 209.
12) Leonard D. White, *Introduction to the study of public administration*, 1st ed.(New York : Macmillian Company, 1926), p. 2.
13) Marshall E. Dimock, *Mordern Politics and Administration* (New York : America Book Company, 1937), p. 243. Dimock,은 '통치는 정치와 행정 즉, 정책형성과 집행으로 이루어진다. 이 두

등에 의하여 주창된 학설로서 행정관리설과는 달리 이미 수립된
정책의 구체화에 한정하지 않고, 적극적인 정책 결정 및 입법 기능
까지 담당하는 정치·행정이 하나가 되는 일원론의 입장을 취하고
있다. 여기서 행정과 경영의 차이를 인정하고, 행정을 보다 정치와
관련시켜 정책 결정의 역할을 중요시한다는 점에 특색이 있다.15)

3) 행정 행태설

1940년대에 H. A. Simon에 의하여 주창된 것으로 Simon은 행
정조직을 목표 달성을 위한 모든 구성원들의 의사결정 행태의 망
으로 보고 행정을 '의사결정의 과정'이라고 주창한다.16) 행정은 의
사결정이 핵심이 되는 행정행태를 중요시하는 사회 심리적인 개념
으로서 행정을 협동적 집단행위로서 이해한다. 이는 정치기능이 행
정 속에 내포되고 있는 것을 인정하지만 행정학의 과학화를 위하
여 인위적·논리적으로만 가치 판단적인 것을 연구대상에서 배제
하려는 것으로서 행정의 과정 면에 중점을 두며, 행정과 경영 간의
본질적 차이를 인정하지 않는다.17)

4) 발전기능설

관계는 상호 배타적이 아니라 협조적이라'라고 했음.
14) Paul H. Appleby, *Policy and Administration (Alabama
University Press, 1949), pp. 22,24,29,170.* Appleby는 '행정은 바로
정책형성이다. ---- 따라서 행정은 정치와 융합 적이고 순환적인
통치과정이다. 그리고 현대행정이 통치과정 중에서 핵심적 부분을
이루고 있다'라고 했음.
15) 박용치, 「현대행정학 원론」, pp. 6-7.
16) Herbert. A. Simon, *Administration Behavior : A study of
Decision Making* (New York : Free Press, 1945), pp. 9-10.
17) 박용치, 「현대행정학 원론」, p. 7.

1960년대의 발전행정론자인 M. J. Esman, E. W. Weidner, 이한 빈 교수에 의하여 제창되었다.[18] 여기서는 행정이 정치에 대한 우위적인 입장에서 스스로 정치, 경제, 사회의 발전목적 설정에 적극적으로 참여하여 행정이 국가발전을 주도하는 역할을 담당하는 것이다. 이것은 주로 개발도상국의 행정 현상에서 나타났으며, 행정의 민주와 내지, 행정통제에 대한 제도적 장치의 미흡 성이 문제점으로 나타났다.[19]

3. 현대 행정의 흐름과 관련한 개념

행정의 흐름을 이해하기 위해서는 먼저 행정과 정치, 그리고 행정과 경영의 관계를 이해하여야 한다. 정치가 행정의 우위에 있어 행정을 관리하게 될 때 정치와 행정이 하나로 된 형태이다. 이런 경우는 국가의 지도자가 정치와 행정의 수장이 되는 것이다. 최근에는 정치와 행정이 분리되어 정치는 정치인이 행정은 관료들이 하는 것으로 구분되었다. 이런 형태는 정치와 행정의 이원화 형태이다.

1) 정치 행정의 일원화

1930년대의 말에 이르러 공공행정의 가치 중립적·수단적인 입장을 떠나서 적극적인 정치성·공공성·독자성을 중요시하는 정치 행정 일원론이 등장하게 되었다. 이때에는 공공행정이 관리로서의 민간 행정과 유사하다는 점에 이의를 제기하고 양자 간의 차이점을 통한 공공행정의 독자성과 본질적 특성을 명백히하려 하였다. 공공행

---

18) Milton J. Esman, *The Politics of Development Administration* (CAG, ASPA, 1964), pp. 10-20.
19) 박용치, 「현대행정학 원론」, p. 7.

정의 정치적 성격이 강조된다.[20]　정치와 행정의 일원화 입장은 행정부가 정책 결정에 함께 참여하는 형태이다. 군사 독재 시절 이전에 우리나라 정부는 행정이 정치를 독점하였다. 행정의 우위시대였다. 정치와 행정의 일원화는 일사불란한 집행, 통일된 진행 과정의 장점이 있으나 관료주의의 폐해가 있다. 막강한 권력을 지닌 관료체제는 관료의 부패로 이어질 수 있다.

오늘날 장로 대의 정치 제도는 장로들이 교회 정책 결정 과정에 참여하는 것이다. 그리고 지방회(노회, 이하 지방회라 한다)나 총회까지 참여한다.[21] 장로들의 정치 참여는 장로들의 세력화를 의미하며 폐해 또한 없지 않다. 교회를 관리하며 목회자를 단순한 고용인으로 경영자로 여겨버리는 경우이다. 목회자는 열심히 일만 하는 경영자에 불과하다. 교회의 중요한 정책 결정에 목회자 단독의 의사가 존중되지 않는다.

2) 정치 행정의 이원화

W. Willson의 「행정의 연구」로부터 시작된 정치 행정 이원론은 정치와 행정의 분리에 초점을 두고 있다. 따라서 통치 권력에서 정치를 제외한 나머지가 행정이 되므로 공공행정은 민간행정과 유사한 것이 되어 버린다. 학자에 따라서 이를 공사행정 이원론·공사행

---

20) ibid., p. 9.
21) 한국장로신문사(사장 김건철 장로)가 2004년 7월 12일부터 2박 3일 동안 경주에서 열린 제 30차 예장 통합 전국장로수련회 참가자 1346명을 대상으로 설문 조사를 실시하였는데 설문 제목은 '장로의 대사회적 정치 참'여'이다. 응답자 중 76%(1023명)가 교회의 정치 참여가 필요하다고 응답하였다. 이 중 27%(359명)는 적극적으로 참여해야 한다고 답했고 정치 참여에 참여해서는 안 된다는 응답자는 19%(259명)로 집계됐다(국민일보 2004.8.4 수요일(제4801호). 30면 교단 뉴스.

정 동질론이라고 부르기도 한다. 이러한 시대에는 공공행정도 관리적 성격이 강조되었다.22) 이원화 입장은 정치와 행정이 완전 분리된 형태이다. 즉 정치는 정치인이 행정은 행정 인이 하는 것이다. 정치는 입법부와 사법부 정부가 정책을 결정하면 행정부는 결정된 정책대로 집행만 하면 되는 것이다. 행정부는 단순히 경영자로서만 인식된다. 경영은 관리를 포함한다. 이 경우 목회자는 정치, 장로나 집사는 관리자나 경영자의 위치에 선다. 장로나 집사는 목회의 정책 결정에 관여할 수 없다.

3) 정치 행정 새 이원론

1940년대 들어 사이먼(H.A. Simon) 등 행태주의 학자들이 새 이원론을 제기하였다. 이들은 행정의 정책 결정 기능을 인정한다는 점에서 기존의 이원론과 구분하였다. 행정을 개인적 가치가 배제된 사실 중심의 집단적, 협동적 의사결정 과정으로 정의한다. 사실 중심의 새 정치 행정 개념이다. 개체적이 아닌 집단적 인간 행동에 초점을 둔다. 당회 중심이나, 목회자 개인의 독단적 목회보다는 객관적이며 집단적 협동적 의사결정에 초점을 둔다.

4) 정치 행정 새 일원론

1960년대에는 발전행정론이 등장하였다. 발전행정론은 행정 우위론의 입장에서 새 일원론을 제기한 것이다. 발전행정론은 정치, 경제 등 다른 사회 체계가 미처 발전하지 못한 발전도상국에서 시급한 국가발전 사업을 추진하기 위해서는 행정조직이 주도적인 역할을 수행할 수밖에 없다는 측면에서 이해한다. 공공행정이 사회를 보호하고 안정시키는 기능 이외에 사회변동 기능·정책 결정의 기능

---

22) 박용치, 「현대행정학 원론」, p. 8.

과 능동적 역할에 특히 강조점을 두었으며, 따라서 공공행정의 민간행정에 대한 차이점과 독자성이 강조되었다. 공공행정의 발전 목표 설정과 환경 변동 대응성을 중요하게 여긴다. 오늘날 셀 목회 목장에게 주어지는 권한이다. 목장은 셀 원을 독자적으로 이끌어 갈 수 있는 셀에 대한 개별적 정책 결정을 한다. 행정 우위론은 행정에 대한 정치 통제의 민주원칙에 벗어날 뿐만 아니라, 관료주의 화를 촉진함으로써 행정의 책임성과 대응성의 확보를 어렵게 한다는 비판을 받고 있다. 셀 목장의 독자적 권한이 지나칠 경우 독선이 될 우려가 있다.

5) 현대 행정의 흐름과 교회행정 형태

교회의 특수성은 교회는 사람들의 모임이나 믿음의 사람들의 모임이며 그리스도가 교회의 머리가 된다. 담임 목회자는 교회를 대표하며 교회를 주님의 뜻대로 성령의 감동을 받아 목회한다. 그러기 때문에 담임 목회자의 리더십은 정치적 리더십을 발휘해야 한다. 정치적 리더십은 그리스도의 통치와 성령의 감동을 통한 성경적 목회 비전이다. 목회자는 이러한 근거로 목회 철학과 목회 목적, 목회 방향을 확립하여야 한다. 담임 목회자의 목회 비전은 교회를 올바른 교회로, 성경적인 교회로, 건강한 교회로 이끈다. 또한 목회자의 리더십은 관리와 경영의 리더십도 발휘해야 한다. 목회 전반에 있어 모든 계획, 조직, 인사, 재정, 시설까지 관여하는 리더십이 되어야 한다. 그러나 부교역자 리더십, 평신도 리더십의 영역을 침범해서는 안된다.

담임 목회자의 리더십은 관여를 하되 안내와 조정과 통제의 리더십을 발휘해야 한다. 대형 교회일수록 담임 목회자의 리더십은 최고 경영자의 자리에서 비전수립과 전체적인 통제의 역할을 하게 된다. 소형 교회에서는 담임 목회자의 리더십은 목회 전반에서 정치적 리더십, 관리 및 경영의 리더십을 직접 발휘해야만 한다. 대형 교회의 담임 목회자의 리더십은 정치 행정의 이원론에 가깝다. 그러나 소형 교회의 리더십은 행정의 우위성인 정치 행정의 일원론에 가깝다. 대형 교회나 소형 교회 모두 담임 목회자의 리더십이 우선적이며 가장 중요하다.

목회자는 성경적인 목회 비전 메이커가 되어야 한다. 그리고 비전에 따라 정책 결정에 함께 참여할 수 있는 평신도 지도자들을 발굴하여야 한다. 오늘날 당회나 특별 기획위원회는 평신도 그룹으로 목회자의 비전에 따른 목회의 모든 계획을 함께 논의할 수 있다. 또한 오늘날 셀 그룹의 독립된 목장의 리더십은 담임 목회자의 비전과 리더십에 통일되어야 하며 통제되어야 한다.

4. 교회행정의 정의에 대한 학자들의 견해

교회행정의 정의에 대해 학자들의 견해는 다음과 같다.

1) 레오나드 메이어(Leonard Mayor)

메이어는 교회행정을 "직능을 결정하며 그 직능을 명확하게 하고, 정책을 공식화하여 이를 수행해나가며, 권위를 위임하며 관리자를 선임하여 직원을 훈련하고 이것을 위한 모든 유효한 조직과 목적 달성을 위한 방법과 자원의 동원이라고 하였다.23)

2) 아더 아담스(Arthur Adams)

아담스(Arthur Adams)는 행정이란 "어떤 일을 수행하기 위하여 교인들을 통하여, 그리고 그들과 함께 일하는 것이다."24) 라고

---

23) William H. Leach, *Handbook of Church Management*(New York : Prentice-Hall, 1958), p. 78.
24) 김득용. 「현대 행정학 신강」 (서울: 총신대 출판부, 1985), p. 27.

하였다. 이 정의는 목회자와 평신도가 함께 일하는 것, 즉 협동한
다는 것을 강조함으로 현대 교회로서는 타당한 것으로 보인다.

3) 엘빈 린그렌(Alvin J. Lindgren)

린그렌(Alvin J. Lindgren)은 교회행정이란 "교회의 목적과 목
표를 발견하고 명확하게 하며, 성취하기 위하여 응집력 있고 포괄
적인 방법으로 교회를 인도해 나가는 과업이다."[25] 한다. 교회행정
이란 신학의 여러 분야 가운데서도 조직하고 계획하는 방법과 교
회의 활동을 인도하고 촉진 시키는 방법을 연구하는 것으로, 말씀
을 더 효과적으로 증거하며, 그리스도의 임재를 축하하고 양 떼들
을 돌보며 세상에 더 많은 봉사를 하도록 한다. 즉 교회행정은 교
회 전체를 동원해서 교회의 본질과 선교적인 사명이 무엇인지를
발견하고, 모든 사람에게 하나님의 사랑을 선포해야 하는 선교적
사명을 완수하는 데 있어서 주어진 모든 물적, 인적 자원을 활용할
수 있도록 조직적이고 포괄적인 방법으로 교회를 이끌어가는 것을
의미한다. 이런 린그렌의 정의는 교회관과 선교 관념을 굳세게 하
기 위한 것과 인원과 물자를 사용함에 이해력 증진을 위하여 더
한층 고무적인 것으로 보인다.

4) 찰스 티드웰(Charles A. Tidwell)

티드웰은 교회행정을 "교회가 교회되게 하고 교회가 교회의 일을
할 수 있게 갖추어 주는 지도력이라고 한다. 교회 리더들이 교회의
목적과 목표를 달성하고자 영적, 인적, 물리적, 및 재정적 자원들을
활용하도록 인도할 때 제공되는 리더십"으로 정의한다. 그리고 교

---

25) Alvin J. Lindgren, *Foundation for Purposeful Church Administration* (Nashville: Abingdon, 1983), p. 60.

회행정이란 교회를 구성하는 하나님의 자녀들이 그들이 될 수 있고 할 수 있는 그것을 하나님의 은혜로 될 수 있고 할 수 있도록 해주는 것이다.[26]

5) 로버트 데일(Robert Dale)

데일은 교회행정을 "어떤 방법이 아니라 목회 그 자체이며, 서류 작성이 아니라 사람 그 자체이며, 비인격적인 정책이 아니라 인격적인 과정이며, 교묘한 조작이 아니라 관리다."라고 하였다. 그리고 그는 교회행정이란 어떤 조직의 사람을 반전하게 하는 방법이며, 그 조직이 가지고 있는 자원들을 효율적으로 활용할 수 있도록 해주는 것이라고 하였다. 또한 "교회행정이란 하나의 과학이며 예술이며 은사이다. 과학으로서의 교회행정은 연구와 실천에 의하여 습득되는 진행과 기술을 포함하며, 예술로서의 행정은 상호관계 속에서의 감수성, 직감 그리고 적절한 시간 포착을 요청한다"고 하였다.[27]

결국 교회행정(Church Administration)이란 교회의 제 분야를 조직하고, 관리 운영하는 제반 활동을 말한다. 즉 교회의 전체 목적을 달성하기 위해서 교회 지도자들이 교회를 인도하는데 관련된 모든 활동을 말한다.

5. 교회행정의 어원적 정의

---

26) Charles A. Tidwell, *Church Administration Effective Leadership for Ministry*(Nashville: Abingdon, 1985), p. 27.
27) Robert Dale, *Managing Christian Institution, in Church Administration Handbook*, ed. Bruce P. Powers(Nashville : Broadman Press, 1985), p. 11.

이성희는 그의 책「교회행정학」에서 행정과 관련된 대표적인 어원으로 다음의 네 가지를 들고 있다.[28]

1) Administrae

(1) 행정이라는 용어 Administration 라틴어 어원은 Administrae – 섬기다, 돕다, 보조하다, 관리하다, 통치하다, 지도하다 뜻이다. 사전적인 의미로 Administration은 행정, 통치, 관리, 경영의 뜻을 가지고 있다. 그래서 행정을 통치와 같은 의미로 사용해왔기 때문에 행정의 봉사적 의미가 퇴색되고 통치적 기능이 부각되어 왔다.

"행정하다"(administer)는 말은 라틴어 administrare에서 유래되었으며, ad라는 접두사와 ministrare, 즉 "섬기다"는 단어가 합성된 것이다. Ad는 목회의 이동, 방향, 변화, 완성, 조사의 뜻이며 보다 강한 의미의 뜻을 표시한다.

따라서 administration이란 단어가 가지는 어원학적 의미는 섬기는 것을 뜻하는데, 교회를 섬기는 것, 즉 그리스도의 몸 된 교회를 구성하는 사람들을 섬기는 것으로 정의되며, 이는 주님께서 말씀하신 섬기는 정의와도 맥을 같이 한다 (막 10:44- 45). 예수님께서 '인자가 온 것은 섬김을 받으려 함이 아니라 도리어 섬기려 하고 (마 20:28). 여기서 섬김은 행정의 의미이다. 바울 서신에서도 이 개념은 여러 번 등장한다. 성경이 말하는 섬기는 지도자(servant leadership) 개념은 기독교의 독특한 지도자 개념으로서, 그리스도께서 세상에 오신 목적 역시 우리를 섬기기 위해 오셨다.

(2) 성경의 '종' 혹은 청지기'와 상응하는 말이다.

(3) 목사를 minister 라 하는데 이 말이 행정이라는 어원에서 나온다.

---

28) 이성희, 「교회행정학」 (서울: 한국장로교출판사, 2003), pp. 70-73.

(4) 이 말은 요즘 '집사'라는 deacon으로 번역되는 말이며, minister와 deacon은 같은 의미를 가진 말이다.

이런 어원에서 볼 때 행정은 사람들과 더불어 혹은 사람들을 통하여 어떤 계획된 일을 수행해나가는 것이다. 통제하고 지배하는 의미보다 섬기고 도와주는 의미이다.

2) διακονία

(1) 라틴어 Administrae의 헬라어 - 봉사의 뜻이다.

(2) 두 가지 의미 - 순수한 봉사, 목회적 업무를 가지고 있다. 봉사는 로마서 15장 31절의 섬기는 일, 누가복음 10장 40절의 "도와주다" 의미를 가지고 있다. 목회적 업무 의미로는 집사(διακ ονος)의 직무로서 사도들의 업무, 신자들의 봉사, 성령의 역사, 천사의 섬기는 일, 복음의 역사, 말씀을 전하고 가르치는 주의 종의 일반적 사역, 죽음을 다스리는 직분 등으로 표현한다.

(3) 직임과 직무로 표현 - 고린도전서 12장 5절 '직임은 여러가지나' 고린도후서 9장 12절 '봉사의 직무' Minister. 일꾼, 사역자를 의미한다(고전12:5).

3) ύπερετης

휘포와 에레테스의 두말인데 휘포는 아래 에레테스는 노를 젓는다. 아래서 노를 젓듯이 한다. 종. 봉사자, 섬기는 자, 행정가, 재판관, 복음을 선포하는 자, 남을 도와주는 자를 의미한다.

4) κυβέρνησις

고린도전서 12장 28절의 통치자, 사도행전 27장 11절, 요한계시록 8장 17절의 배의 선장, 목자. Pastor를 의미한다. 리더십과 경영 즉 행정. 도략(잠11:14)과 모략(잠20:18)을 의미한다. 도략과 모략은 현대어로 행정이다. 왕의 리더십이다.

6. 교회행정 용어에 관련한 정의

행정에 관련된 용어는 정치와 경영, 그리고 관리이다. 이성희는 그의 책 「교회행정학」에서 행정에 관련된 용어를 리더십(지도력, 정치), 관리, 경영으로 구분해서 소개한다.29) 여기에서는 행정에 관련된 용어로 정치, 경영, 관리의 개념을 살펴보고자 한다.

1) 정치(Politics, 政治)

정치는 행정과 밀접한 관계를 갖는다. 정치가 행정을 또는 행정이 정치와 함께 가는 일원화의 입장, 정치와 행정이 분리된 이원화의 입장에 따라 그 역할이 달라진다. 정치와 행정을 굳이 구분하자면 정치가 가치를 결정하는 것이면, 행정은 가치를 집행하는 것이며, 정치가 권력의 현상이 있다면 행정은 관리의 측면이다. 정치가 거시적이면 행정은 미시적이다. 정치가 권력성이 있다면 행정은 그 권력을 위임받은 관료의 형태이다.

최근 세계화, 민주화, 지식 정보화라는 환경변화는 새로운 국가모형과 운영을 요구하고 있으며, 이에 따라 정치와 행정의 기능적, 제도적 관계의 재정립이 요구된다. 한국에서의 정치와 행정의 관계에 대해 과거에는 주로 행정이 정치의 권력을 함께 하는 일원론적인 입장이었다. 이것은 국정의 행정주도와 높은 관료제의 모습을 보여주었다. 바람직한 방향은 정치기능의 회복과 아울러 국민의 정치 행정에 대한 참여와 비판적 감시기능을 확대하는 제도적 구상

---

29) ibid., pp. 77-78.

이 필요하다.

정치는 리더십에 관련된 부분이다. 정치 리더십은 정책 결정, 방향 설정, 비전 제시, 가르침의 부분이다. 교회행정에서 말하자면 오늘날 담임목사의 리더십을 의미한다. 지교회 뿐 아니라 교단에도 정치와 행정, 관리, 경영이 이루어진다. 이러한 정치는 치리회 기구로 이루어진다. 치리회는 지교회의 직원회(제직회, 이하 직원회라 한다), 당회, 사무총회(공동의회, 이하 사무총회라 한다), 지역 교회 연합인 지방회, 교단의 연합체인 총회로 구성되어 있다. 교단의 정치는 교단이 세운 헌법에 근거한다. 그리고 교단의 총회 본부는 행정, 관리, 경영의 전문성을 가지고 운영한다.

2) 관리(Management)

관리는 정치적 힘이 실린 관료제의 형태를 가질 수 있으며, 리더십의 명령에 따라 순응하는 하부 관리자의 형태를 가질 수 있다. 오늘날 행정 관료, 공무원 제도라 할 수 있다. 교회에서는 장로의 리더십을 의미한다고 볼 수 있다. 장로는 담임목사의 위임된 리더십을 받아 담임목사의 리더십을 보충, 보완, 협력하고, 기획하며, 때론 감독, 조정, 통제, 관리의 리더십을 발휘한다.

3) 경영(Administration)

행정과 경영의 차이점을 논한다면, 행정30)은 일반적으로 공익을 목적으로 하여 공공문제를 해결하고 공공서비스의 생산 및 분배에 관련한 여러 활동을 말한다. 경영(business administration)이란 경쟁 시장에서 고객의 선호를 만족시켜 수요를 창출하고 이윤을 획득하는 활동을 말한다. 생산성 및 효율성을 목적으로 하는 경영의

---

30) public administration

목적을 잘 이룰 수 있는 교회행정의 역할이 필요하다.

경영은 행정의 보조 업무, 향상을 위한 업무, 추진, 실행하는 경영 리더십의 부분이다. 집사 혹은 권사의 업무를 의미한다고 볼 수 있다. 이 점은 교회 안에서 일을 추진하는 직분 자들의 역할을 의미한다.

교회 안에서 목회자는 지도자로서 리더십을 발휘하며, 그 리더십의 결정과 지시에 따라 장로는 목회자의 리더십을 보완, 협력하여 집사의 경영을 관리하고 감독하는 역할을 하며, 집사는 목회자의 리더십의 결정과 지시를 잘 받들어 실행에 옮기는 역할을 한다.

D. 교회행정의 목적31)

1. 교회의 일치를 가져온다.

일관성 있는 교회행정을 이루게 될 때 교회는 일치를 가져온다. 전 교인이 담임목사의 비전과 목회 철학과 방향을 공유하고 일치된 마음을 가지고 프로그램을 진행할 때 하나 된 그리스도의 몸을 이루게 한다. 교회의 일치는 교회를 안정감 있게 이끈다.

2. 교회의 본질을 이루게 한다.

교회행정을 바르게 할 때 교회는 교회로서의 본질을 이루게 된다. 교회행정의 목적 자체는 교회의 본질을 추구하기 때문이다. 교회의 본질이란 무엇인가? 하나님의 영광과 그의 나라와 그의 의를 구하는 것이다. 전도와 선교의 본질을 이루기 위한 방향으로 교회행정은 이루어가기 때문에 올바른 교회행정은 올바른 교회의 본질을

31) ibid., pp. 82-91

이루게 된다.

3. 영적 성장과 성숙을 가져온다.

올바른 교회행정이 이루어질 때 교회는 일치될 뿐 아니라, 성숙된 교회가 되며 더불어 교회가 성장되는 아름다운 결과가 이루어진다. 초대교회가 안수집사 7명을 세우고 사역자는 기도와 말씀 전하는 일을 전무하게 될 때 사도들의 말씀의 권세가 흥왕하여지게 되었다. 그 말씀으로 허다한 무리들이 구원받게 되고 하나님의 교회가 성장되며 성숙되는 역사가 일어나게 되었다.

4. 모든 성도들이 각자의 역할을 분명히 인식하며 일을 하게 된다.

교회행정이 바르게 진행될 때 교인들이 각자의 역할에 대한 분명한 인식을 하게 된다. 그리고 서로 일치한 가운데 협력하며 일을 하게 된다. 지체들의 분담이 적절하게 이루어지며 교회 전체가 건강하게 된다.

5. 하나님께 영광을 돌리게 된다.

교회행정의 목적과 방향은 하나님을 사람보다 더 기쁘시게 해야 함에 있다. 교회행정 본질 자체가 그렇다. 진정한 교회행정은 하나님 중심(God-centred)이지 않으면 안 된다. 교회행정가인 목사는 교인들이 어떻게 살아야 하나님을 기쁘시게 하는 삶인지를 가르쳐야 하는 사명을 가지고 있다.

E. 교회행정의 특성

1. 일반행정의 특성

1) 공공성(公共性)

행정은 공공성을 가지고 있다. 공공성이란 전체성, 보편성, 공통성을 내포한다. 이 공공성은 사회의 지배적인 습관이나 제도에 제약을 받기 마련이며 행정가에 따라서 제약도 받으며, 사람들의 목적과 대립되기도 한다. 교회행정은 공공성의 뜻보다 우선적으로 하나님에게 표준을 둔다. 하나님의 뜻에 따르는 것이 교회행정에 있어서 공공성이다.

2) 공익성(公益性)

행정은 사람들의 공익을 위해서 있다. 행정가는 공익성을 위해 존재한다. 그리고 공익을 따라서 모든 결정을 내린다. 교회행정은 교인들의 이익과 유익을 위해 있는 것 아니라 하나님을 위해 있다. 물론 하나님의 이익과 사람들의 이익이 동일할 때도 있다. 그러나 사람들의 편리만을 위해서 교회행정이 있는 것 아니다.

3) 정치성(政治性)

행정은 원래 정치성을 내포하고 있으며 정치적으로 지휘 감독을 받을 때가 많다. 교회행정 역시 정치성이 있다. 이 정치성은 담임목사의 리더십을 통해 나타날 수 있다. 더 나아가서는 교단의 정치가 개입될 수도 있다.

4) 권력성(權力性)

행정에는 권력성이 있다. 현대 국가는 입법, 사법, 행정부의 3권 분립의 권한을 가지고 행정의 기능을 강화하고 확대하고 있다. 이런 행정의 권력성 때문에 일반행정에서는 지나친 수용성이 나타나거나 저항성이 나타난다. 교회행정에서도 영적 리더자의 카리스마 리더십 때문에 이 양면은 언제나 따라 다닌다. 교회는 민주주의가 아니고 신정주의이기 때문이다.

5) 관리성(管理性)

행정부나 행정 주체의 유지나 발전을 지향하여 보다 합리적으로 또는 효과적으로 달성하기 위하여 계획하고 운영하는 행동을 말하는데, 교회행정의 관리성도 마찬가지다. 즉, 교인 교육훈련, 교회 재정, 교인 신앙, 교회 예배 등을 효율적으로 운영하기 위한 모든 것이 교회행정의 일환이다.

6) 계속성(繼續性)

행정에서는 국민 또는 시민들이 안정을 요하며, 계속성을 원한다. 행정의 안정성과 계속성이 없으면 정치적인 계속성의 결여나 다름없는 혼란성에 부딪치게 된다. 현대사회는 정치와 행정의 안정성과 계속성을 강력히 요청한다. 교회행정에서도 일관성 있는 계속성이 필요하다. 목사에 따라서, 행정가에 따라서 교회의 안정성이 흔들리면 교회는 기본자세를 갖지 못한다. 그리고 교회론이나 신론이나 신앙 노선에도 안정성과 계속성이 요청된다. 교회가 교회다운 교회가 되고자 할 때 교리적인 안정성과 체제적인 계속성은 절대적이다.

2. 교회행정의 특성

1) 교회행정은 '교회'라는 영적인 것과 '행정'이라는 인간적인 면을 갖고 있다.

교회는 하나님이 세우신 기관이란 점에서 영적이다. 그러나 교회의 구성원은 사람으로 구성되어 있어서 인간적이다. 그러므로 교회는 첫째 영적인 교회의 특성과 인간적 특성을 함께 고려해야 한다. 또한 영적인 것이 본질이며, 인간적인 것은 영적인 것을 기준으로 세워져야 하며, 그 영적인 것을 이루기 위해 인간의 이성적인 면이 고려되어야 한다. 즉, 교회는 신적이지만 인간적인 실재이기에 행정과 관리의 지혜가 필요하다. 그러나 영적인 교회를 이루기 위해 회의를 하기 전에 예배를 드려야 하며 기도를 하여야 한다. 보고서 이전에 영적 비전이 있어야 한다. 교회행정은 성령님이 하시는 일이 되도록 끊임없이 성찰해야 한다. 앨빈 린그렌은 "교회행정은 성령님의 역사요, 성령님의 지도 아래 되는 일이어야 한다.[32]고 주장한다.

2) 교회행정은 조직(organization)과 유기체(organism)를 고려해야 한다.

교회는 조직이나 기관으로써의 성격을 갖고 있다. 조직이 있고 예산이 있고 계획이 있고 실행과 평가가 있다. 그러나 교회는 그냥 조직이나 기관이 아니다. 유기체이다. 유기체란 살아있는 조직을 말한다. 즉 교회는 단순한 조직만을 이루고 있는 것이 아니다. 그 안에 살아있는 유기체, 즉 성도들의 공동체가 모여 있는 유기체적 조직이다. 교회의 유기체는 살아있을 뿐 아니라 영적 유기체이다.

---

32) 앨빈 린그렌, 「교회 개발론」, p. 19.

교회행정은 조직으로 행정이 필요하지만, 영적 유기체인 것을 고려하여 더욱 성숙하고 영적 생명이 풍성한 신앙공동체로 자라게 해야 한다. 영적 생명력을 지닌 그리스도의 몸으로서의 유기체임과 동시에 목표, 과업, 계획, 조직, 인사, 예산, 리더십, 지도, 통제, 평가 등을 요구하는 조직체가 이루어져야 한다. 한쪽만 강조되어서는 아니 된다.

3) 교회행정은 기관과 개인의 균형을 이루어야 한다.

기관 중심은 개인의 필요보다 조직체의 요구사항, 역할 및 목표성취에 강조점을 두고 구성원들이 그 일에 헌신하기를 기대하는 성격의 조직인 반면, 개인 중심은 조직체보다 구성원 개개인에게 더 강조점을 두고, 조직체가 구성원들에게 해주는 것에 관심을 두는 것을 의미한다. 교회 안에서 이 두 성향은 적절히 균형을 이루어야 한다. 이런 면에서 교회는 프로그램을 진행하면서 프로그램의 성공적인 성취를 목표로 하지만 그 프로그램을 진행하는 사람을 놓쳐서는 안 된다. 교회의 목적은 사람을 살리는 일이다. 프로그램, 방법, 그리고 조직은 목적을 위한 수단이며, 그 자체가 목적은 아니다. "모든 노력에 있어서 최고로 고려해야 할 것은 사람들에게 무슨 일이 일어나고 있는가 하는 점이다." [33)]

F. 교회행정의 관점

진 게츠(Gene A. Getz)는 현대 교회의 목회적 전략을 발전시켜 나가는데 다음의 세 가지 렌즈를 통과해야 한다고 하였다. [34)] 첫째,

---

33) 로이스 게바르, 「사람에게 중점을 둔 교회행정」 (서울: 생명의 말씀사, 1983), p. 21.

성경의 렌즈, 둘째, 역사의 렌즈, 셋째, 문화의 렌즈이다. 교회행정의 관점 역시 진 게츠의 주장과 맥을 같이 하면서 다음과 같은 관점을 가져야 한다.

1. 성경의 관점

교회행정은 성경의 교과서를 바탕으로 이루어져야 한다. 교회행정은 행정의 이론을 일반행정에서 가져왔기에 성경의 바탕이 없어서는 절대로 안 된다. 교회행정은 반드시 성경의 검증을 받아야 한다. 성경을 텍스트, 교회행정을 콘텍스트라 한다면 교회행정은 콘텍스트 가운데 항상 텍스트의 검증을 받아 상황 속에 이루어지는 교회행정이 되어야 한다.

2. 역사의 관점

교회행정은 역사적인 배경을 고려해야 한다. 시대마다 다양한 상황들이 있기에 역사가 주는 거울에 비추어 교회행정을 바르게 세워야 한다.

3. 문화의 관점

문화 역시 오늘날 당면하고 있는 현실이기에 현실 속에 계시되어진 하나님의 뜻을 찾으며 교회를 이루어가야 한다. 이런 점에서 교회행정은 오늘날 당면한 문화적 상황들을 고려해야 한다.

4. 헌법의 관점

---

34) Gene A. Getz, *Sharpening the Focus of the Church* (Wheaton: Victor Books, 1989), 이성희, 「교회행정학」., pp. 31-37. 재인용.

교단의 헌법은 교단의 이념, 교리, 신학, 정치, 행정, 경영, 관리의 모든 것을 포함한다. 교단의 헌법은 교단의 특성을 이루는 기준이기 때문에 교단 내에서 올바른 교회행정을 이루려면 반드시 헌법을 따라야 한다.

5. 교회의 관점

교회행정의 근거는 교회이기 때문에 교회를 떠난 교회행정은 있을 수가 없다. 그러므로 일반행정의 원리를 적용하면서 항상 교회가 무엇인가? 교회의 역할이 무엇인가? 교회의 본질이 무엇인가? 교회의 기능이 무엇인가를 살펴보면서 교회행정을 이루어가야 한다. 교회행정은 교회를 떠나서는 결코 이루어질 수 없다는 것을 명심해야 한다.

G. 교회행정의 원리

이상과 같은 교회의 개념 이해에 있어 교회행정의 원리를 살펴보자면 다음과 같다.

1. 하나님 중심 원리가 되어야 한다.

하나님 중심의 원리는 첫째, 하나님의 말씀인 성경에 근거를 둔다. 하나님 말씀을 떠난 교회행정은 이루어질 수 없다. 교회는 성경의 원리에 따라 이루어지기 때문에 교회행정 역시 성경을 중심으로 이루어져야 한다. 성경에 위배되는 교회행정은 의미가 없다. 둘째, 그리스도 안에서 이루어져야 한다. 하나님은 그리스도를 통해 인류를 구속하셨기 때문이다. 셋째, 교회를 중심으로 이루어져야 한다. 교회는 하나님이 세우신 공동체이며 그리스도의 몸이기에 교회를 통해 교회행정이 이루어져야 한다. 넷째, 성령의 인도하심을 받아야 한다. 교회행정은 영적인 기관이기에 철저히 성령님의 인도를 받아야 한다. 교회행정은 행정의 원리를 따르고 있지만, 중심은 영성의 원리가 뒷받침되어야 한다. 항상 말씀, 성령으로 충만해야 한다. 그러기에 무슨 일이든 기도가 뒷받침되어야 한다. 영성이 없는 교회행정은 일반행정이나 다름이 없어진다. 다섯째, 믿음으로 이루어져야 한다. 하나님을 전적으로 믿는 것은 성도의 본질이며 교회행정을 효율적으로 이루어지게 하는 중요한 요소이다. 여섯째, 전도와 선교를 목표로 하는 교회행정이 되어야 한다. 이것은 교회 본질이며 하나님의 뜻이기 때문이다. 교회의 본질은 전도와 선교이기에 교회행정의 지향점은 사람을 살리고 세상을 살리는 복음 선교 중심이어야 한다.

2. 인간 지향적 원리가 되어야 한다.

인간 지향적이라는 말이 인간 중심적이라는 말과 혼동해서는 안 된다. 인간 중심적인 행정은 사람들의 욕구충족에만 집중하여 사람을 돋보이게 하는 행정이 되는 것이다. 인간 지향적 교회행정이란 첫째, 교회행정이 '합리적으로 조직되고 민주적으로 운영'되어야 함을 뜻한다. 즉 교회행정은 인간의 이성을 통해 합리적으로 기획되고 운영되어야 한다. 이런 점에서 교회행정은 분명한 행정의 원리를 가지고 운영할 수 있어야 한다. 행정의 원리가 분명하게 체계있게 세워질 때 교회행정은 올바른 목적과 방향을 향해 나아갈 수 있게 한다. 또한 행정의 원리는 어느 상황이나 문제에도 적응하고 적용할 수 있게 한다.

또한 민주적이란 전체 교인이 참여하여 그들의 가능성과 자질을 개발하여 활용해야 하며, 그들의 역할 분담을 합리적으로 분배하여 전체 교회가 유기적으로 성장할 수 있도록 해야 하며, 성도의 아름다운 사랑의 교제가 이루어져야 함을 말한다. 둘째, 교회행정은 프로그램 중심이 아니라 사람을 통해 이루어져야 한다. 프로그램을 진행하다 보면 프로그램에 집중하면서 사람을 잃어버릴 수 있다. 교회행정은 사람을 놓쳐서는 안 된다. 프로그램이 목적이 아니라 프로그램을 진행하는 사람이 중심이 되어야 하며, 전체 프로그램의 대상이 되는 사람, 혹은 영혼들을 살려주고 세워주는 교회행정이 되어야 함을 잊지 말아야 한다.

3. 돕는 원리가 되어야 한다.

교회행정은 행정이 교회 전면으로 드러나게 해서는 안 된다. 물론 행정을 진행하다 보면 행정이 드러나지 않을 수 없다. 행정력이 원활하게 되려면 행정이 드러나야 한다. 그러나 교회행정은 그럼에도 불구하고 교회 안에 숨어있어야 한다. 역설적인 면이 있지만 드러나 있으면서도 결코 드러나게 해서는 안 되는 통제력과 절제력을 가지고 진행해야 한다. 이 점은 교회행정은 앞서서 말한 것처럼, 모든 프로그램이 하나님 중심, 사람을 살리는 중심, 영성의 중심에 있다는 것을 간과해서는 안 된다는 점이다.

행정이 우선되면 교회행정은 인본주의로 흐를 경향이 많다. 행정에 대해 무분별한 사용을 자제해야 한다. 행정 만능주의를 배제해야 한다. 교회행정은 봉사, 보조, 협력의 차원이어야 한다. 1차 적인 것이 아니라, 2차 적인 것이 되어야 한다. 그렇지만 교회행정은 완벽하게 준비해야 한다. 철저한 행정을 준비해야 한다. 교회행정은 마치 자동차가 자동차 안의 배선과 부품이 숨어있지만, 그것을 통해 완벽한 자동차가 이루어지며 주행이 이루어지는 것을 생각해야 한다. 결론적으로 교회행정은 완벽하게 이루어지되 결코 영성의 원리보다 드러나서는 안 된다.

 4. 행정 전문가를 양성해야 한다.

 교회행정은 사람이 이루어가기 때문에 행정에 대한 전문가를 통해 이루어져야 한다. 교회의 목회자, 장로, 권사, 집사의 직분을 가진 자는 모두 행정에 대한 이해와 전문성을 갖추어야 한다. 그래서 교회에서 행정을 통해 이루어지는 모든 비전수립, 기획, 조직, 인사, 리더십, 커뮤니케이션, 평가 및 진단의 과정에 이해와 훈련을 통해 훌륭한 행정 전문가들이 되어야 한다. 교회행정의 전문가를 통해 이루어지는 교회는 원활한 교회를 이루어갈 수 있으며, 성경적인 건강한 교회를 이루어 갈 수 있게 한다.

Ⅱ. 교회행정의 성경적 본질

교회행정은 교회와 행정의 복합어로 행정의 원리를 사용하고 있
으며, 동시에 교회를 떠나서는 이루어질 수 없다. 또한 교회는 성
경에 근거를 두고 있다. 그러므로 교회행정은 교회가 무엇인가의
의미를 성경에서 찾아야 한다. 성경은 교회행정의 텍스트이다. 교
회행정은 텍스트인 성경적 본질을 따라 상황 속에 실현된다. 그러
므로 교회행정이 올바로 이루어졌는가는 항상 성경의 본질로 돌아
가 검증을 받아야 한다. 교회행정의 성경적 본질을 찾기 위해 우선
교회란 무엇인가를 규명해야 한다.

A. 교회의 어원적 의미[35)]

1. 구약

1) 카할 - קהל

카할은 칠십인 역에서 '에클레시아'($\acute{\epsilon}\kappa\kappa\lambda\eta\sigma\acute{\iota}\alpha$)로 번역되었다.
"카할"이란 말의 본뜻은 '부른다'라는 말에서 만들어진 말로서 '의
논하기 위하여 소집된 공동체'라는 뜻이다. 본래 일반적인 "모임"
을 가리킨다. 어떤 목적을 위하여 사람들이 함께 모이는 것이다.
군사적 목적, 시민 공동의 일을 위하여 부름받은 모임이다. 또는
악을 행하기 위한 집단(시 26:5)으로도 사용되었다. 그러나 카할은
하나님을 예배하는 사람들의 모임(대하 30:13), 호렙산 위에서 하

---

35) 이성희, 「교회행정학」, pp. 39-41. 참조.

나님 앞에 모인 이스라엘 집단(신 4:10, 9:10)으로도 사용되었다.

2) 에다 - הדע

이 단어의 사전적 의미는 '회중', 또는 약속이나 일치되는 행동을 함으로써 모여진 '무리'를 의미한다. 이 단어는 사람들, 의인들, 악인들, 동물들 또는 이스라엘 민족 전체를 가리키기도 하는 다양한 용례를 가진 단어이다. 칠십인 역에서 에다는 '시나고게'(συναγωγή)로 번역되었다. 이 단어는 벌 떼(이사야 14:8), 수소의 무리(시편 68:30), 의인의 회중(시편 1:5), 악인들의 회중(시편 22:16)을 가리키기도 한다. 에다는 민족적, 법적, 제의적 이스라엘 공동체를 지칭하는 단어로 사용되기도 하였으나, 엄밀히 말하면 그 의미에 있어서는 카할과는 의미가 다르다. 카할이 함께 모인 집단의 행동이나 목적을 표현하는 반면에, 에다는 단순한 회중의 모임을 의미한다고 볼 수 있다. 이 두 동의어의 분명한 차이점은 70인 역에서 "에다"가 결코 εκκλησια로 번역되지 않았다는 점이다.[36]

2. 신약

1) 시나고게(συναγωγή) - Synagogue(회당)

이 단어는 우리 말 성경에 회당으로 번역되었다. 이 말은 유대인의 종교적 집합이나 혹은 공 예배를 위하여 모인 건물을 의미한다.

2) 에클레시아(εκκλησια) - church(교회)

---

36) 이병철 편저, 「성서원어대전 : 신학사전」(서울 : 브니엘 출판사, 1985), p. 267.

이 단어는 70인 역에서는 이스라엘의 집회를 나타내는 용어로 자주 사용되었고, 신약성서에는 '교회'를 나타내는 단어로 사용되었다. 에클레시아는 부르다(to-call)를 뜻하는 칼레오(καλεο)에서 유래한 에크-칼레오(εκ-καλεο)에서 파생되었는데, 에크는 '---으로부터'라는 전치사요, 칼레오는 '부르다', '소환하다'라는 동사의 합성어이다. 그래서 '---으로부터 불러내다'라는 어원적 의미를 지니고 있다.

에클레시아는 구약성서의 카할을 가리키는 단어로, 카할은 세계의 모든 민족들로부터 하나님이 선택하신 백성들을 가리킨다면, 에클레시아는 하나님이 세상으로부터 불러내신 사람들의 모임이라고 할 수 있다.

성경에 나타난 어원적 의미를 분석해보면 교회는 하나님이 세상으로부터 불러내신 성도들이 공동체를 이루고, 상시적으로 함께 모이는 회중의 모임이라고 할 수 있다.

B. 교회의 본질[37]

어원적 의미와 함께 나타난 교회의 본질을 구체적으로 세분하자면 다음과 같다.

1. 하나님의 백성으로서의 공동체의 교회

구약에서의 교회의 개념은 하나님의 이스라엘에 대한 관계로 설명한다.

하나님과 이스라엘 관계에서

---

37) 이성희, 「교회행정학」, pp. 41-54. 참조.

의 절대적 요인은 하나님이 이스라엘 공동체를 선택하여 부르셨다는 것이다.

하나님이 선택하신 이스라엘 공동체로서의 교회의 개념이다.

1) 교회는 하나님께 속한 것
2) 교회는 하나님의 사랑을 알리는 것을 목적으로 선택
3) 교회는 하나님의 백성인 사람들의 공동체

여기에서 공동체의 개념은 구약 당시뿐 아니라 신약시대까지 이어지는 개념이다.

신약의 교회는 예수의 부활로 말미암아 함께 모여 공동체를 이룬 그리스도인 공동체이다.

이런 공동체는

1) 예배 공동체이다.

교회는 하나님께 예배하는 신령한 곳이다. 그리스도 안에서 지체들이 함께 모여 하나님을 향하여 신령과 진정으로 예배드리는 곳이다.

2) 교육과 훈련의 공동체이다.

교회는 말씀의 훈련과 삶의 훈련, 사명의 훈련을 받는 곳이다.

3) 사랑의 공동체이다.

교회의 본질은 그리스도의 안에서 지체들이 하나가 된 그리스도의 몸을 이룬다. 이것은 그리스도의 구속을 받아 성령 안에서 변화

된 성도들의 사랑의 친교를 말한다. 교회 안에 여러 지체들은 다양하다. 그러나 그 다양성이 머리 되신 그리스도의 명령과 뜻과 역사에 따라 통제되고 그 안에서 유기체적인 연합을 이루게 된다. 그러기에 서로 하나가 되는 아름다운 사랑의 친교 공동체를 이루게 된다.

초대교회는 사랑의 친교 공동체의 모델이다. 성령의 임재하심으로 그들은 영적으로 온전히 변화되어 성전에서 떡을 떼며 아름다운 사랑의 교제를 나누었다. 교회는 첫째, 하나님의 관계, 둘째, 성도 상호 간의 관계를 포함하는 관계성이다. 곧 영적이며 인격적인 관계를 의미한다. 이러한 사랑의 친교 관계성은 교회행정의 중요한 과정이다.

4) 사명의 공동체이다.

교회의 본질과 목적은 사명에 있다. 물론 교회는 여러 기능이 있다. 예배, 양육, 친교, 교제, 봉사의 기능이다. 그러나 이 모든 기능이 '사명'에 목적이 있어야 한다. 그 사명은 바로 '전도와 선교'이다. 교회는 세상을 구원하기 위한 전도와 선교의 사명 성을 이루어야 한다. 교회행정의 목적과 방향 역시 이 사명에 초점을 맞추어야 한다. 이 사명은 교회행정의 기획부터 과정, 평가 진단의 영역 전반에 걸쳐 점검되어야 하며, 확인되어야 한다. 그래서 교회행정이 잘못된 방향으로 흘러가지 않도록 하여야 한다.

2. 그리스도의 몸으로서의 교회

성경이 묘사하고 있는 교회의 상징들 가운데 가장 중요한 상징은 교회가 그리스도의 몸이라는 개념이다. 고린도전서 12장과 에베소서 4장에서 바울은 교회를 그리스도를 머리로 하는 하나의 몸이라고 하였다. 그리스도의 몸으로서의 교회 개념은 먼저 그리스도가 교회의 머리임을 말하고 있고, 교회는 유기체로서 하나의 일치된 목적을 가지고 있음을 뜻한다.

교회행정에서 그리스도의 몸으로서의 교회 개념은 지체로서 역할과 목적과 목표의 통일, 그리고 교회의 유기적 조직체로서의 의미 때문에 가장 중요한 개념이다.

그리스도의 몸, 머리 개념은 그리스도가 교회의 머리가 되시는 사실을 의미한다. 교회는 그리스도가 세운 기관이다.

그리스도의 몸이라는 명칭은 교회와 그리스도의 생명적 연합을 비유로 표시한 것으로 사귐(코이노니아) 공동체로서의 교회를 의미한다. 이 개념은 다음의 4가지 의미를 함축한다.

1) 그리스도는 교회의 머리이다.

바울에게 있어서 '머리'(κεφαλή)는 신적 권위의 계급에서 위에 있는 존재를 지칭한다. 그러나 머리를 단순히 우월이나 지배로 생각한다면 삼위일체 상의 모순이 생기게 된다. 왜냐면 고전 11:3에는 "각 남자의 머리는 그리스도요 여자의 머리는 남자요 그리스도의 머리는 하나님이시라"고 하기 때문이다. 만일에 머리를 단순히 우월로 해석한다면 그리스도 보다 하나님이 우월해야 한다는 것이다. 헬라어 κεφαλή는 '처음', '원인' 등을 의미하는 말로 사용한다.

2) 교회의 공동체적 일치성(corporate unity)이다.

그리스도의 몸으로서 그리스도 안에서 하나로 묶어둔다. 이 의미는 그리스도의 몸 안에 다양성이 있음은 물론, 오히려 그 안에서 유기적 일치를 갖는다는 것을 강조한다. 즉 교회는 공동적인 실체

(corporate entity)라는 것이다.

3) 교회는 그리스도의 사역의 연장이다.

교회를 그리스도의 몸이라고 할 때, 그것은 또한 살아계신 그리스도의 영이 그것을 통해서 계속 일하시는(도구나 대행 기관) 몸을 의미하고 있다. 앨런 리처드슨(R. Richardson)은 그것을 이렇게 표현하고 있다. "그러므로 교회는 그리스도의 손과 발이요 그의 입이요 목소리다. 그리스도께서는 복음을 선포하고 자기가 해야 할 일을 하기 위해서 인간이 되셔서 사람의 몸을 가져야 하셨다. 마찬가지로 오늘날 부활하신 모습으로 이 세상에서의 자기의 복음과 사업을 위한 도구로서 한 몸을 필요로 하고 계신다."

4) 교회는 산 유기체이다.

교회는 굳어빠진 조직체가 아니라는 개념이다. 즉 살아계신 그리스도의 영이 계속 일하시는 몸으로서의 교회, 산 유기체로서의 교회를 말하는데 그 교회는 자체 안에서의 변화를 통해서 성장하고 발전하는 유기체라는 것을 뜻한다. 그러므로 그리스도의 몸인 교회는 자체 안에 갱생의 힘이 주어진 살아있는 유기체라는 것을 잊지 말아야 한다.

3. 친교로서의 교회

친교란 교회의 또 다른 본질적 개념이라기보다 그리스도 안에서 구속된 공동체 그 자체이다. 그러므로 위의 개념에 친교의 개념은 포함되어 있다고 할 것이다. 교회는 하나님과 사람, 사람과 사람, 사람과 사회의 친교 관계 이룬다. 초대교회는 성령 강림을 통해 친교의 자리를 이루었다.

4. 하나님의 가족으로서의 교회

"하나님의 집"(family of God, household of God)--이것은 교회 구성원 간의 가족관계를 극명하게 드러내 주는 것으로서 교회가 독특한 방식으로 사랑의 가족관계로 이루어짐을 나타내는 표현이다. 사도 바울은 하나님의 집으로서의 교회를 "진리의 기둥과 터", "하나님의 권속,"(엡 2:19) "하나님의 그 은혜의 경륜," "그리스도의 비밀," "영원부터 하나님 속에 감추었던 비밀의 경륜,"(엡 3:1-10) 등과 같은 놀라운 표현으로 묘사한다.

에베소서에서 우리는 성령의 충만을 받는 사람들의 가족관계를 배운다. 에베소서 5장 22절에서 33절은 부부간의 관계를 설명. 부부관계를 교회와 그리스도와의 관계로 설명한다. 바울은 "이 비밀이 크도다. 내가 그리스도와 교회에 대하여 말하노라 그러나 너희도 각각 자기의 아내 사랑하기를 자기같이 하고 아내도 그 남편을 경외하라"(32, 33절).

하나님의 가족들이 관계 맺고 살아가는 방식은 부모와 자녀 관계, 형제와 자매 관계로서 단순한 한 부부를 중심으로 하는 핵가족화가 아닌, 교회 전체가 한 가족으로 서로 돌보며 서로의 삶을 책임지며, 서로의 삶을 위해 헌신하는 독특한 방식의 삶을 전제한다. 하나님의 가족인 교인들이 사랑으로 관계 맺는 삶의 방식은 창세 전부터 계획하신 바라고 믿는다면 우리는 반드시 그 교회의 이상을 실현하는 일을 지상과제로 삼아야 마땅하다.

"가족관계와 같은 것", "하나님의 집이다"(딤전 3:15). "가족적인 관계"란 아직 가족이 아님을 전제한다. 교인들 간의 관계를 가족적인 관계로 이해한다는 말은 아직도 교회의 본질을 제대로 이해하지 못하고 있다. 가족 됨의 이해는 코이노니아로서의 교회 경험의 전제이다.

5. 우주적 교회가 아닌 지역교회

교회의 본질을 설명하는 신약성서의 대부분의 기록들은 분명히 지역교회를 언급한다. 교회의 본질은 우리가 몸 담고 있는 각 지역교회의 본질이 그러하다는 뜻이 되며, 따라서 우리는 우리가 소속된 지역교회를 위해 우리의 생명을 걸고 헌신하는 삶을 살아야 한다. 지역교회가 그리스도의 몸, 그리스도의 신부, 하나님의 집일진대 그리스도인들은 자신이 속한 교회가 그러한 교회 본질을 회복하고 실현시키는 일을 위해 헌신해야만 한다.

6. 사회적 기관으로서의 교회

교회는 환전한 사회이다. 중세 시대 로마교회에서부터 교회란 하나의 독립적 유형적 사회로 인식하였다.

존 포터는 사회로서의 교회가 가지는 특성을 다음과 같이 제시하였다.[38]

교회란 단순한 자발적 사회일 뿐 아니라 개체가 구성원이 되는 의무를 가진다.

교회란 영적 사회이다.

교회는 동시에 외향적이며 가시적인 사회이다.

교회는 우주적 사회이다.

교회는 사회로부터 영향을 받고 동시에 사회는 교회로부터 영향을 받는다. 사회적 기관으로서의 교회는 사회 안에서 사회적 기능

---

38) John Potter, *A Discourse on Churh Goverment*(London : Samuel Bagster, 1839), pp.8-9.

을 가지고 있다.

모버그는 그의 책 「사회적 기관으로서의 교회」에서 다음과 같이
제시하였다.[39]

"교회란 사회화의 동인이다. 사회적 교제를 제공하며, 사회적
연대감을 향상시키며, 사회적 안정을 준다. 또한 사회 통제의
동인이며, 사회적 개혁의 동인이다. 교회는 사회복지의 기관이
며, 사회의 박애 기관이다. 교회는 지속적으로 사회의 연합과
유지에 기여한다. 그러나 교회의 기능은 교회의 사회에 대한
관심에 따라 변하고 있다."

사회적 기관으로서의 교회는 많은 비판을 받는다. 교회가 가지는
정치 구조인 계급적 감독제, 장로제, 회중제에 반대하는 것이다. 그
럼에도 불구하고 교회가 사회적 기능을 완수하기 위해서는 교회는
신적인 동시에 인간적인 특성을 가진 정치의 형태를 필요로 한다.

7. 정치적 기관으로서의 교회

교회란 항상 신적 기관으로 존재하며, 이 때문에 하나님의 신비한
능력을 백성들에게 부여한다. 그러나 동시에 교회는 공통적 목표를
향하여 나아가는 규정된 권위로 다스려지는 백성들의 집단이라는
정치적 기관이라 할 수 있다. 근래에 와서 정치적 기관으로서의 교
회의 기능은 중요성을 더하게 되었다. 또한 사회의 변화와 특히 일
반 정치의 발달로 인하여 교회의 정치적 결정이 더욱 다양성을 띠
게 되었다. 더구나 실제에 있어서 교회의 제반 갈등이 정치적인 동
기인 것을 깨닫게 되었으며, 이에 상대적으로 교회 정치가 발달하
게 되었다.

---

39) David D. Moberg, *The Church as a Social Institution*(Grand
    Rapids : Baker Book House, 1984), pp. 127-157.

교회의 정치적 구조는 오랜 성서적 전승에서 발견되며, 현대에 와서는 다양한 사회적 변화를 체험하는 공동체 속에 있는 교회로서 더욱 필요하게 되었다. 교회의 역사 속에서 정치적 구조는 교회 조직의 계급적 원리와 회중 적 권리 사이에서 지속적 긴장 속에 발전하였다.

구약 족장 시대에 아브라함의 늙은 종 엘리에셀 - 장로와 동의어(Elder)로 사용되었다. 장로직 발전 - 출애굽 시대 '이스라엘의 장로회(70인의 회)', 이스라엘 의회제도 효시, 그 후 회당의 출현, 장로들은 회당 정치의 중심이 되었다. 산헤드린 의원(71명의 이스라엘 공동체 대표자들)은 교회정치 원리에 상당한 영향을 주었다.

교회의 정치 형태는 감독제, 회중제, 장로제로 변천되었다. 감독제는 성직자에게 절대적인 권위가 주어진다. 교회정치 체제는 다음과 같은 체제가 있다.

1) 감독제(Episcopal)

감독 또는 교구 감독제도를 두었다. 이 체제는 감독이 교회의 제반 요소들을 감독하는 정치형태이다. 감독은 자신의 교회들과 교구에 대하여 법적 치리권을 가진 자이다. 평신도와 성직자의 구별이 뚜렷하다. 예) 성공회와 감리교.

2) 군주제/카톨릭 체제(monarchal or Catholic Polity)

감독체제에서 비롯된 것으로서 감독 중 한 사람이 다른 감독들보다 높은 위치에 있어 교황과 같은 지도자에게 권력이 집중된다. 권위가 헌법상으로든, 영감적으로든 최고 우두머리에게 집중되는 체제이다. 예) 천주교

3) 회중 정치체제 (Congregational polity)

지역 교회의 독립성, 자치권, 권위를 강조하는 정치체제이다. 궁극적 결정권은 함께 모인 회중에 부여된다. "사람들의 최종적 권위가 함께 모여 무엇을 결정할 때 지역교회나 특정한 회중에게 부여되는 교회통치 형태를 말한다. 이것은 교회 회원권, 지도자, 교리, 예배, 사역, 재정, 재산, 관계 등과 같은 것들에 관한 결정을 교회가 회중으로서 결정하는 것을 포함한다." 회중 정치체제의 목적은 회중이 그리스도의 주재권과 성령님의 인도하심 하에 스스로 통치하는 것에 있으며 어떤 조직이나 종교집단도 교회에 권위적으로 군림할 수 없음을 의미한다. 회중의 각 회원들은 각각 동일한 권리와 하나님 앞에 나아갈 수 있다. 각 교회는 다른 어떤 종교적인 그룹이나 조직들로부터 독립적이며 모든 교회는 각각 동일하다. 예) 침례교회.

4) 장로체제(presbyterian)

권위가 장로들(presbyter or elders)에게 부여되고 다수의 장로들에 의해 교회가 통제된다. 가르침의 사역을 담당하는 목사와 치리 장로(평신도)가 있다. 특정 영역의 장로들은 함께 그룹이 되어 당회와 노회를 형성한다. 최고 법정 기관은 총회(General assembly)가 있다. 예) 장로교회.

5) 자유교회 독립 체제

Quaker교로 알려진 정치체제이다. 성령의 리더십, 즉 내적 빛(inner light)을 따라갈 수 있도록 많은 조직을 형성하지 않는다. 어떤 경우 국가교회로 연합을 이루기도 한다.

C. 교회의 행정적 의미

1. 유기체적 영적 조직체

교회의 의미 중에서 행정적인 의미를 갖고 있는 것은 무엇일까? 그것은 교회는 '유기체적 조직체'란 의미이다. 교회는 조직체이지만, 유기체라는 점이다. 유기체란 것은 무엇인가? 원래 유기체란 것은 살아있는 수분이나 동물, 그리고 사람의 몸을 말하는데, 교회를 유기체로 말한다는 것은 교회는 살아있는 조직체란 점이다. 교회는 그리스도의 몸이며, 성도들의 지체들이 모여 그리스도의 몸을 이룬다고 사도 바울은 주장하였다(고전 12:12~27). 인간의 몸만큼 완전한 훌륭한 유기체가 없다. 그리스도의 교회는 모든 성도의 유기체이며 생명 연합체이다. 그리스도의 몸을 이루는 교회는 살아계신 그리스도의 영이신 성령이 계속 일하시는 영적인 몸으로서의 교회를 말한다. 이 같은 영적인 유기체는 그 안에서의 지속적인 변화를 통해 성장하고 발전한다.

또한 유기체는 서로 다른 기관이나 정당 또는 단체들이 서로 신뢰하고, 상호 이해하며 특별한 기능을 발휘하는 것이며, 조직체는 한 단체 안에 개인들이 조직적으로 연합하고, 그 직분 자들이나 관리인이나 대리인들이 공동의 목적을 놓고 함께 일하는 것을 말한다. 즉, 교회는 서로 다른 성도들이 그리스도 안에서 하나가 되어 서로 협력하며, 섬기며, 사랑하며, 교회의 목적인 하나님의 나라를 위해 함께 나아가는 조직체를 말한다. 이런 유기체로서의 조직체인 교회는 행정으로서의 의미를 갖는다.

2. 정치적 공동체

교회가 정치적 공동체가 된다는 의미 역시 교회가 행정의 의미를 갖는 것을 말해 준다. 정치적 공동체로서의 교회는 교회의 리더십을 통해 교회가 이루어진다는 의미이다. 사도 바울은 교회는 그리스도의 몸이며, 몸 된 교회의 머리는 그리스도이다(골 1:18)라고 주장하였다. 그리스도께서 교회의 머리가 되신다는 점은 곧 교회의 주인은 그리스도이며, 교회의 모든 것을 그리스도께서 이끄는 것을 의미한다.

교회행정의 기획부터, 모든 과정과 결과, 전반적인 모든 것을 그리스도가 주관하시며 이끄신다는 점이다. 그러므로 교회행정은 그리스도의 통치권, 주권, 로드십을 철저히 따라야 한다. 교회의 주인인 그리스도가 되시기에 주인 되신 그리스도의 명령과 인도하심을 항상 의식하고 영적으로 순종하는 교회행정이 되어야 한다.

3. 조직체로서의 공동체

교회는 그리스도의 몸이지만 사람들로 구성된 모임이다. 이런 교회를 위하여 하나님께서 직분 자들을 세우셨다. 첫째는 사도들이요, 둘째는 선지자들이며, 셋째는 교사이며, 그다음은 기적이며, 병 고치는 은사이며, 도움이며, 다스리는 것(고전 12:28)으로 언급되어있다. 이런 점에서 행정의 의미를 찾아야 한다. 조직의 의미가 무엇인가, 그러한 조직을 어떻게 운영할 것인가를 행정을 통해 도움을 받아야 한다는 점이다. 교회는 영적인 기반으로 이끌어가야 하지만 사람들의 이성의 도움을 받아 교회를 이끌어 갈 때 합리적으로 교회가 올바르게 잘 운영될 수 있을 것이다. 영적인 면과 이성적인 행정의 원리를 잘 조화를 시켜 교회를 이끌어 간다면 훌륭한 교회, 건강한 교회 주님이 원하시는 교회를 이루어 갈 수 있을 것이다.

4. 사람 중심의 공동체

교회는 프로그램 중심인가 아니면 사람 중심인가? 당연히 사람 중심이어야 한다. 하지만 대부분의 교회 활동은 프로그램을 중심으로 이루어진다는 점에서 양자 모두가 중요한 의미를 차지한다. 그러나 행정 지도자는 언제나 모든 프로그램의 궁극적 목적이 사람을 위한 것인지를 신중하게 평가해야 한다.

Ⅲ. 교회행정의 배경

A. 성경적 배경

1. 구약 적 배경

"25 모세가 이스라엘 무리 중에서 능력 있는 사람들을 택하여 그들을 백성의 우두머리 곧 천부장과 백부장과 오십부장과 십부장을 삼으매 26 그들이 때를 따라 백성을 재판하되 어려운 일은 모세에게 가져오고 모든 작은 일은 스스로 재판하더라(출 18:25~26)"

교회행정의 이론에 대한 구약 적 근거는 출애굽 한 이스라엘 백성을 지도한 모세의 사건에서 찾을 수 있다. 출애굽 당시 이스라엘의 인구는 유아 외에 보행하는 장정만 육십만 명(출 12:37)이었다. 그러므로 이들을 최소 4인 가족으로만 환산해도 240만 명이 넘는 인구다. 그런데 이 많은 인구를 인도하는데 조직과 인사 관리 등의 행정력이 없었다면 광야 생활은 불가능했을 것이다. 그렇다면, 모세는 이 무리들을 인도하기 위하여 지도자를 세우는데 어떠한 행정력을 발휘하였던가?

　(1) 재덕(才德)이 겸전(兼全)한 자를 뽑았다.
　(2) 조직적인 행정체계를 갖추었다. 천 부장, 백 부장, 오십 부장, 십 부장.
　(3) 부분적인 권한을 위임하였다.
　(4) 효율적인 행정체계로 백성들의 불편을 해소하였다.
　　통솔의 범위, 부서조직의 편성, 명령의 일원화를 극대화한다.

2. 신약 적 배경

1) 예수님의 말씀

"내가 너희에게 분부한 모든 것을 가르쳐 지키게 하라……"(마 28:20)

주님이 명령하신 이 말씀을 볼때에 '가르치다'라는 것은 말씀을 가르치는 것임에는 의심의 여지가 없으나 이 모임의 효율적인 관리를 위하여 행정력이 필요함을 암시하고 있다. 더구나 '지키게 하라'는 말씀은 '가르침'의 내용에 대한 이행 여부를 점검하는 것이므로 다스리는 것을 암시한다.

"[15]……내 어린 양을 먹이라 [16]……내 양을 치라 [17]……내 양을 먹이라"(요 21:15~17) 돌보고 다스리고 양육하는 것은 교회행정의 필요성을 의미한다.

2) 예수님의 제자 선택과 훈련

예수님께서 12제자를 선택하고 훈련시킨 모든 과정은 행정의 의미를 가진다. 예수님께서는 12제자를 선택하였을 뿐 아니라, 12제자 가운데서도 특별한 일이 있을 때에는 베드로, 야고보, 요한의 세 제자들 만을 데리고 다니셨다. 그리고 제자들을 조직하고, 일을 맡기고 파송하고, 본을 보이신 모든 것들이 행정의 개념을 나타내는 것이다.

3) 초대교회 일곱 집사 선택(행6:1-7)

초대교회 사도들이 수많은 성도들의 행정의 일을 도맡아 하므로 헬라파, 히브리파 과부들이 구제 문제 때문에 다툼을 일으키게 되었다. 이를 해결하기 위해 안수집사 7명을 뽑아 그 일을 맡게 하였다. 사도들은 기도하는 것과 말씀 전하는 것을 전무하므로 말씀이 흥왕하여 허다한 제사장의 무리도 복음을 받아들이게 되는 역사가 일어나게 되었다.

4) 바울 사도의 입장

"[12]몸은 하나인데 많은 지체가 있고 몸의 지체가 많으나 한 몸임과 같이 그리스도도 그러하니라……[25]몸 가운데서 분쟁이 없고 오직 여러 지체가 서로 같이하여 돌아보게 하셨으니"(고전 12:12~25). 여러 부서들의 조화를 이루는 것이다.

"하나님이 교회 중에 몇을 세우셨으니 첫째는 사도요 둘째는 선지자요 셋째는 교사요 그다음은 능력이요 그다음은 병 고치는 은사와 서로 돕는 것과 다스리는 것과 각종 방언을 하는 것이라"(고전 12:28). 각 지체의 사명과 은사대로, 재능대로 사역화, 전문화, 분업화를 이루는 것이 교회행정의 원리를 말해 준다. 모든 것을 적당하게 하고 질서대로 하라(고전 14:40). 성령의 경영(고후 1:17)의 말씀 역시 교회행정의 의미를 포함한다.

B. 교회사적 배경

1. 초기 교회시대

초기 교회시대에는 교회행정의 관리 형태를 입증할 분명한 자료나 문헌들이 없었을 뿐만 아니라 오늘날 우리에게 아무런 형태로도 남아 있지 않다.

2. 2세기와 3세기 이후

1) 2세기의 감독제도

주교였던 고데(Charles Gode)에 의해 한 교구마다 한 사람의 감독제가 생겨났다. 그에 대한 상세한 이유는 밝혀지지 않고 있으나 여러 가지의 정황으로 가정해 볼때에 아마도 교회가 비대(肥大)해지고 갖가지의 어려움에 봉착하므로 이를 수습하고 효율적인 관리를 위한 방편이 아니었나 생각할 수 있다.

그러므로 2세기 말의 조직적 형태는 감독 한 사람에 장로 여러 사람, 그리고 집사 여러 사람의 조직 형태를 띠고 있다. 목사라는 칭호 대신에 감독이라는 명칭으로 사용된 점의 차이가 있을 뿐이다.

2) 3세기 이후의 교회행정

3세기 후반에 들어와서 교회행정은 감독들의 대표인 감독 장을 세워 대주교의 제도가 생겼다. 6세기에 이르러 예루살렘, 안디옥, 알렉산드리아, 콘스탄티노플, 로마의 5대 주요 교구들로 편성하고 5대 지역의 대표를 일컬어 총대주교라고 명칭하였다. 이 제도가 더욱 발전하여 교황 제도로 정착하게 되었고 교황 그레고리 1세(Gregorius Ⅰ)로부터 시작되었다. 그리하여 교황이 절대적인 권력과 통치력으로 교회를 다스리게 되었다.

3) 종교개혁 이후의 교회행정

교황 제도의 문제점이 계속되므로 말미암아 종교개혁의 불길이
드높아 드디어 1517년 루터에 의해 종교개혁의 길이 열려지게 되
었다. 그리하여 종교개혁 이후의 교회행정은 세 가지 형태로 분리
되어 발전되었다(기독교 대백과사전 2권, p. 185).

(1) 회중 주의(독립교회) 제도

교회가 상급회(上級會)의 지시나 감독을 받지 아니하고 자체의
모든 일을 스스로 다스린다는 점에서 자치적인 행정제도였다. 그리
하여 목사 임명 및 해임의 건, 예산, 권징 등의 모든 교회 행정적
인 면을 외부의 간섭을 받지 않았다. 이 제도는 유럽 대륙의 재세
례파 교회들과 영국의 독립교회 또는 회중파 교회 같은 프로테스
탄트들에 의해 채택되었다.

(2) 장로제도

개혁주의 교회의 가장 모범적인 교회행정 조직 체계로서 장로제
도가 생겨나 당회, 노회, 대회, 총회라는 교회행정에 등급이 새겨지
게 되었다.

(3) 감독제도

이 제도는 중심인물이 감독에게 집중되는 것이다. 감독이 가질 수
있는 권한은 목사직, 사제직 임명권, 교회 직분을 강등시킬 권한,
세례 지원자를 확정할 권한, 교회 직분 자를 추천할 수 있는 권한
등 많은 권한을 갖게 되었다. 그리고 이 제도는 주로 종교개혁 후
영국교회(감리교), 미국의 성공회 등에서 적용하고 있다.

C. 한국 교회사적 배경

1. 최초의 한국 교회행정 태동

한국교회의 행정은 선교지 분할을 위한 네비우스 방법 정책이라고 볼 수 있다. 이 선교지 분할 행정은 자급, 자율, 자치를 골자로 하고 있다.[40] 네비우스 선교 정책은 한국교회를 자립하게 하고 성장하게 하는 주요 요인이 되었다.

2. 한국교회의 주체적인 초석

한국 교회행정은 선교사들의 주도하에 의하여 운영되다가 한국교회의 주체성 자각 운동이 일어남으로써 시작되었다. 한석진 목사의 주체성 확립 발언[41] 외에도, 이상재[42], 안창호[43]의 반발 등이 그런 것이라고 볼 수 있다. 이들의 발언은 단순히 선교사들에 대한 적대적인 언사를 떠나서 한국교회가 개체교회로써 주체성을 찾고 독자적인 행정력을 갖춰가는 초석이었다고 볼 수 있다.

3. 장로교 총회 조직

1) 조선 예수교 장로회 공의회

---

40) 민경배, 「한국 기독교회사」(서울: 대한기독교출판사, 1982), pp. 191-196. 김양선, 「한국 기독교사 연구」(서울: 기독교문사), p. 72.
41) 민경배, 「민족 교회 형성사 론」(서울: 연세대학교, 1978)
42) 전택부, "삼일운동의 교회사적 의미"「기독교사상」, 1972.3.
43) 김양선, "한국 선교의 회고와 전망", 「기독교사상 강좌」3권, p. 118.

1901년 선교사와 한국인 총대가 참석하여 공의회 조직

회원 : 장로 3인, 조사, 6인, 선교사 25인

결의 : 평양에 대한예수교장로회 신학교 설립, 한국 자유 장로회 설립을 위한 위원 선출

2) 독노회(獨老會)

1907년 평양 장대현 교회에서 대한민국 예수교 장로회 노회 조직

신학교 졸업생 7명에게 첫 목사 안수, 제주도에 선교사 파송

3) 예수교 장로회 조선 총회

1907년 7개 노회 분할, 1912년 총회 조직 및 선교사 파송(중국), 1912년 9월 1일 평양에서 미 북 장로교회, 호주 장로교회, 미 남장로교회, 캐나다 장로교회가 연합하여 제1회 예수교 장로회 조선총회를 조직했다. 노회 수는 7 노회 (경기, 충청, 전라, 경상, 함경, 평남북, 황해), 회원 수는 목사 96인 (한국인 52, 선교사 44), 장로 125인이었다. 미국 선교사 포함한 총회이므로 한국 교회행정의 독립적인 상황은 아니었다.

4) 일제하의 주체적 교회행정 운동

일제하의 한국교회는 선교사들의 초기 지배 형태에서 일제 말의 선교사 추방 등으로 교회행정은 사실상 일시적으로 마비되었다.

5) 해방 후 교회행정의 정착기

해방 이후 약 10년간은 교회가 분단과 혼란의 시기였으나 교회행정은 그 교파의 특징대로 정착되기 시작하였다.

6) '60년대 이후의 교회행정

교단과 교회 분열의 혼란이 계속 이어졌으나 교회의 급속한 성장이 이루어졌다. 십만 명 이상의 교회가 생겨났다. 거대 교회는 자체 교회를 운영해 나가는 데 행정력이 필요하게 되었다. 각 교단의 독립 총회가 생겨났다. 독립 총회는 총회를 운영해 나가는 정치력과 행정력이 필요하게 되었다. 교회행정은 교회가 성장이 되면서 점점 자리를 잡아 나갔다. 현대 교회와 미래교회는 교회행정의 학문화 및 과학화를 이루게 되었다. 오늘날 교회행정은 정보화 시대를 맞이하여 멀티미디어 행 체제를 갖추게 되었다.

D. 한국 행정 문화적 배경

문화라는 용어는 한마디로 정의하기란 불가능하다. 문화는 그것이 속한 담론의 맥락에 따라 매우 다양한 의미를 갖고 있는 다 담론적 개념이다. 문화(文化)는 일반적으로 한 사회의 주요한 행동 양식이나 상징체계를 말한다. 문화란 사회사상, 가치관, 행동 양식 등의 차이에 따른 다양한 관점의 이론적 기반에 따라 여러 가지 정의가 존재한다. 인간이 주어진 자연환경을 변화시키고 본능을 적절히 조절하여 만들어낸 생활양식과 그에 따른 산물들을 모두 문화라고 일컫는다. 문화는 한 사회의 개인이나 인간 집단이 자연을 변화시켜온 물질적·정신적 과정의 산물이라 할 수 있다.[44] 행정을

---

44) 위키백과, 다음백과.

통해 이루어지는 행정문화 역시 다양한 문화의 상황 가운데 하나
이다. 교회행정 또한 사회, 혹은 교회에서 이루어지는 행정의 과정
이므로 나름 행정의 문화라는 것이 형성될 수 있다. 교회행정의 배
경에 영향을 준 한국의 행정 문화적 배경에는 여러 가지가 있는데,
학자마다 여러 가지 견해가 있으므로 대표적인 몇 가지만을 살펴
본다.

1. 권위주의적 배경

권위주의는 한국 행정문화의 대표적인 특징이다. 권위주의는 평등
의 관계보다는 수직적인 관계이다. 상급자가 하급자를 지배하고 명
령하고 복종시키는 관계이다. 이런 권위주의는 왕정 정치, 전제정
치에서 절대적으로 나타난다. 우리나라의 군사 정권 시절에 나타날
수 있는 특징이다. 한국사회는 전통적으로 지배적이고 복종적인 문
화가 자리를 잡고 있었다. 이런 권위주의에 영향을 준 것이 있는데
대체로 아래와 같다.

그것은 첫째 유교의 영향이다.
유교의 도덕에서 기본이 되는 삼강오륜이 있는데 삼강은

(1) 군위신강(임금과 신하 사이에 마땅히 지켜야 할 도리) (2) 부
위자강(어버이와 자식 사이에 마땅히 지켜야 할 도리) (3) 부위부
강(남편과 아내 사이에 지켜야 할 도리) 오륜은 (1) 군신유의(임금
과 신하 사이에는 의로움이 있어야 함) (2) 부자유친(어버이와
자식 사이에는 친함이 있어야 함) (3) 부부유별(부부 사이에는 구
별이 있어야 함)
(4) 장유유서(어른과 아이 사이에는 차례와 질서가 있어야 함)
(5) 붕우유신(친구 사이에는 믿음이 있어야 함).

삼강오륜을 비롯한 유교의 전통은 오늘날까지 우리나라에 이어져 오고 있는데, 가문의 풍습 이어가기, 웃어른 공경하기, 부모님께 효도하기, 조상 섬기기 등이다.

유교의 긍정적인 면은 인·의·충·효·예를 지키며 올바르게 살아가도록 이끈다. 그런데 인간은 유교의 도리대로 살아야 하겠지만 본능적으로 살지 못하는 연약함이 있다. 이런 점에서 유교의 정신의 본질보다는 형식만 지키는 현상이 빚어지게 된 것이다. 가장 부정적으로 드러나는 현상은 예절을 강조한 것이 수직적 권위주의를 낳게 한 것이다. 그래서 모든 인간관계가 수직적 불평등의 상하 관계로 되어 버린 것이다. 유교의 가부장적 가족제도에서 오는 인간관계는 종적 인간관계를 갖게 되므로, 극히 배타적, 권위주의적, 특례주의적, 특히 근친을 중심으로 한 차등에 폐쇄성을 나타내며, 미래보다 과거에 집착하는 유교 이념은 사회의 유대를 요구하며, 죽음보다 소중한 체면으로 극도의 형식주의를 가져왔다.[45]

윤태림은 유교는 통치자를 위한 윤리로 피지배자가 지배자에게 굴복하기를 요구하는 도덕이요, 권력자, 상위자가 그 지위를 확보하고 이를 옹호하기 위한 정책적인 정치윤리로 평가하고 있다. 이러한 유교적 이념은 집권체제를 정착시키는 권위의 근거로서 군림했다는 사실을 지적할 수 있다.[46] 유교를 기초로 하여 당시의 지배자들은 피지배자의 도전을 크게 받지 않은 채 일방적으로 통치할 수 있는 권위주의 정체를 확보할 수 있었다.

이러한 유교의 영향은 교회에서도 남성 우위적이며, 지배적인 전통이 나타나 교회의 대부분이 여성이지만 교회의 결정은 주로 남성 제직들을 통하여 이뤄지는 현상이다. 뿐만 아니라 담임목사의 카리스마적 리더십에 전적으로 따르는 현상도 유교의 영향이라 할

45) 강성윤, "행정발전과 가치관에 관한 연구", "행정논집" 제5집, (동국대, 1974), pp. 162-163.
46) 윤태림, "의식 구조상으로 본 한국"(서울: 현암사, 1970), p. 128.

수 있다. 그리고 교회의 조직에 있어서도 이런 수직적인 잘못된 관계가 드러난다 할 수 있다.

둘째는 불교의 영향이다.

불교는 유교만큼이나 한국인의 생활 전반에 걸쳐 영향을 미쳤다고 볼 수 있다. 불교의 교리의 핵심은 속세를 떠나 인간세계를 고해로 여기고 이를 극복하는 자기 수양의 길을 가는 것을 제시한다. 이 같은 불교의 도피적이며, 금욕적 원리는 한국인의 가치의식에 복종적이고 수동적인 영향을 비쳤다. 이런 수동적 부정적 가치관은 유교와 마찬가지로 피지배층에 대한 복종을 강요하는 통치계층의 권위주의를 조장하였다.[47]

불교의 권위주의 영향은 교회 안에서 복종적, 수동적 자세를 갖는다. 성도들은 교회에서 목회자에게 모든 것을 일임한다. 긍정적인 면에서는 교회 질서를 유지케 한다. 그러나 부정적인 면은 성도의 참여 의식이 저하될 수 있으며 목사의 질에 따라 문제가 생길 수 있다.

셋째는 샤머니즘(Shamanism)의 영향이다.

고대 한국의 종교는 샤머니즘이라 할 수 있다. 샤머니즘은 혼미한 황홀 상태로 사람의 정신을 이끌어 놓고 춤, 노래, 의식적인 것을 통하여 믿는 사람에게 환각과 환상을 갖게 한다. 그리고 매개자(혹 무당)는 신과 영적으로 교섭할 수 있는 존재라 여긴다. 이러한 샤머니즘 카리스마적 요소는 유교가 가르치는 가부장적 권위주의 지배 사상과 일치한다.[48] 한국교회의 신비한 은사주의, 또는 카리스

---

47) Bun-Woong, "A Psychocultural Approach to Korean Beaurocracy". "행정론취" 제4권 제1호, (1976)m p. 273.

마적 지도력 군림의 형태를 보여 준다.

2. 가족주의적 배경

가족주의는 개개의 가족 구성원보다 집단 전체의 가치를 더 중시
하고, 가족적인 인간관계를 가족 이외의 사회관계에까지 확대하고
적용하려는 사고방식을 말한다. 여기에는 혈연, 출신 지역, 출신학
교 및 동기집단에 대한 서열과 충성도 포함된다. 가족주의의 가족
은 여성이 남성의 아래에 있게 되고, 부부관계보다는 부모와 자식
관계가 중요시되며 개인보다 집안을 우선하는 가부장적인 가족으
로 인식된다.49)

가족주의는 권위주의, 서열의식, 할거주의50), 의리의식, 상급자에
대한 강한 로열티(Loyalty) 의식, 권한의 집중화 현상 등으로 한국
행정행태에 강하게 영향을 미치고 있다.51) 긍정적인 면에서는 질
서가 견고케 되어 일사불란한 조직체를 구성해 나갈 수 있다. 능률
의 극대화를 이룰 수 있다. 또한 정적인 인간관계를 형성할 수 있
게 한다. 일반적으로 한국인은 다른 사람과 따뜻한 인간관계를 유
지하고자 하는 심성이 있다. 혈연, 지연, 또는 동문 등의 관계를 통
해 유대를 강하게 하고자 하는 성향이 있다. 그래서 이런 관계를
통해 무리한 청탁을 거절하지 못하는 정과 의리에 치우치는 경향
이 생긴다. 부정적인 면에서는 타 집단에 대해 지나친 배타적 성향
을 갖게 되며, 인재를 충원하는 데 합리성이나 객관성이 감소되어
정실인사의 부작용을 낳게 한다.

---

48) 윤택림, 「한국인」(서울: 현암사, 1979), p. 270.
49) Daum 어학사전.
50) 한 동아리 안에서 분파를 일삼거나 자기 분파의 이익과 주장만을
    내세우고 남을 배척하는 경향.
51) 김해동, "관료행태와 사인주의" "한국 행정학보" 제12호(1978), p.
    97.

가족주의적 사고는 교회에서 권위주의적인 유대관계를 갖게 할 수 있다. 담임목사를 중심으로 견고한 권위주의적 체계를 세우게 된다. 그리고 담임목사나 당회원들이 자기 마음에 드는 사람을 임 직자로 세워 분파를 조장하는 사례가 생길 수 있다.

3. 운명주의적 배경

운명주의는 성공의 여부가 인간 이외의 초자연적인 힘이나 신비 적인 힘에 의존하고 있다고 믿는 것을 말한다. 운명주의에 사로잡 힌 사람은 자기 주위의 모든 상황과 현상을 운명적으로 체념하며, 또는 받아들이며 산다. 이들은 자기 인생을 변화시키려 하지 않으 며 미래에 대한 비전도 없다. 운명주의에 대한 정의에 대해 백완기 는 다음과 같이 소개한다. (1) 인간 생활에 있어서 모든 것이 인간 의 의지보다는 행운, 우연 및 초자연적인 힘에 의해서 결정되고 (2) 미래의 세계는 희망과 약속보다는 위험과 공포로 가득 차 있 고 (3) 모험에 도전하는 것보다는 모험을 피하는 것이 훨씬 좋고 (4) 모든 인간이라는 것은 타고난 자기의 길을 걷게 되어있다는 것에 대한 믿음이다.52)

또한 백완기는 운명주의와 결부된 행정행태를 다음과 같이 소개 한다.53) 첫째 리더십은 카리스마 성격을 띠기 마련이다. 사람들이 인간의 능력이나 합리성보다는 신비적인 힘이나 초자연적인 힘에 더욱 의존한다는 것이다. 둘째, 문제해결에 있어서 사람들이 초자 연적이고 신비적인 힘에 의해 의존하기 때문에 과학적인 사고가 싹트기 어렵다는 점이다. 셋째, 일반적으로 운명주의는 투쟁 정신 이 약하게 되고, 어려운 문제가 와도 정면 돌파에 대한 의지가 약 하다. 회피하고 굴복하는 경향이 있다. 넷째, 운명에 맡기기 때문에

---

52) 백완기, 「한국의 행정 문화」 (서울 : 고대출판부, 1982), p. 21.
53) ibid., p. 23.

변화를 시도하지 않는다. 웬만한 불편은 참고 견딘다. 모험을 하지 않는다.

운명주의는 긍정적인 면에서는 하나님께 모든 것을 맡기기 때문에 믿음이 성장하며 그에 따른 평안함을 가질 수 있다. 그러나 운명주의는 생활의 어려운 문제가 자기 문제, 자기 탓이 아니라 운명적이기 때문에 하나님께 돌리며, 수동적이며, 피상적이며, 현실 도피적인 나약한 삶을 살게 할 수 있다. 이런 점은 행정의 리더십을 이행하는 데 매우 어려움에 봉착할 수 있다.

4. 의식주의적 배경

의식주의는 사회적 지위나 권위 또는 위신을 가지고 체면을 유지하기 위해 전통적 관습이나 선례 또는 의식에 집착하려는 성향이다. 내용이나 실리보다는 형식, 절차, 외적인 것을 더 중요시한다. 의식주의는 우리나라 유교 사상에서 비롯되었다. 지나친 의식주의는 내용보다는 형식에 치우치기 쉽다. 겉으로 드러난 것에 대한 것에서만 신경을 쓰게 된다. 그래서 상품의 내용과 질보다는 겉 포장만 화려하게 하는 전시주의를 낳게 한다. 이런 전시성의 행정은 부실 산업, 부실 행정, 부실 건축물 등으로 사회에 큰 문제를 일으키게 한다.

교회에서도 외적인 성장에만 신경을 써 전시성 통계(양적 성장 과시), 전시성 성전 건축, 전시성 홍보 등의 문제를 낳게 한다. 그리고 다른 사람에게 진실성을 갖지 못하고 바리새인처럼 외식적 신앙생활을 하게 된다.

5. 관료주의적 배경

관료주의는 관료제의 잘못된 현상을 말한다. 관료제(官僚制)는 행정에 필요한 전문 지식을 지닌 공무원이 지휘 체계에 따라 그의 권한에 속하는 사무를 집행하고 정치적 결정에까지 관여하는 관리, 운영의 체계를 말한다. 행정 기구를 비롯하여 기업, 노동, 조합, 정당 등 현대의 대규모 조직에 공통적으로 나타난다.[54] 관료제(官僚制)란 특권적 인간의 집단인 관료를 통해서 지배가 행해지는 중앙 집권 국가에 생기는 특정의 행동 양식과 의식 상태를 가리킨다.[55] 관료제는 비밀주의, 번문욕례[56](繁文縟禮), 선례답습, 획일주의, 법규 만능, 창의의 결여, 직위 이용, 오만 등의 권위주의적 부작용이 유발할 수도 있으며, 이것을 '관료주의' 현상이라고 한다. 또는 관료제란 경직된 형식을 중시하고 권위주의적인 경향을 가진 제도나 기구를 비판적으로 말하는 경우에 이르는 말이다.

회사에서 말하는 관료제는 각 부서마다 엄격하게 역할이 분리되고 이들이 유기적으로 연결되어 경제적 이윤이라는 목적을 효율적으로 달성하는 것을 의미한다. 관료제는 산업화 이후 대규모화된 조직을 효율적으로 운영하기 위해 등장한 사회 조직 운영 방식 중 하나인데, 근대 이후 대부분의 사회 조직이 관료제라고 해도 과언이 아닐 만큼 관료제는 보편적인 사회 조직이라고 할 수 있다.[57]

관료제는 교회에서 당회 중심이나 특별 위원회 중심으로 지나친 독선으로 흐를 경향을 갖게 할 수 있다. 관료주의는 강제성을 띠며, 일반 평신도의 참여를 불가능하게 만든다. 교회에서 관료주의는 영적 은혜를 상실하게 하며, 인본주의로 흐를 경향이 있다. 또한 독선과 아집이 생길 수 있다. 자기 분야에 대한 독선과 권위주의가 있다.

---

54) Duam 어학사전.
55) 홍길동.「글로벌 세계대백과사전」,「위키문헌」.
56) 번거로운 규칙과 까다로운 예절.
57) 박선웅 외, 2012년,「고등학교 사회 문화」(서울: 금성출판사, 2012), pp. 84~86.

Ⅳ. 행정가로서의 목사

목사는 유기체인 교회를 이끌고 가기 위해서 '행정'의 일을 하게 된다. 행정은 목회에 본질적인 것은 아니지만 목회자가 원하든 원하지 않든 목회의 과정에 따르게 된다. 목회자가 행정에 대한 바른 이해를 갖고 목회에 임하는 것이 그렇지 않은 사람보다 더 지혜롭게 교회를 이끌어갈 수 있게 된다.

행정은 목사에게 있어서 번거로운 일일 수 있다. 행정은 많은 시간이 소요될 수 있기 때문이며, 행정은 목회에 있어 1차 적인 것이 아니라 2차 적 업무이기 때문이다. 그래서 목사는 행정에 대해 그릇된 생각을 가질 수 있다. 그러나 행정은 목사의 직능 자체이다. 행정을 제외하고 목회할 수 없다.

어떤 목회자는 행정을 무시하는 태도를 갖고 있다. 교회는 영적인 기관이기에 교회는 은혜가 있어야 하고 행정으로 교회를 다스리면 교회는 딱딱해지고 은혜가 떨어진다는 생각이다. 행정은 필요가 없다고 한다. 물론 목회자는 영적인 것보다 행정에 너무 치우치면 안 된다. 앞서서 언급했지만, 다시 말하면 행정은 갖추되 겉으로 너무 드러나서는 안 된다. 수면으로 드러나야 하는 것은 영적인 면이다. 즉 교회는 행정에 대한 모든 것을 갖추고 일을 하되 겉으로 드러나는 것은 기도하는 일, 예배드리는 일, 양육하는 일 등 영적인 것들이 드러나야 한다.

행정가로서 목사는 교회에서 행정의 수반이다. 그러기 위해서 목사는 첫째, 교회에서 최고 지도자로서 교회의 비전과 방향을 바르게 제시하여야 한다. 그리고 거기에 맞는 조직, 인사, 재정 등을 적절하게 잘 이끌어 가야 한다. 둘째, 교회가 필요로 하는 것을 제일 먼저 느껴야 하고 교인이 요구하기 전에 먼저 그 대안을 제시할 수 있는 분별력과 통찰력이 있어야 한다. 셋째, 성도들로 하여금 각자의 은사를 발견케 하여 교회에 능동적으로 참여케 해야 한다. 넷째, 목사는 행정가로서 교회와 교인 간의 갈등의 문제를 적절하게 조정하며 해결해 갈 수 있어야 한다.

교회행정에 있어 가장 중요한 부분은 목회자이다. 목회자는 교회행정에 있어 리더십의 부분이다. 교회행정의 리더십의 역할이 잘못될 때 교회는 잘못된 방향으로 가게 된다. 본 장에서는 교회행정과 관련하여 목회자의 전반적인 면을 살펴보고자 한다.

A. 목회자의 자질

1. 분명한 소명감

목회자는 하나님의 종으로 부름받았다는 분명한 소명감이 있어야 한다. 자의식으로 소명이 아니라, 하나님으로부터 부름받은 분명한 사인(Sign)이 있어야 한다. 목회자는 부름받은 소명이 확실할 때 목회자로 사명을 다할 수 있다.

2. 체계적인 교육과 목회 훈련

목회자는 정규의 신학교육이 필요하다. 신학을 배우지 않은 목회자는 자기주장과 신념에 사로잡혀 성경과는 상관이 없는 목회를 하게 될 수 있다. 신학은 목회를 바르게 인도하는 길잡이가 되게 한다. 또한 교양 및 여러 학문 분야도 섭렵하여 폭넓은 식견을 갖추어야 한다. 또한 목회자는 목회현장에서 임상훈련을 받아야 한다. 목회자는 목회하면서 끊임없이 훈련을 받아야 한다. 배우지 않는 목회자는 온전한 목회자로서 설 수 없다.

3. 영성의 목회자

목회자는 영성의 목회자가 되어야 한다. 분명한 소명감과 함께 구원의 확신, 성령의 체험을 통해 영성이 충만한 목회자가 되어야 한다. 목회자는 평소에 성령 충만, 성경에 능통한 말씀 충만한 목회자, 은사 충만한 목회자, 시대를 분별할 수 있는 예언적 통찰력을 갖추어야 한다.

4. 목양의 전문가

교회행정가로서의 목사는 목회자의 직을 수행하는 자이다. 목회자는 예배를 주관, 설교하며, 성례전을 집례하며, 성도들을 양육하고 돌보는 목양권, 교회와 성도들을 바르게 인도하는 치리권을 가지고 있다. 그리고 세상과 역사 속에 하나님의 말씀을 시대적으로 예언하는 사명을 갖고 있다. 이 모든 면에 목회자로서의 전문성을 가져야 한다.

5. 인격적 자질

교회행정을 하는 목회자는 인격적 자질을 갖추어야 훌륭한 교회행정을 실행할 수 있게 된다. 리더 자인 목회자의 훌륭한 인격을 통해 리더십을 발휘할 수 있게 되기 때문이다. 목회자의 자질은 첫째, 인성적 자질(성령의 열매). 둘째, 정신적(감성)적 자질, 이성과 감정을 조절할 수 있는 능력. 셋째, 지성적 자질. 학문적 지식 습득, 가르치는 기술. 넷째, 의지(행동)적 자질, 담대함, 용기, 결단력, 인내심. 다섯째, 도덕(윤리)적 자질, 순결(성적으로), 정직(물질, 인간관계), 청렴결백하여야 한다. 그리고 가정생활에서 화목한 가정을 이루어야 하고, 사회생활에 있어서도 원만한 관계를 이루어가야 한다.

인격적 자질에 있어 정서의 문제를 잘 다룰 수 있어야 한다. 정서가 불안한 자들에게서 두드러지게 나타나는 다음과 같은 현상들을 극복할 수 있는 정서적 안정이 필요하다.[58]

1) 다른 사람과 적응을 하는 재주가 부족하다. 2) 다른 사람의 일을 방해하거나 돕지 않는다. 3) 변화를 달갑게 생각지 않는다. 불안이 깔려있기 때문이다. 4) 잘못하는 사람을 혹독하게 질책한다. 5) 남을 지나치게 의심한다. 6) 단결심을 주지 못한다. 7) 배타적이다. 8) 비 포용적이다. 9) 사소한 데 신경을 쓴다. 10) 화를 참지 못한다. 11) 언제나 공격적이다. 12) 자기 뜻대로 하지 않으면 못 견딘다. 13) 매우 비관적이다. 14) 남이 잘되는 것을 좋아하지 않는다.

B. 행정가로서의 목회자

목회자는 교회행정에 대한 바른 인식과 아울러 교회행정 원리를 배우고 익혀야 한다. 또한 행정의 원리를 실천할 수 있는 목회자가 되어야 한다. 그리고 행정가로서 탁월한 리더십을 발휘할 수 있어야 한다.

1. 행정가로서의 목사의 직능

1) 최고 지도자로서 교회의 방향과 목적을 바르게 제시한다. 교회가 무엇을 필요로 하는 가를 포착한다.

---

58) Maxwell Maltz, *Psycho-Cybernetics* (Hollywood, 1964), pp. 110-112.

2) 적절한 인물을 적절한 위치에 배치하여 업무를 분담케 한다. 성도들로 하여금 각자의 은사를 발견케 하여 교회에 능동적으로 참여케 하며 맡은 바 직무를 충실하게 수행하도록 한다.

3) 단기, 중기, 장기 계획을 알맞게 설정하고, 계획에 맞추어 프로그램을 수행해나가게 한다.

4) 교회의 각종 회의의 장으로서 회의를 원만하게 이끌어가게 한다.

5) 교회의 예산을 비롯한 각종 재정을 총괄하고 운영한다.

6) 교회 내의 재산관리, 직원 관리 등 내적인 사무관리의 일을 주관한다.

7) 지역사회나 다른 기관, 다른 교회와 유기적인 관계를 이룬다.

8) 교회 내의 여러 조직체들이 교회의 제반 프로그램에 능동적으로 참여할 수 있도록 훈련하고 협조하게 한다.

9) 교회 내의 모든 프로그램들이 신속히 추진 될 수 있도록 반대 의견을 잘 다루고, 인사문제의 책임자로서 성도 개인이 상처를 받지 않고 적극적으로 참여할 수 있도록 동기를 부여한다. 목회에 대한 낙관적이며, 긍정적이며, 영적인 태도를 갖고 교회 안의 갈등과 여러 문제해결에 대한 능력이 필요하다.

10) 지역사회의 여러 층의 지도자들과 잘 어울리고 협조하여 지역사회를 발전시키는 일을 한다.

2. 교회행정가로서의 목사가 치러야 할 대가[59]

지극히 성숙하고 정서가 안정된 지도자라 할지라도 그가 지도력이나 행정력을 발휘할 때에는 언제나 그는 개인적으로 틀림없이 그 대가(toll)를 지불하는 것을 본다. 행정력이나 지도력을 발휘하는 데 있어서도 마찬가지이다.

---

59) 손병호, 「교회행정학 원론」, pp. 255-272.

1) 비판

비판은 지도자들이 지불해야 할 값비싼 내적 인격의 성장촉진제이다. 아첨하는 자의 말을 들으면 기분은 좋을지 모르나 결코 유익이 못된다. 온갖 자기 학대와 원망과 실망과 흥분과 체념의 대가를 내적으로 치르지 않고는 훌륭한 지도자가 될 수 없는 것이 교회 지도자이다.

2) 피곤

세상에는 수고하고 무거운 짐을 안 진자가 없다. 그리고 세상은 피곤한 자들이 사는 곳이다. 아침부터 저녁까지 육체적으로 정신적으로 노력하지 않으면 생존할 수 없는 세상이다. 그러나 지혜 있는 지도자는 스트레스를 줄이거나 변화구(change of pace)를 시도한다. 쉴 때 쉬고 일할 때 일한다. 생소하게 대할 수 있는 여유를 갖지 않으면 안 된다. 육신적으로 정신적으로 쉴(relax) 수 있어야 한다.

3) 생각할 시간의 여유

지도자는 생각할 시간적 여유를 가져야 한다. 생각은 창조를 낳는다. 깊은 생각의 시간은 문제를 복잡하게 하는 것이 아니라 명료하게 한다.

4) 고독

지도자는 고독하다. 지도자는 고독에 그 대가를 지불하지 않으면 안 된다. 고독은 섬기거나 봉사하지 않을 때에 온다. 고독하면 일하면 된다. 목사는 교인들과 고독을 나누려 하지 않아야 한다. 목사는 인간적인 고독 때문에 교인과 친해서는 안 되는 것이다.

5) 동일성, 일관성

목사는 고독하고 고립적이면서도 그는 모임에서 언제나 머리이며 앞장서야 한다. 그리고 그가 이끄는 모임과 함께 운명을 같이해야 한다.

6) 불쾌한 결정들

때로 교회 지도자는 불쾌한 결정을 할 때가 있다. 여기에 많은 대가가 지불된다. 교회나 기관에서 심한 갈등이 있을 수 있다.

7) 거절

교회 지도자는 거절의 대가를 치를 준비를 해야 한다. 어떤 때는 거절을 당하고 배척을 당하기 마련이다. 자기임을 다하려 할 때이다.

8) 경쟁적인 목회에서 벗어나야

목회나 행정은 경쟁이 아니다. 경쟁의 소모적인 목회를 버려야 한다. 목회자는 주변의 교회와 목회자에 대해 경쟁 상대가 아니라 동역자라는 의식을 가져야 한다.

3. 교회행정가의 특성[60]

---

60) ibid., pp. 244-249.

1) 열정적

지도자에게 열정은 매우 중요하다. 목회자에게 열정은 영적인 힘
에 의해 좌우된다. 십자가 복음의 감격과 아울러 소명감에 의한 사
명성에 열정이 비롯되어야 한다. 위로부터 주시는 은혜에 열정이
시작된다.

2) 신뢰성

신뢰성은 정직, 성실, 근면에 있다. 목회자는 성도들 앞에서 신뢰
성을 보여주어야 한다.

3) 결단력

결단력이 지도자의 능력을 판가름한다. 방향을 설정할 때나, 어
려움에 직면하였을 때 올바른 판단과 신속한 결단력은 공동체를
올바른 방향으로 이끌어 간다.

4) 용기

지도자에게는 용기가 있어야 한다. 두려움으로 목회를 해서는 안
된다. 용기는 참된 믿음에서 나온다.

5) 충직

교회행정가는 충직스러운 일꾼이어야 한다. 맡은 일에 최선을 다
해 감당을 하는 자가 되어야 한다.

6) 유머

 교회행정을 하는 목회자는 유머를 잘 구사할 수 있는 능력이 있어야 한다. 유머는 탁월한 리더십을 발휘하는 중요한 요소이다.

4. 교회행정가의 유형들

 교회행정가는 교회행정을 한다. 유형 또는 스타일이라는 말은 교회행정가가 그의 행정적 기능을 수행하는 하나의 길(way)을 말한다. 교회행정의 유형은 그 행정가의 철학에서 좌우된다. 그 사람의 인생관과 생활양식, 그리고 신앙관도 포함된다.

 1) 독자적 관료주의 형(Autocratic-Bureaucratic Style)

우리나라에서만이 아니라 미국에서도 교회행정을 독재적 관료주의 형으로 하는 교회와 목사가 제일 많았다. 그들은 법과 규정을 자주 찾고 자기의 권위가 가장 상위에 있으며, 나머지는 명령이나 들으면 되고, 이유를 물을 필요가 없다는 사람들이다. 독재적 유형의 지도자는 융통성이 없다. 독재적이고 관료적인 형의 지도자는 많은 약점을 동반하고 있다. 시대를 잘못 만날 수도 있다. 그들은 자기만이 필요불가결한 사람이며, 자기만이 결정적인 사람이라고 생각한다. 다른 사람들은 그가 말하기 전에는 아무도 모른다.

 2) 가부장적인 독재형(Benevolent-Autocratic Style)

한 가정에서 가장은 아버지다. 마찬가지로 교회나 사회에서 아버지와 같이 행정을 하고 이끌어가는 유형이다. 옛날 족장시절(族長時節)의 아브라함, 이삭, 야곱 등도 이에 속한다. 뿐만아니라 오늘의 교회의 각종 성직(聖職)을 맡은 자들에 의한 행정도 이에 속한다. 마치 가정의 촌수(寸數)를 따져서 존대와 하대 또는 명령계통을 갖는 식의 지도력 또는 행정력 수행을 말한다.

3) 민주적 동참형(Democratic-Participative Style)

우리나라에서 가장 염원하는 지도자는 민주주의적인 지도자다. 다른 어떤 조직이나 정부 단체나 기관에서보다 교회는 민주적이며 동참형의 정치와 행정을 시도해왔다. 말이 그렇지 민주적 동참형의 행정은 쉬운 것이 아니며, 보다 교인들의 수준을 요청하는 행정 스타일이다.

4) 은사를 강조하는 전도자형(Charismatic-Evangelistic Style)

이를 행정 유형에 과연 넣을 수 있느냐는 문제점도 없지 않으나 사실상 이런 행정이 엄연히 존재하고 있는 현실 때문이다. 어느 정도로 하는 정도를 넘어 전적으로 은사만 강조하고, 그것이면 전부 다이며 밤낮 복음이라느니 전도라고만 하는 교회가 없지 않다.

5) 무사 안일형(Laissez-faire Style)

무책이 상책이고, 떠들 것 없고, 나설 것 없으며, 욕먹을 것 없다는 행정 유형을 말한다. 그에게는 지도력이나 행정력이 없다. 교회가 어떻게 되는 상관이 없다. 그들은 게으른 자다. 좋은 방안을 찾기를 싫어하고 연구하기를 싫어하고 배우기를 싫어하고 자기의 단점과 편견에 빠져서 헤어나지를 못한다.

C. 목회자의 자기 관리

목회자 역시 인간이기에 자기 관리를 철저히 하지 않으면 목회자로서 사명을 잘 감당할 수 없다. 교회행정가로서 목회자는 자기 자신을 늘 관리하여야 한다.

1. 영성 관리

목회자에 있어서 영성 관리는 우선적이며 아주 중요하다. 목회자는 영성의 사람이기에 영적으로 준비가 되어있지 않으면 모든 것이 힘들어진다. 사탄은 교회행정의 리더 자인 목회자의 영성을 약화시켜 교회행정의 리더십을 발휘하지 못하게 한다. 그러므로 목회자는 늘 자신을 복종시켜 영성 관리에 힘을 써야 한다. 목회자에게 필요한 영성 관리는 무엇이 있을까?

1) 말씀의 부분

(1) 말씀 묵상이다. 매일의 말씀 묵상은 하나님의 말씀을 들을 수 있고 깨달을 수 있는 중요한 시간이다. 이러한 시간을 갖지 않는 것은 하나님의 음성과 하나님의 뜻을 깨닫지 못하고 목회하는 것이다.

(2) 성경 읽기이다. 성경을 매일처럼 읽고 묵상하고 암송하는 것이 중요하다. 매일처럼 성경을 읽는 것은 매일처럼 밥을 먹는 것과 똑같다.

(3) 성경연구이다. 목회자는 설교를 준비할 때나 평소에 성경을 깊이 연구하는 것이 필요하다. 성경의 본래의 뜻을 파악하기 위해 성경의 원어나, 성경의 배경, 구조, 문법, 문맥 등을 자세히 살펴보는 시간이 필요하다.

(4) 다른 사람의 설교 문을 읽고, 듣고 분석하는 것이다. 목회자는 다른 설교자가 본문을 어떻게 바라보았으며, 어떻게 적용하였는가를 분석하며 자신의 설교를 만들어가야 한다. 이런 점은 다른 설교를 단순히 모방하는 것이 아니라, 다른 사람의 관점을 바라보며 자신의 관점을 발전시켜 나가는 것이다.

2) 기도의 부분

(1) 묵상기도

목회자는 깊은 묵상기도를 통해 하나님이 들려주시는 음성을 들어야 한다. 중세의 관상기도, 신비적 기도가 있으나 주님과 깊은 관계를 갖고 기도를 드려야 한다. 묵상기도는 소리를 내지 않고 깊은 묵상을 하는 기도이지만 반드시 소리를 내지 않는 것은 아니다. 때론 소리를 내면서도 깊은 묵상을 할 수 있기 때문이다.

(2) 통성기도

통성기도는 소리를 내면서 들으면서 하기 때문에 기도에 열정을 내게 한다. 때론 방언으로도 소리를 내면서 기도할 때 기도는 더욱 힘이 솟고 깊어진다.

(3) 정규적인 기도

목회자는 정규적인 새벽기도와 개인적으로 하는 저녁기도회와 자기 기도시간을 갖는 것이 필요하다. 공식적인 시간이 아닌 개인적으로 기도시간을 갖는 것은 영성 관리에 있어서 아주 중요하다.

(4) 집중기도

집중해서 기도할 필요가 생길 때 시간을 늘려가면서 집중하여 기도를 드린다. 집중기도는 기도의 세계를 더욱 깊어지게 한다.

2. 지성 관리

목회자는 영적인 사람이지만 인간이기에 평소 지성적인 관리를 하여야 한다. 지성 관리에는 신학, 교양, 시사, 문화, 역사, 정치, 행정 등의 분야를 폭넓게 독서를 하여야 한다. 이를 위해 신문, 뉴스, 서적 등을 이용한다. 그리고 각종 세미나와 교육훈련에도 참여하여야 한다. 특별히 교회행정에 관련된 리더십 훈련이나 세미나에 열심히 참석하여 자기 훈련을 해야 한다. 그리고 책을 집필하거나, 수필이나 시를 쓰는 활동을 통해 지성을 더욱 다지게 한다.

3. 건강관리

목회자도 사람이기에 건강이 중요하다. 건강하지 못하면 목회를 원활하게 이루어 갈 수 없다. 건강관리는 체력관리, 정신관리가 있다.

1) 체력관리

체력관리는 자신의 몸에 맞게 꾸준한 운동이 필요하다. 그리고 충분한 수면을 취하는 것이다. 그리고 규칙적인 생활 습관과 시간 관리, 음식관리가 필요하다. 그리고 정규적으로 건강검진을 통하여 건강을 관리하는 것이 필요하다. 특히 목회자가 걸리기 쉬운 질병인 간, 위, 장, 신경성의 부분에 주의를 해야 한다. 목회자는 과중한 업무로 인한 각종 스트레스와 간 질환에 걸리기 쉽다. 또한 스트레스로 인한 두통, 신경증, 소화불량, 위 무력증, 장의 이상 등에 걸릴 수 있다.

2) 정신 관리

(1) 스트레스 관리

스트레스란 생물체가 외계로부터 유해한 작용을 받을 때, 그에 대응하여 생물체가 나타내는 일체의 반응이라고 할 수 있다. 정신 관리에 있어 가장 중요한 부분은 스트레스 관리이다. 목회자는 목회 현장에서 사람들을 대하기 때문에 끊임없는 스트레스에 시달린다. 스트레스가 심해지면 '우울증'으로 진행된다. 우울증이 심해지면 '탈진' 증상이 온다. 물론 스트레스가 항상 부정적인 것만은 아니다. 스트레스의 자극을 통해 긍정적 삶으로 전환될 수 있기 때문이다. 그러므로 건강한 목회자는 자신에게 몰려오는 스트레스를 어떻게 관리하느냐에 달려 있다.

다음은 스트레스 해소 방안에 대하여 살펴보도록 하겠다.

스트레스의 원인이 대부분 본인 스스로 만들어 지는 내부적인 원인이기 때문에 스트레스를 극복하기 위해서는 스트레스의 원인을 먼저 이해하고 자기 스스로 변화하지 않으면 안 된다. 하버드 대학의 Matthew Budd 박사는 "당신이 만약 환자의 스트레스를 다루려고 한다면 당신은 먼저 자기 자신의 스트레스를 다루는 방법을 배워야한다"고 충고한다.

① 규칙적인 운동

목회자는 평소 규칙적인 운동을 하여 스트레스를 관리하여야 한다. 운동은 스트레스를 잠시 잊게 하는 효과가 있다.

② 묵상과 기도

새벽기도나 개인적인 기도시간에 성경 말씀을 깊이 묵상하는 시간과 개인적으로 기도하는 경건의 시간은 스트레스를 물리치게 하는 좋은 방법이다.

③ 충분한 수면

일반적인 이야기로 수면은 스트레스 해소에 매우 중요하다. 만성 스트레스 환자는 대부분 피곤(스트레스로 인한 불면)을 느끼며, 이는 악순환을 일으킨다. 스트레스 환자가 좀 더 수면을 취한다면 상태가 나아질 것이고 매일 매일 일에 적응할 수 있을 것이다. 대부분 사람들은 본인의 수면 요구량(평균 7-8시간)을 잘 알고 있지만, 놀랍게도 많은 사람들이 만성적으로 수면이 부족한 상태이다.

④ 휴식 및 여가

일을 할 때는 속도 조절과 일과 여가의 균형이 중요하다. 속도 조절에 있어 주요한 열쇠는 주기적인 휴식이다. 나쁜 스트레스 시에 가장 먼저 나오는 증상은 피로인데 우리는 이를 무시하는 경향이 있다. 이때 무언가를 해주어서 극도의 피로가 되는 것을 막아야 한다. 여가 시간과 스트레스 레벨은 반비례한다. 여가가 적으면 더 많은 스트레스를 받는다. 기분 전환할 수 있는 취미나 여가 생활을 가지도록 하는 것이다. 친구들과 함께 운동을 한다거나 영화 감상을 한다거나, 문화생활을 하거나, 교회나 공동체에 속해 활동에 참여함으로써 홀로의 고독의 순간들로 부터 벗어나는 것이다.

⑤ 인식의 전환

어떤 일에 대해 더 좋은 방향으로 볼 수 있는 생각의 전환이다. 부정적인 것이 아니라 긍정적으로 바라보는 것이다. 신앙적으로 영적으로 하나님의 섭리와 뜻으로 받아들이는 것이다. 요셉이 노예로 팔려 온갖 고난을 겪고 총리가 된 후 형들을 만났을 때 형들의 잘못이 아니라 하나님이 자기를 애굽에 보냈다고 말했다. 요셉의 생각은 영적으로 하나님의 섭리 신앙으로 생각을 재 구성했다. 목회자는 어떤 문제 앞에서 항상 인식의 전환이 필요하다. 그리고 현실에 대해 지나친 기대를 하지 말아야 한다. 어려운 목표나 본인이 감당할 수 없는 것은 미리 내려놓는 연습을 하여야 한다.

⑥ 만남

되도록이면 긍정적인 사고와 유익을 가져다줄 수 있는 사람들과 만나도록 한다. 특히 만나면 즐겁다거나 함께 활동을 할 수 있는 사람, 속마음을 나누고 이야기를 들어줄 수 있는 사람이면 더더욱 좋다.

⑦ 장점을 극대화

현재 잘 할 수 있는 부분은 극대화 시키는 것이다. 반면에 잘 하지 못하는 부분을 개선하고자 노력한다.

(2) 중독 관리

중독이란 뇌가 어떤 대상에 대한 충동 조절기능을 잃어버리는 경우를 말한다. 그 대상은 물질(대표적으로 알코올, 마약)인 경우 뿐 아니라, 특정한 행위일 수 있다. 중독의 특징은 크게 3가지라 볼 수 있는데 첫째, 특정 물질이나 행위에 대하여 갈망하는 것, 즉, 욕구를 참지 못하는 것, 둘째, 점차 그 양이 늘어나는 내성, 셋째, 하지 못하는 경우에 나타나는 금단현상이다.

목회자에게 있어서 중독이란 어떤 증상이 있을까? 스포츠, 영화, 낚시, 바둑, 인터넷, 스마트폰, 게임, 도박, 쇼핑, 음란한 생각과 행위, 사역(일) 등이 있을 것이다. 목회자가 목회의 본질보다 이런 것에 더 우선하여 집중한다면 중독에 빠질 위험이 있다. 중독은 정신적, 영적으로 치명타를 입히기도 하지만 장기적으로 뇌에 영향을 준다. 중독이 되면 쾌락 중추가 예민한 상태로 변하여 해당 부위의 기능이 떨어지게 된다. 그러면 뇌가 가지고 있는 기억력이나 판단력이 저하되고, 성격 변화, 불면증, 심지어는 치매 증상까지 오게 된다. 특히 목회자는 죄책감이 동반되어 정신적 우울증을 동반하게 된다.
목회자도 사람이기에 어떠한 모양으로 중독에 빠질 수 있다는 것을 스스로 경계해야 하고, 스스로 중독을 진단하고 관리하여 중독에서 벗어나 본연의 목회에 충실을 다하여야 한다.

중독에서 벗어나는 방법은 다음과 같다.

① 하나님이 싫어하시는 우상숭배라는 인식을 하여야 한다.

중독은 하나님보다 더 우선하며, 치우치는 것이기 때문에 중독은 의미적으로 우상숭배라 할 수 있다. 목회자는 하나님보다 더 우선하는 것에 메인 자신을 철저하게 인식하고 중독에서 벗어날 수 있어야 한다.

② 영적으로 힘들어진다는 것을 인식하여야 한다.

목회자는 영적인 직분이며 영적인 사역을 하는 자이기에 중독에 빠져있을 때 영적인 충전이 힘들다. 그리고 윤리적으로나 도덕적으로 잘못된 중독은 하나님 앞에서 죄책감을 갖으며, 더더욱 영적인 사역자로 서기가 힘이 들어지기 때문에 중독에서 하루빨리 벗어나야 한다.

③ 중독의 금단현상이 올 때 건전한 취미나 활동으로 전환하여야 한다.

잘못된 중독 현상이 갑자기 몰려올 때 잠시 생각을 멈추고 건전한 취미 생활이나 활동으로 중독에서 벗어나야 한다.

④ 평소 규칙적인 경건의 시간을 갖는다.

개인의 경건의 시간은 성령님의 도우심으로 중독에서 벗어날 수 있는 생각과 힘을 갖게 한다.

⑤ 좋은 친구들과 사귐을 갖는다.

좋은 친구들과 좋은 시간을 가지므로 중독에 치우쳐져 있는 시간을 줄이므로 중독에서 벗어날 수 있다.

⑥ 중독이 심한 경우에는 전문 상담가를 찾거나 의사의 진료를 받아 처방을 받아야 한다.

4. 가정 관리

목회자는 영적 사역자이지만 인간적으로는 가정의 가장이다. 이러한 특성 때문에 목회자는 교회의 영적 사역과 가정의 생활과 혼란이 올 수가 있다. 영적인 측면을 치중하다 보면 가정생활의 사적인 생활이 소홀히 될 경향이 있다. 이런 점에서 목회자의 생활이 불균형적일 수 있다. 목회자는 사역자인 동시에 한 가정의 가장이며, 부모이며 남편이다. 교회에서 영적 지도자로 가정에서는 평범하게 가정생활을 잘 할 수 있는 균형 잡힌 목회자가 되어야 한다. 가족을 부양할 수 있는 대책을 세워야 하며, 자녀들을 자립할 때까지 지원할 수 있어야 하며, 아내와의 시간과 자녀들과의 시간을 적절히 가져야 한다. 그리고 가족과 함께하는 휴가를 통해 가정의 화목을 이루어야 한다. 목회자는 교회에서나 가정에서나 변함이 없는 모습 일관된 삶을 살아야 한다.

5. 대외 활동 관리

목회자는 교회뿐 아니라, 지역사회, 지방회나 노회, 총회 등 대외활동을 하게 된다. 목회자는 대외활동에서 반드시 삼가야 할 것은 명예욕이다. 지나친 정치적 욕심은 목회자의 본질이 아니다. 목회의 본질을 우선하면서 대외활동을 조절하는 것이 필요하다.

D. 목회자의 탈진

1970년대 초부터 정신분석가인 허버트 프로이덴버거(Herbert Freudenberger)가 자신의 경험을 통하여 '탈진'(burnout)이라는 용어를 처음 사용한 이래로 탈진에 대한 광범위한 연구가 진행되

어왔다.[61]

탈진(Bournout)'이란 힘과 기운이 빠져있는 상태, 그리하여 정서, 신체, 사회생활 전반에 걸쳐 피로와 무의미를 느끼며 환경과 그 변화에 부적응을 보이는 독특한 정신증후군을 가리키는 말이다. '심리학 국제사전'에 탈진은 "정신장애를 겪고 있는 사람이나 심각한 스트레스에 직면해 있는 사람들을 도와주려는 시도로 말미암아 야기되는, 때때로 우울증을 동반하는 정서적 소진상태이다."라고 기록한다. 대표적인 탈진 연구가인 크리스티나 매슬릭은 탈진에 대해 "사람을 돕는 일에 종사하는 사람들에게서 발생하는 감정적 소진과 비인격화, 그리고 개인적 성취의 감소"라고 정의한다.[62] 예를 들면, 사회복지사, 유치원교사, 교사, 특수학교 교사, 간호사, 의사, 정신과 의사, 경찰 그리고 상담사들에게서 나타날 수 있는 현상이다. 목회자들 역시 사람을 돕는 일이 주 업무이기 때문에 여기에 포함될 수 있다. 탈진은 결국 "과도한 직무나 사람들로 인해 겪게 되는 스트레스가 장기간 계속될 때 생길 수 있는 증상"이라고 말한다. 탈진이 진행되면 직업에 대한 만족도가 떨어지고, 극단적인 경우에는 직장을 떠나거나 직업 자체를 바꿀 수도 있다.

목회자는 '하나님의 일을 하는 사람'으로서 전통적으로 깊은 영성과 이해, 높은 도덕적 수준을 갖추고 예배와 성경적 가르침을 제공하면서 먼저 실천해야 하는 존재로 여겨져 왔다. 그러면서 동시에 '사람들을 섬기는 사람'으로서의 치유와 지탱, 그리고 안내와 화해라는 복잡하고도 어려운 목양에 잘 준비되어 이 과제들을 헌신하도록 요구되어왔다[63]. 그래서 목회자들은 모든 면에서 모범이

---

61) 이관직, 「목회심리학」 (서울: 국제제자훈련원, 2011), p. 121.

62) Christina Maslach, *Burnout-the Cost of Caring* (Englewood Cliffs, NJ: Prentice-Hall, 1982), p. 3.

63) Willam Clebsch and clarles jaekle, *Pastoral Care in Historical Perspective*(Englewood Cliffs, NJ:Prentice-Hall, 1964), 4:thomas Odon, Pastoral Theology: Essentials of Ministry(san Francisco:

되고 강하며, 육체적으로나 정신적으로, 재정적으로 혹은 영적으로 힘들고 어려워도 그것을 부정하거나, 내색을 해서는 안 된다고 생각했고, 또 그렇게 하려고 노력해왔다. 이러한 생각들은 목회자는 하나님의 사람이지만 동시에 세상 다른 사람들과 다를 바 없는 동일한 성정을 가진 사람이요 개인적 한계와 필요를 가진 제한된 존재라는 사실을 부인하는 생각이 스며들어 있다[64].

오늘날 수많은 목회자들이 사역의 적절한 경계선을 긋거나 "NO"를 말하지 못하고 끝도 없는 사역의 고된 일과를 수행하고 있다. 탈진은 마치 목적지를 향해 빠르게 질주하던 자동차가 과열되어 연기를 내며 멈추는 현상과도 같으며, 헛돌아가는 엔진을 계속 밟음으로써 에너지가 다 타버리는 것이다. 목회자가 이러한 상황에 도달하게 되면 그들은 일과 속에서 늘 피곤하며, 흥미와 의욕을 상실하고 매사에 자신이 없거나 자존감이 극도로 낮아지게 된다. 또한 사역에 대한 동기유발도 잘되지 않는다. 우울한 상태가 지속되거나 식욕 상실, 수면 장애, 무기력감, 두통과 같은 신체적 이상 증세가 나타나며 예전과는 달리 감정의 기복이 심해져 갑자기 소리를 지르거나 분노감을 드러내고, 쉽게 짜증을 내며 고립감과 권태감, 타인에 대한 비난과 의심이 많아지게 된다. 이러한 탈진의 증상은 목회자의 자기 정체감이 흐려지거나 자신의 헌신적 사역에 비해 기대했던 결과가 주어지지 않을 때, 또는 큰일을 감당하고 나서 그 뒤에 오는 정서적 고갈이나 후유증을 경험하면서 발생하게 된다[65].

Harper, 1983), 52; Howard Clinebell, BasicTypes of Pastorl Caro and Counseling, rev.ed.(Nashville:Abingdon Press, 1984), P.43. 유재성, "목회자의 탈진 자가진단법", 「목회와 신학」, 2004년 8월호. 103쪽. 재인용.

64) 유재성, "목회자의 탈진 자가 진단법", 「목회와 신학」, 2004년 8월호. 103쪽.

65) ibid., p. 104.

존 A. 샌포드는 목회사역이 가진 특수한 문제점을 9가지로 지적하고 있다.[66]

1) 목회자의 일은 끝이 없다.

2) 목회자는 그의 일에 항상 어떤 결과가 있을 것인지를 말할 수 없다.

목회자의 사역은 사람들을 돌보고 영적으로 양육하는 데에 우선적으로 바쳐지기 때문이다. 자신이 하는 일의 결과에 대하여 확실한 것이 없다는 것은 침울한 감정에 빠지게 하는 것이다.

3) 목회자의 일은 반복적이기에 쉴 새도 없이 반복적인 일들을 다루어야 하고 그 일들은 끝이 없이 진행된다.

4) 목회자는 교인들이 기대하는 일들을 끊임없이 다루어야 한다는 것이다. 목회자들은 사람들의 수많은 기대와 복잡한 상황들을 다루어야만 하고, 수많은 기대를 받는 사람인데 누군가의 그 기대를 그대로 수용하는 것은 힘든 일이다.

5) 목회자는 매년 똑같은 사람과 함께 일해야 한다.

6) 목회자는 무엇인가를 필요로 하는 사람들과 일하기 때문에 특히 에너지 소모가 많다.

목회자는 무언가가 필요한 사람들을 돌보아 줄 때 자신의 에너지를 다 써버리게 된다. 그런데 목회자가 에너지를 다 쏟아부어 도움을 주어 좋은 결과를 가져올 경우는 만족하고 힘들었던 것을 모르게 되지만, 결과가 좋지 않을 때 심신의 에너지가 고갈되고 허탈감에 빠지게 된다.

7) 딱딱한 영적인 음식이 아닌 어루만져 주는 것을 바라고 교회에 찾아오는 많은 사람들을 다루기 때문이다. 그런데 만약 무조건

---

66) Sanford, John A. *Ministry Burnout*, (New York : Paulist Press. 1982), 심상영 역, 「탈진한 목회자들을 위하여」(서울 : 도서출판 나단, 1995), p. 7.

수용해주기를 바라는 사람들의 욕구를 만족시켜주는 목회자가 그 일을 그만둠으로써 갑자기 비난의 대상이나 심지어는 증오의 대상이 될 수도 있다.

8) 목회자는 그의 페르소나[67](persona)를 위해 많은 시간을 쓸 수밖에 없다.

그렇기에 목회자는 가면의 모습으로 성도를 대할 때가 많기에 더 많은 스트레스를 받을 수 있다.

9) 목회자는 실패로 인해 지칠 수가 있다. 이는 목회자가 탈진하게 되는 여러 가지 원인 중에서 가장 큰 원인이다.

1. 목회자 탈진의 증상[68]

목회자 탈진의 증상은 신체적, 정신적, 영적인 측면으로 다양하게 나타난다.

1) 신체적인 증상을 살펴보면 등이 아프거나 목이 아픈 것, 편두통, 불면증, 식욕 상실, 궤양, 고혈압, 되풀이되는 감기, 소화불량, 알레르기가 심할 경우 심장마비나 심장발작을 일으키기도 한다.

2) 정신적인 증상은 환멸감이나 패배감의 형태로 나타나며 분노, 냉소적 사고방식, 부정적인 태도 또는 성급함 등의 징조가 나타난다. 또한 어떤 일을 충분히 잘하지 못했다는 느낌, 무관심, 집중력의 부족, 자기비하, 환상에서 깨어난 느낌, 환멸, 자기 정체성의 상실, 정신착란, 과대망상 등을 겪는다.

---

67) 페르소나 : 우리가 외부 세계 특히 다른 사람들의 세계를 만나고 또 그것과 관계를 맺기 위해 나타내 보이는 겉모습이나 가면.
68) 박혜성, "목회자의 스트레스와 탈진에 관한 연구", 총신대학교 신학대학원, 석사학위논문(M.div), 1998, 25-27쪽.

3) 탈진은 영적인 고갈을 초래하게 만든다. 의식적으로든 무의식으로는 그들은 하나님의 능력을 의지하기를 거부하고 자기가 하나님의 역할을 하려고 애쓴다. 그러다가 시간이 지남에 따라 그들은 자신의 능력도 힘도 충분하지 못하다는 것을 깨닫고 환멸을 깨닫고 환멸을 포기하고 싶은 생각을 하게 된다.

 2. 목회자 탈진 자가진단

 목회자들에게서 나타나는 탈진 증상들을 진단하기 위해 아래의 표와 같은 매슬랙의 탈진 검사지(Maslach Burnout Inventory)를 소개한다. 매슬랙은 질문지 항목을 "감정적 소진(emotional exhaustion), 비인격화(depersonalization), 개인적 성취감의 감소 (reduced personal accomplishment)"의 세 요소로 구분하였다.

(표 1 - 매슬랙의 탈진 검사지)[69]

항목	번호	진단 질문
감 정 적 소 진	1	나는 하루 일과 중에 피로감을 느낀다
	2	나는 두통이나, 목 뒷부분 또는 등 아래 부분의 근육에 통증을 느낀다
	3	하루 일과가 끝나면 나는 너무 지쳐서 가족들과 시간을 보낼 만한 에너지가 남아 있지 않다
	4	교회 일에 대한 염려로 인하여 밤에 잠을 설치게 된다
	5	나는 몸이 아파서 하루 쉰 적이 있다
	6	나는 충분히 수면을 취했을 때에도 피곤 감을

---

69) 이관직, 「목회심리학」, pp. 123-125.

		느낀다
	7	나는 쉽게 신경질이 나며 쉽게 화를 내는 경향이 있다
	8	나는 나의 목회 생활에서 무력감과 낙담 감을 느낀다
	9	나는 내 맡은 일이 너무나 많은 종류의 일이어서 관심이 흩어지며 일에 압도당하는 느낌이 든다
	10	나는 교회 일로부터의 압박감이 나의 결혼생활과 가정생활의 문제에 영향을 주고 있다는 느낌이 든다
	11	나는 당회나 제직회를 하는 동안 왠지 불안하다
	12	나는 하나님이 우리와 함께 계신다고 설교는 하지만 스스로 느끼기에 하나님은 나에게서 멀리 떨어져 계시는 것같이 느껴진다
	13	나는 목회에 대한 나의 소명의식에 대하여 의심이 든다
	14	나는 개인적으로 기도하며 성경을 읽을 만한 충분한 에너지가 없다고 느껴진다
	15	나는 설교할 때 책망하는 경향이 있다.
비인격화	1	나는 사람들을 만나 부딪치는 것보다 서재에서 혼자 시간을 보내는 것을 좋아한다
	2	나는 교회 안에 있는 다른 교역자들과 친밀한 관계를 맺고 있지 않다
	3	나는 불가피한 경우를 제외하고는 다른 교회의 동역자들과의 접촉을 꺼린다
	4	나는 교인들의 사정에 대하여 관심을 잃었고 거리를 두고, 거의 기계적으로 대하는 경향이 있다.

개 인 적 성 취 감 의 감 소	1	나는 목사로서의 강한 정체감이 없다
	2	나는 개인적으로 확신도 없는 내용으로 설교하고 있는 것을 발견할 때가 있다
	3	나는 목회하는 일에 용기를 잃고 다른 교회로 이동하거나 아예 목회를 그만둘까 하는 생각도 한다
	4	나는 교인들로부터 긍정적인 평가나 지지를 그리 받지 못하고 있다
	5	나는 내가 교회를 위해서 열심히 섬긴다고 노력하지만 정작 교인들이 별로 알아주는 것 같지 않다
	6	나는 나 스스로 목회 생활에 대하여 기대하는 것과 목회 현실 사이의 차이 때문에 내적인 갈등을 느낀다
	7	나는 목회 활동에 있어서 왠지 따분한 느낌이 들고 동기부여를 잘 느끼지 못하고 있다
	8	나는 내가 설교하는 것이 교인들의 생활에 어떤 영향을 주고 있는가 자문해 볼 때 확신감이 없다
	9	나는 나의 목회 활동에서 점점 덜 효과적인 것 같다
	10	나는 지난날처럼 그렇게 나의 임무들을 잘 성취해내지 못한다
	11	나는 교회 일에 흥미를 덜 느낀다
	12	나는 어떤 목표를 너무 높이 세우고는 그 목표들을 달성하지 못해 실망하는 나 자신을 발견한다
	13	나는 목회자로서의 나의 역할에 대하여 갈등을 느낀다
	14	나는 내가 목회를 하고 있는 것이 사람들을

		섬기기 위해서라기보다는 생활을 하기 위하여 하는 것이 아닌가 하는 생각이 든다
	15	많은 교인들이 새로운 아이디어나 변화들을 별로 좋아하지 않는다
	16	전체 교인들의 사기가 비교적 낮은 편이다
	17	나는 한국에 돌아갈까 하는 생각도 해본다. 그래서 목회를 그만두고 싶은 생각이 든다.
	18	교역자들의 사기가 비교적 낮은 편이다.

이 모든 문항에 있어서 지난 한 해 동안 0은 "나에게는 해당되지 않는 항목이다," 1은 "한 번도 그런 적이 없다," 2는 "드물게 있었다," 3은 "가끔 있었다," 4는 "자주 있었다," 5는 "거의 항상 있었다"로 점수화하여 총 점수를 합산하여 해당되는 항목 수를 나누어 평균이 3 이상이 될 때는 탈진 상태에 접어들었다고 평가할 수 있다.

3. 탈진에서 벗어나는 방법

목회자가 탈진에서 벗어나는 방법은 스트레스에서 벗어나는 방법과 중복될 수 있다.

1) 탈진에 대해 자가진단을 해본다.

탈진의 증상에 대해 스스로 자각할 수 있어야 하며, 스스로 진단하여 원인을 발견한다.

2) 탈진의 원인에 따라 적절한 처방을 생각해 본다.

가벼운 탈진이라면 바로 대처가 가능하지만, 심각한 정도의 탈진이라면 본인 스스로 해결하기가 힘들기때문에 전문 상담가나 의사의 처방을 받는 것이 필요하다.

3) 정규적으로 멘토를 만나 자신의 고민을 털어놓는 것이 필요하다.

4) 친한 동료 목사들과의 정규적인 만남도 필요하다.

만나면 서로 편하고 서로 위로하고, 위로받을 수 있는 만남이어야 한다. 또한 정보를 서로 교환하며 전문적인 지식도 얻을 수 있으면 더욱 좋다.

5) 탈진을 일으킨 부분의 취약점에 대해 집중적으로 연구한다.

책을 통해서, 혹은 전문가의 조언을 듣거나, 교육과 훈련을 통하여 약점을 보완한다.

6) 자기 시간을 갖고 적절한 취미를 개발한다.

목회와는 관계없는 취미를 갖는 것은 탈진에서 벗어날 수 있는 좋은 기회이다.

7) 일상생활에서 떠나 다른 시간을 갖는 것이 필요하다.

목회나 가정생활에서 떠나 전혀 다른 시간을 갖는 것(기도원, 세미나, 여행 등)은 인식의 전환을 가져오게 한다.

8) 탈진의 증상이 너무 심할 경우 목회를 잠시 떠나는 것도 필요

하다.

안식년을 갖거나 아니면 몇 개월이라도 안식하는 것이 필요하다. 이것도 안 되면 목회 지를 바꿔보는 것도 필요하다.

강준민 목사는 목회자의 영적 침체를 벗어나는 방법에 대해 다음과 같이 제시하였다.[70]

1) 영적 침체를 목회의 한 부분으로 받아들이도록 하라.
밀물이 있고 썰물이 있는 것처럼, 낮이 있고 밤이 있는 것처럼 침체도 삶의 한 부분임을 알아야 한다고 한다. 영적 침체는 목회자면 누구나 겪게 되는 과정임을 알아야 하며, 모세, 엘리야, 다윗, 세례 요한, 예수님까지도 영적 침체를 통과해야만 했다고 한다.

2) 깊은 묵상을 통해 깨달음을 얻도록 하라.
깨달음을 통해 영적 침체의 원인과 해결책을 얻게 된다. 깨달음을 통해 고통의 의미를 발견하게 된다. 깨달음을 통해 전체의 시각으로 현실을 직시하게 된다. 깨달음을 통해 분별력을 얻게 된다. 깨달음을 얻기 위해서는 묵상하는 훈련을 해야 한다고 한다.

3) 마음의 정원을 가꾸는 지혜를 얻도록 하라.
정규적으로 자기 마음에 양식을 공급하도록 하라는 것이다. 하나님의 말씀을 읽고 묵상할 뿐만 아니라 긍정적인 글들을 읽으면서 자기 마음을 다스리라 한다.

4) 꿈을 성취하는 구체적인 방법을 배우도록 하라.
하나님은 목회자의 가슴속에 꿈을 주셨다. 꿈이 없는 목회자는 없

---

70) 미국 LA 새생명 비전교회 담임목사.

다. 문제는 그 꿈을 성취할 수 있는 구체적인 원리와 방법을 모른다는 것이다. 꿈을 성취하는 구체적인 방법을 배우는 가장 좋은 길은 책을 통해서이다. 꿈에 관한 책을 읽으라는 것이다. 위인들의 전기를 읽으면서 도전과 위로를 받으라는 것이다. 그들의 이상을 본받고, 그들이 통과했던 고난의 강과 정복해야 했던 장애물의 산을 보면서 나의 문제가 별것이 아니라는 것을 깨달아야 한다고 말한다.

5) 저수지와 같은 목회자가 되도록 하라.
목회자가 영적 침체를 경험하는 것은 충만하지 못해서이다. 쉽게 고갈을 경험하기 때문이다. 목회자가 저수지와 같이 충만해지면 고갈을 쉽게 경험하지 않는다. 저수지와 같은 목회자가 되기 위해서는 학습을 해야 한다. 학습을 통해 실력을 쌓도록 해야 한다.

6) 목적 지향적인 삶을 살도록 하라.
인간은 목적 지향적인 삶을 살 때 가장 역동적인 삶을 살 수 있도록 만들어졌다. 목회자의 자기 관리 중에 하나는 매일 목표를 갖고 살아가는 것이다.

7) 기본기에 충실하도록 하라.
목회자에게 기본은 기도와 말씀이다. 성령 충만한 삶이다. 감사하고 용서하는 삶이다. 우리 마음에 상처를 주고 침체의 원인을 제공한 사람들을 용서하라 한다.

8) 균형 잡힌 목회자가 되도록 하라.
침체는 균형을 상실할 때 찾아온다. 그렇기 때문에 영적 침체를 치유하기 위해서는 전인 치유에 관심을 가지라 한다. 목회자는 목사이기 전에 하나의 인간임을 결코 잊지 말아야 한다. 육체와 마음과 영혼을 소유한 인간임을 늘 기억해야 한다. 결코 전능한 하나님이 아니며 한계를 가진 인간임을 깨달아야 한다.

9) 사명을 위해 목숨을 바치는 삶을 살도록 하라.

목회자의 아름다움은 사명을 위해 전심전력하는 삶을 사는 것이다. 에스더와 같이 "죽으면 죽으리라"는 자세를 가지고 살도록 하라. 목숨을 바쳐 목회를 한다면 불가능이 없을 것이다 한다.

E. 목회자와 우울증[71]

목회자는 끊임없이 사람을 상대하는 사역이기에 인간관계를 통해서 오는 여러 가지 스트레스를 경험한다. 또한 영적인 사역을 함에 있어 육신을 지니고 있는 목회자가 이중적이며, 가면적인 삶을 유지해가는 과정에서 오는 정신적인 갈등 등이 스트레스의 요인이 된다. 그리고 현대의 목회는 얼마나 복잡하고 힘든 것인가 이런 모든 면에서 목회의 어려움이 가중되면서 목회자는 힘든 사역을 하고 있다. 이런 점에서 목회자가 자기 자신에 이르는 여러 가지 어려움과 갈등과 스트레스를 잘 관리하지 못하면 정신적인 어려움에 처할 수 있으며 행정가로서 능력을 발휘하지 못하게 된다.

우울증은 정신적 질환으로 목회자도 인간이기에 우울증이라는 정신적 질환에 걸릴 수 있다. 초기적 증상이면 다행이겠으나 중증의 일환이라면 큰 문제가 아닐 수 없다. 목회자는 교회의 영적 지도자이기에 이런 질환에서 예방될 뿐 아니라, 적절히 치료하여 건강한 목회자로 서야 할 것이다.

---

71) Maxie Dunnam, Godon Donald W. McCullough, *Mastering Personal Growth*, 지명수 역, 「인격성장 어떻게 할 것인가?」 (서울 : 도서출판 횃불, 1996), pp. 49-52.

1. A. D 하트가 제시하는 목회자 우울증의 증상들

1) 사고의 혼란 2) 이성적인 사고나 판단의 불가능 3) 말 더듬 4) 일이나 취미 생활에 대한 흥미의 감퇴 5) 타인들로부터 배척받는 것 같은 두려움 6) 무력감 7) 죄의식과 죄책감 8) 죽음에 대한 상념 9) 희망이 없어지고 무능함을 느낌 10) 집중력이 없어짐 11) 식욕감퇴나 갑작스러운 식욕의 증가 12) 피로감 13) 불면증 및 과다한 수면 14) 위장장애

일반적으로 우울증 증상은 지속적인 우울감, 의욕 저하, 흥미의 저하, 불면증 등 수면 장애, 식욕 저하 또는 식욕 증가에 따른 체중 변화, 주의집중력 저하, 부정적 사고의 증가, 무가치 감(스스로 가치가 없다고 생각), 지나친 죄책감, 일상생활의 기능 저하, 학업 능력 저하, 생산성 저하, 자살에 대한 생각과 자살 시도 등이다.[72]

2. 목회자가 우울증에 걸릴 수 있는 원인

1) 거부와 실패에 대한 두려움 때문이다.
즉, 사람들이 자신이 하고 있는 일에 대한 거절됨의 두려움과 자기 자신에 대한 거부감의 두려움 때문에 우울증에 걸릴 수 있다.
2) 자기 자신을 정죄하는 것이 우울증에 빠지게 된다.
3) 목회자들은 그들의 사역에 대한 잘못된 기대와 높은 기대를 가지고 있는데 이것이 목회자의 우울증을 유발시키는 원인이 된다.
4) 교회 안에서 목회자는 고독하다는 이유로 우울증을 경험하게 된다. 그렇기에 믿을 만한 동역자의 교류가 필요하다.
5) 목회자 자신의 열등감에 의한 콤플렉스에 의한 우울증을 경험하게 된다.

---

72) 네이버 지식백과.

목회자가 우울증에 걸릴 수 있는 여러 가지 원인 중 스트레스와 과도한 목회사역, 그리고 영적인 고갈(영혼의 어두운 밤)이다.

3. 우울증 자가진단 질문지

우울증 자가진단 중 가장 많이 쓰이는 대표적인 자가진단 척도로는 (1) 'Zung의 자가 평가 우울척도'와 (2) 'CES-D(우울척도)' 2가지가 있다. 그리고 일반적으로 정신과에서 사용하는 우울증 선별검사에는 최근에 소개된 'BDI-II(Beck Depression Inventory)'가 있다. 여기에서는 'Zung의 자가 평가 우울척도'에 대해서만 소개한다.

대표적인 우울증 자가진단으로 현재 보건복지부에서 권하는 우울증 자가진단 척도이다.[73]

(표2 - Zung의 자가 평가 우울 척도)

변화	우울 증상	아니 다	가끔 그렇 다	자주 그렇 다	항상 그렇 다
1	나는 의욕이 없고 우울하거나 슬플 때가 많다.	1	2	3	4
2	나는 하루 중 아침에 가장 기분이 좋다.	4	3	2	1
3	나는 갑자기 울거나 울고 싶을 때가 있다.	1	2	3	4

---

73) 보건복지부
http://www.mohw.go.kr/front_new/al/sal0301vw.jsp?PAR_MENU_ID=04&MENU_ID=0403&CONT_SEQ=227314&page=1

4	나는 잠을 잘 못 자거나 아침에 일찍 깬다.	1	2	3	4
5	나는 전과 같이 잘 먹는다. 식욕이 있다.	4	3	2	1
6	나는 이성과 이야기하고 함께 있기를 좋아한다.	4	3	2	1
7	나는 체중이 준 거 같다.	1	2	3	4
8	나는 변비가 있다.	1	2	3	4
9	나는 심장이 평상시 보다 빨리 뛰거나 두근거린다.	1	2	3	4
10	나는 별 이유 없이 몸이 나른하고 피곤하다.	1	2	3	4
11	내 정신은 그 전처럼 맑다.	4	3	2	1
12	나는 어떤 일이든지 전처럼 쉽게 처리한다.	4	3	2	1
13	나는 안절 부절 해서 가만히 있을 수가 없다.	1	2	3	4
14	나는 장래는 희망적이라고 느낀다.	4	3	2	1
15	나는 전보다도 더 안절부절한다.	1	2	3	4
16	나는 매사에 결단력이 있다고 생각한다.	4	3	2	1
17	나는 유익하고 필요한 사람이라고 생각한다.	4	3	2	1
18	나는 내 삶이 충만하고 의의가 있다고 느낀다.	4	3	2	1
19	내가 죽어야 남들이 편할 것 같다.	1	2	3	4
20	나는 전과 같이 즐겁게 일한다.	4	3	2	1

총점 80점

50점 미만 : 정상

60점 미만 : 경도의 우울증
70점 미만 : 중등도의 우울증 : 전문가의 정신건강 상담 필요.
80점 미만 : 중증의 우울증 : 전문의의 상담 및 진료 필요.

　Zung 자가 평가 우울척도는 가장 널리 사용되는 성인 우울증의 검진 척도로 20개의 문항으로 구성되어 있고 문항의 절반은 긍정적인 문항과 정적인 문항이다. Zung의 자가 평가 우울척도 점수는 55점 이상인 경우 5%만 DSM-4의 주요 우울증에 해당이 되어, 본 척도는 검진을 위한 도구로 사용되는 것은 바람직하나 진단적이지 않으며, 50점 이상인 경우 정신과 의사와의 면담이 필요하다.[74]

---

74) 이영호, 송종용(1991) BDI, SDS, MMPI-D척도의 신뢰도 및 타당도에 대한 연구-

제2부 교회행정의 과정

I. 일반행정과 교회행정의 과정[75]

행정에는 행정을 진행하는 일련의 과정이 있다. 이 장에서는 일반 행정의 과정을 먼저 살펴보고, 교회행정의 과정은 전체적인 과정을 간략하게 소개하겠다. 다음 장에서부터 각 과정에 대해 자세하게 설명하겠다.

A. 일반행정의 과정

1. 훼욜(Henri Fayol)

행정의 과정을 처음으로 연구(프랑스)한 학자이다. 훼욜은 행정을 크게 6개의 군(群)으로 구분하여 다루고 있다. 기술 활동, 상업 활동, 재정 활동, 안전 활동, 회계 활동, 관리 활동이다. 여기서 재정 활동은 자본의 조달과 최적의 이용에 관한 활동이다. 회계 활동은 재고조사, 장부 정리, 비용, 통계 등의 활동이다. 여기에 훼욜은 관리 활동인 행정을 다섯 가지로 나누었다.

1) 예측과 기획 : 미래를 예측하고 그것에 대비하는 여러 단계의 활동을 세우는 과정이다.

---

75) 홍정근, 「교회 교육행정론」(서울: 장로교출판사, 2002), pp. 37-46. 참조.

2) 조직 : 인적 조직과 물적 조직을 편성하는 과정이다.

3) 명령 : 모든 구성원들이 조직을 위해 최선을 다하도록 하는 활동이다.

4) 조정 : 모든 운영을 조화시키고 분산된 노력을 통합시키는 과정이다.

5) 통제 : 결과를 검토하고 평가하는 과정이다.

2. 규릭(Luther Gulick)

훼율의 영향을 받은 규릭은 미국의 루즈벨트 대통령의 직무를 기능적으로 분석 연구하여 행정 책임자가 하는 일이 무엇인지를 정리하였다. 행정의 기능을 "기획, 조직, 인사, 지휘, 조정, 보고, 예산"으로 소개하였다.

1) 기획 : 조직의 목적을 달성하기 위하여, 하여야 할 일과 그 일을 하는 방법에 대하여 포괄적으로 윤곽을 정하는 일이다.

2) 조직 : 설정된 목적을 달성하기 위하여 업무를 배분하고 규정하며, 조정하는 책임과 권한을 공식적으로 수립하는 일이다.

3) 인사 : 직원을 채용하고 훈련하며 작업에 유리한 모든 조건을 유지하는 등 일체의 인사에 관한 일이다.

4) 지휘 : 조직의 주도자로서 끊임없이 여러 가지 결정을 하며, 그 결정을 구체적이고 일반적인 명령 및 지시와 봉사의 형태로 전달하는 일이다.

5) 조정 : 작업의 여러 부분을 상호 관련시키는 일이다.

6) 보고 : 기록, 조사, 연구, 감독을 통하여 자기 자신은 물론 상하 급 직분 자에게 그 상황을 알려 주는 일이다.

7) 예산 : 재정 계획, 회계 및 재정통계의 원칙에 따라 예산을 편성하는 일이다.

3. 허어시(P. Hersey)와 브랜차드(K. Blanchard)

폴 허어시와 캐너드 브랜차드는 「조직 행동의 관리」에서 행정의 과정을 기획, 조직화, 동기부여, 통제가 상호 연관되어있는 것을 소개하였다. 다음의 그림은 행정의 과정을 보여준다.

(그림 2 - 행정의 과정)

↙	기획(planning)	↘
통제(controlling)	↔↕	조직화(organizing)
↖	동기화(motivating)	↗

4. 찰스 티드엘(Chales Tedwell)

찰스 티드엘은 교회행정의 과정을 목적 설정, 목표 설정, 프로그램 작성, 기구의 조직, 인적 자원 확보, 물리적 자원 확보, 재정 확보, 통계의 과정을 제시하였다. 기획 과정은 목적, 목표, 프로그램이며, 조직 과정은 기구, 인적, 물리적 자원, 재정확보이며, 전체적인 과정을 압축하면 계획, 실행, 평가로 소개한다.

5. 미국학교 행정가 협회(AASA-American Association of School Administration)

미국학교 행정가 협회 행정을 학교 교육의 목적을 성취하기 위한 인적, 물적 자원을 유효하게 활용할 수 있도록 하는 전 과정이라 보고 그 주요 기능을 다섯 가지로 제시하였다.

1) 기획 : 조직의 목표가 지향하고 있는 바람직한 방향으로 미래를 계획하는 활동
2) 배치 : 운영 계획에 따라 인적, 물적 자원을 확보하고 배분하는 활동이다.
3) 자극 : 바람직한 결과를 얻어낼 수 있도록 행동을 동기화시키는 활동이다.
4) 조정 : 각 집단의 활동을 목적 성취과업에 통합된 유형으로 적합하게 하는 과정이다.
5) 평가 : 활동의 결과를 계속적으로 검토하는 활동이다.

6. 캠벨(Ronald F. Campbell)

교육행정학자인 로날드 캠벨은 행정을 순환과정으로 보고 그 요소를 다섯 가지로 제시하였다.

1) 의사결정 : 중요한 정책이나 방향을 결정하는 단계이다.
2) 프로그램 짜기 : 목표를 수행하기 위한 프로그램을 짜는 단계이다.
3) 자극 : 조직의 결정을 수행하기 위해 구성원의 노력과 기여를 유도해 내는 단계이다.
4) 조정 : 목적을 달성하는 데 필요한 인적, 물적 자원을 적절한 관계로 조정하는 단계이다.
5) 평가 : 최종적인 단계로 모든 결과를 평가하는 단계이다.

7. 박용치의 행정과정[76]

현대 행정에서는 기능을 중심으로 행정정을 7단계로 나누어 고찰하는데 이들 단계는 상호 연결되어 지속적으로 평가와 시정조치가 행해지며, 환경과의 상호작용도 계속된다.

1) 목표 설정

목표 설정이란 행정이 달성하고자 하는 바람직한 미래의 상태를 설정하는 것을 말한다. 행정 과정에 있어서 목표 설정의 과정은 인간의 가치가 개입되는 가장 창조적인 과정이다. 목표야말로 행정 자체의 존재 이유의 근원이기 때문이다. 이런 목표는 목회자의 비전이나 사명 성을 의미한다.

2) 정책 결정

정책 결정이란 정부 기관에 의한 정부의 장래 활동지침의 결정을 의미한다. 이러한 지침은 최선의 방법으로 공익을 공식적으로 추구하려는 복잡한 동태적인 과정이다. 현대 행정에서 정책 결정 기능은 행정부의 주요 기능이 되었는데 특히 사회변화 기능과 정책 형성기능이 부각되었다. 이런 정책은 목회자의 목회 철학이나 목회 방침을 의미한다.

3) 기획

이는 행정 전반의 계획을 입안하는 과정이다. 흔히 기획은 계획 입안의 과정을, 계획은 그 결과로서의 계획서를 의미하는데, 목표를 구체화하고 목표 달성을 위하여 합리적인 수단을 선택하는 과

---

76) 박용치, 「현대행정학 원론」, pp. 45-46. 한국에서 행정과정론이 최초로 제시된 것은 박용치 교수에 의해서이다.

정이다.

4) 조직화

행정목표에 따라 정책이 수립되고 계획이 이루어지면 이를 구체화하는 수단으로서 인간의 협동체인 조직이 필요하게 된다. 여기서는 종래의 구조, 인사, 예산의 문제와 아울러 한국의 행정 현실에 맞는 분업체제와 인적, 물적 자원의 동원 그리고 배분이 이루어져야 한다.

5) 동기부여

종래에는 이를 지시, 명령이라고 했는데 이는 지금은 자발적, 능동적, 적극성의 차원에서 동기부여란 개념을 사용하고 있다. 즉 종전에는 수직적으로 지시 명령만 있으면 되었는데 이런 상태에서는 수동적이며, 소극적 기계적으로만 움직이기 때문이다. 동기부여의 주요 내용으로는 리더십, 의사전달(커뮤니케이션), 참여, 인간관계 등을 들 수 있다.

6) 평가

평가란 조직의 목표를 향해 과업이 수행되도록 조정하는 것을 말한다. 동기부여가 되었다고 해서 언제나 의도된 방향으로 조직이나 개인이 움직이는 것이 아니므로 설정된 기준에 근거하여 행위를 평가해 나가야 하는 것이다.

7) 환류(feedback)

환류는 마지막 단계에서만 이루어지는 것은 아니고 작업과정에서 계속적인 평가에 의해 환류(시정조치)가 이루어진다. 발전을 위해서는 똑같은 일, 또는 잘못된 일을 반복해서는 안 되며 언제나 보다 새롭고 향상된 행정을 해야 하므로 잘못을 즉시 시정하여 반복하지 않고 지속적인 행정발전을 이룩할 수 있도록 해야 한다.

학자들의 과정을 종합해보면 행정은 다음의 과정을 갖는 것으로 요약된다.

1) 계획 : 목적, 목표 설정, 정책 및 계획수립
2) 조직 : 조직 편성, 인적 관리, 예산편성
3) 실행 : 관리, 지도, 동기부여
4) 조정 : 목표 수정, 갈등관리, 역할 조정, 자원 조정
5) 평가 : 진단, 조정
6) 환류 : 시정조치 하기

B. 교회행정의 과정

교회행정의 과정은 일반행정의 과정과 유사하다 할 수 있다. 단지 교회의 현장성과 영적인 면을 고려하는 것이 차이점이라 할 수 있다.

1. 비전 수립하기

비전수립은 목회자의 리더십의 부분이다. 목회자는 성령의 영감을 받아야 한다. 목회자는 성경 말씀에 근거한 목회 목적, 목회 철학, 목회 방향, 목회 목표의 비전을 계시받아야 한다. 교회성장에 있어

목회자의 비전수립은 가장 중요한 부분이다. 이 부분이 애매모호하게 될 때 교회는 표류하게 된다. 성경에 근거한 확실한 목회자의 비전은 교회성장에 기본이 된다.

목회자는 교회를 이끌어가기 위해 제일 먼저 중요한 것은 성령의 영감 받기이다. 교회행정은 하나님의 뜻을 이루는 것이기에 목회자는 먼저 하나님의 뜻이 무엇인가를 물어야 한다. 여기에 성령의 감동과 감화로 이루어지는 하나님의 뜻을 발견하여야 한다. 이를 위해 목회자는 개인적으로 깊은 기도의 시간과 말씀의 묵상, 기타 경건한 시간을 가져야 한다.

2. 기획하기

하나님의 뜻을 발견하면 교회의 비전, 목적, 목표, 정책 및 계획을 구체적으로 수립하여야 한다. 이 단계는 기획행정이다. 여기에는 장, 중, 단기적인 계획을 세워야 한다.

3. 조직하기

계획을 세웠으면 계획을 실행하기 위한 조직을 편성하여야 한다. 조직화 과정은 계획 실행을 위한 인적 물적 자원을 확보하고 배분하는 일에 대해 조직하는 것이다. 조직 관리, 인사 관리, 재정관리 부분이 있다.

4. 실행하기

실행 과정은 계획을 실행하는 단계이다. 조직화가 이루어졌을 때 그 조직이 원활하게 이루어지기 위해 조직원의 인사배치와 함께 공유의 과정이 필요하다. 목회 비전 나누기, 조직 체계의 이해와 그에 따른 역할 분담, 그리고 지시 및 동기 부여하기, 관리하기, 지도 및 감독하기 등의 과정이 필요하다. 실행 과정에 있어 중요한 것은 지도자의 지도력(리더십)이다.

5. 조정하기

조정 과정에 있어서는 프로그램이 진행되는 동안 갈등을 조정하고 해결하는 부분이다. 잘 되는 부분과 안 되는 부분을 판단하여 적절하게 해결하는 부분이다. 올바른 목표를 향하여 갈 수 있도록 조정하는 안내자의 역할이다.

6. 평가하기

평가 과정은 프로그램 진행 중에 평가하여 프로그램이 바로 갈 수 있도록 하여 준다. 그리고 프로그램 종료 후 평가하여 새로운 프로그램의 피드백을 위해 기여한다. 여기에 교회의 유기체적 기능이 있다.

7. 피드백하기

피드백은 최종 단계에서 전체적인 평가를 내리는 과정이다. 또한 피드백은 중간중간 진단 및 평가를 내리면서 시정하고 조치하는 작업을 병행한다. 그리고 프로그램 종료 이후에도 계속적인 관찰과 시정 조치의 과정을 지속하여 온전한 결과로 인도하는 과정이다.

8. 마무리하기

교회행정의 마지막 부분은 행정을 이루었을 때 항상 영적으로 마무리하여야 한다. 마무리 과정은 영적으로 교회에 유익하도록 영적 조정 과정이다. 모든 프로그램 종료 후 반드시 영적 마무리가 되어야 한다. 영적 마무리는 첫째 하나님께 영광이 되어야 하고 둘째 교회에 유익이 되어야 하고 셋째 성도의 삶에 변화가 일어나야 한다. 시작과 과정과 끝 역시 영적이어야 함은 두말할 필요가 없다.

Ⅱ. 비전수립 과정

목회자는 비전의 사람이 되어야 한다. 목회자의 비전은 교회의 방향을 결정해준다. 목회자는 비전을 세우고 그 비전을 성도들과 함께 공유하는 사람이 되어야 한다. 목회자의 비전이 세워지지 않은 상태에서 목회를 하는 것은 마치 표류하는 배와 같다. 그러기에 목회자의 비전은 가장 우선적이며 중요하다.

A. 비전의 정의

국어사전에 비전(Vision)은 '내다보이는 미래의 상황'이다. 목회에 있어 비전은 오늘의 미래에 펼쳐질 목회의 방향과 목적에 맞는 목회구상, 목회 철학, 목회 방침을 의미한다.

B. 비전수립의 내용

목회자의 비전을 수립하는 데는 다음의 사항이 고려되어야 한다.

1. 목회 목적

목회자의 비전수립을 위해서는 우선 목회 목적이 세워져야 한다. 목회 목적은 성경을 근거로 한 목회 본질이다. 목회의 본질은 어디에서 찾아야 하는가? 그것은 타락한 세상을 구원하고자 하는 하나님의 의지와 열정에서 비롯되어야 한다. 성경 전체가 그리스도를 통한 세상과 인류의 구원이다.

세상과 인간의 구원은 본질적으로 이 땅에 하나님 나라의 회복에 있다. 하나님 나라의 회복은 하나님의 형상을 회복한 인간이 변화된 모습으로 살아가는 삶에 있다. 그리고 그러한 변화된 성도의 삶이 환경과 세상, 그리고 사람들을 구원하는 전도자의 삶으로 살아가는 데 있다. 그리고 궁극적으로는 그렇게 구원받은 사람들이 하나님께 영광을 돌리는 하나님 나라의 회복에 목회의 본질이 있다.

2. 목회 철학

목회 철학은 목회 목적을 근거로 한 목회자의 개인의 목회관이며 사명 성이다.

3. 목회 방향

목회 방향은 목회 목적을 근거로 목회자의 실천적인 목회 중점 방향, 혹은 목표를 말한다.

C. 비전수립 과정

1. 성령의 영감 받기

목회자는 무엇보다도 하나님으로부터 영감을 받아야 한다. 그러기 위해 깊은 기도와 말씀의 묵상이 필요하다.

2. 비전의 검증 및 전망 분석

목회자의 비전이 개인의 소원이나 야망의 차원을 넘어서기 위해서 검증을 받아야 한다. 첫째, 성경의 검증이다. 목회자의 비전이 성경의 기준에 합당한지 점검해봐야 한다. 둘째, 객관성, 합리성 검토이다. 이를 위해서 비전에 관련한 여러 가지 자료를 연구하며, 때론 비전에 관계된 조언을 들으며, 비전을 세밀하게 관찰, 비교하는 등의 객관화 과정을 통해 합리성을 검토해야 한다. 또한 목회자는 목회를 하는 주변의 여러 상황들을 분석해야 한다. 사회, 문화, 정치, 경제, 교계, 교회의 상황을 살피며, 하나님의 뜻이 오늘 나에게, 또는 목회할 교회에 어떻게 주어지는가를 분석해야 한다(전망분석 - 각종 정보, 데이터 수집).

성경의 검증에 대해 김석년은 그의 저서「패스 브레이킹」에서 성서적 비전 설계를 위해서는 다음의 다섯 가지 요소가 있어야 한다[77]고 했다.

1) 주권성

"이 반석 위에 내 교회를 세우리니"(마16:18). 주님은 자신이 "교회의 주인"임을 선포하셨다. 따라서 교회는 "예수 그리스도가 그리스도"임을 고백하는 신앙 위에 세워져야 한다. 애석하게도 오늘날 주님의 교회가 아닌 "목사의 교회, 장로의 교회, 개척 멤버의 교회"로 전락한 교회가 적지 않다.

그러나 한편으로 교회는 "우리의 교회" "나의 교회"이다. 자칫 주님의 교회만을 지나치게 강조하다 보면 공동체성과 책임의식이 희소될 가능성이 있다. 교회는 더불어 섬기는 우리의 교회로서 주인의식과 책임감을 가지고 섬겨야 한다.

2) 보편성

---

77) 김석년,「패스 브레이킹」(서울 : 생명의 말씀사, 2006), pp. 69-77.

"내 집은 만민이 기도하는 집이라"(막 11:17). 교회의 관심은 언제나 "만민"이어야 한다. 하나님은 인종, 피부색, 배경을 가리지 않고 전 세계의 모든 사람들을 부르시기 때문이다. 교회는 누구에게나 열려있고 또한 누구나 올 수 있어야 한다.

이 보편성의 회복을 위해 목회자가 견지해야 할 자세는

 (1) 모든 사람을 소유, 지위, 능력 여하에 관계없이 천하보다 귀한 영혼으로 동일하게 생각하라.
 (2) 교회 내 폐쇄적인 요소를 타파하라.
 지방색, 친인척 관계, 이념과 종파, 직업이나 지역 구분, 개척 멤버의 텃새 등.
 (3) 비록 작은 교회이지만 하나님이 세우신 우주적 교회임을 인식하라.

 3) 거룩성

"영광스러운 교회로 세우 사 티나 주름 잡힌 것이나 이런 것들이 없이 거룩하고 흠이 없게 하려 하심이니라"(엡5:27)
 (1) 교회는 그리스도의 몸이요 성령이 내주하시는 하나님의 전이기에 거룩하다.
 (2) 교회는 구속함을 받은 하나님의 백성들의 공동체이기에
 (3) 교회는 성화의 공동체이기에

 4) 진리성

"이 집은 살아계신 하나님의 교회요 진리의 기둥과 터이니라"(딤전3:15). 교회는 언제나 하나님의 진리의 말씀 위에 세워져야 한

다.

5) 사명성

"아버지께서 나를 보내신 것같이 나도 너희를 보내노라"(요 20:21). 교회는 예수 그리스도로부터 위임받은 사명 공동체이다. 교회의 사명은 본질적으로 3가지가 있다. 위로는 하나님을 향한 사명-예배이며, 안으로는 교회 자신을 향한 사명-양육과 섬김이며, 세상을 향한 사명 -선교이다.

3. 자산과 내부 역량 평가

목회자는 목회자 자신과 교회의 자산을 살펴보고 역량을 평가해야 한다. 오늘의 자산과 역량을 정확히 평가할 때 미래의 비전이 확실해진다(문제성 점검, 가능성 점검).

4. 비전 입안

성령의 영감을 받은 비전과 오늘의 상황을 분석한 결과를 가지고 비전안을 작성한다. 아래에 군산삼성교회의 비전을 소개한다.[78]

"우리는 말씀과 기도로 무장하여 세상 속에 나가 상한 사람을 그리스도에게로 인도하여 그들이 성령의 능력으로 예수님의 제자가 되고, 행복한 삶을 누리게 하며, 제자훈련을 통하여 성숙한 사역자가 되게 하고, 세상에서 선교하도록 준비시킴으로써 하나님을 찬미하며 예배하게 한다."

---

78) 위의 비전은 군산 남군산교회(담임:이종기목사)의 비전을 수정 보완한 것임.

5. 비전 실행 계획수립

비전을 실행하기 위한 구체적인 계획을 세운다. 여기에는 장·중·단기 계획을 수립한다.

6. 비전 공유하기

목회자는 세운 비전을 성도들과 공유한다. 목회자 개인의 비전으로만 끝나서는 비전이 교회 전체를 통해 실현될 수 없다. 목회자는 비전을 공유하기 위해 홍보, 교육, 실습 등의 과정을 통해 비전을 공유해야 한다. 김석년은 비전이 체질화되고 생활화 될 수 있도록 반복적으로 끊임없이 교육해야 한다면서 다음과 같은 방법들을 제시한다.[79]

·비전을 함축적으로 표현한 영적 슬로건을 만들어 눈에 띄는 장소와 각종 유인물에(주보 등) 게시한다.
·각종 모임에서 영적 슬로건(혹은 비전 선언문)을 수시로 복창한다.
·동역자 모임이나 수련회를 통해 비전에 대해 심도 있게 공부하고 구체적으로 무엇을 할 것인가를 토의한다.
·제직회(혹은 직원회)를 단지 회의가 아닌 "비전 축제"로 전환하여 보다 분명하게 비전을 확립하고, 또한 비전 성취에 대한 감사와 기쁨을 나누는 시간이 되게 한다.
·비전 기도문을 작성하여 기회 있을 때마다 공동의 기도시간을 갖는다. 합심기도는 광고나 학습 등의 그 어떤 전달방법보다도 사람들의 가슴에 남는다.

---

79) 김석년, 「패스 브레이킹」, p. 103.

Ⅲ. 기획 과정

행정은 기획으로부터 시작된다. 기획이 바로 될 때 행정이 질서 있게 바르게 진행되어질 수 있다. 교회가 점차 성장해감에 따라 계획성 있는 목회를 할 필요가 생겼다.

A. 기획의 정의

기획은 단순히 계획을 수립하는 활동(협의의 정의)이며, 목표 설정에서부터 목표를 달성하기 위한 최선의 수단과 방법을 얻어내는 것(광의의 정의)이다. 현대 행정에서는 기획의 개념을 넓은 개념으로 본다. 기획은 계획, 실행, 평가, 미래의 예측에 이르기까지 관여하는 것으로 본다. 교회행정에 있어 기획 과정은 목회의 비전 수립서부터 평가에 이르기까지의 전 영역을 포함할 수 있다.

기획과 유사한 용어로서 구별을 요하는 몇 가지를 든다면, 첫째, 기획과 계획의 구별이다. 기획(planning)은 일이 이루어지는 과정을 말하며, 계획(plan)은 기획의 결과 얻어지는 산물로서 최종안을 의미한다.80) 둘째, program과 project와의 구별이다. 이는 기획과의 관계에서 기획이 보다 세분화, 구체화 되는 정도를 상대적으로 의미한다고 볼 수 있으며, program은 사업기획서, project를 세부 사업기획서로 칭할 수 있다.81)

기획이란 용어가 갖는 공통적인 속성으로는 장래를 내다보고, 결과에 어떤 한계를 설정하고 목표 달성을 위한 수단을 강구하며 선

---

80) 권영찬, 「기획론」(서울 : 법문사, 1967), p. 19.
81) 박용치, 「현대행정학 원론」, p. 373.

택을 하는 활동이라 할 수 있다. 이를 좀 더 자세히 살펴보면 기획에는 다음과 같은 7가지의 요소들이 포함되고 있다.[82] 즉 첫째, 기획은 하나의 계속적인 과정이며, 둘째, 기획은 집행할 결정을 준비하는 과정이며, 셋째, 기획은 일단의 복합적인 결정을 대상으로 하며, 넷째, 기획은 행동 지향적인 활동이고, 다섯째, 기획은 미래 지향적인 활동이며, 여섯째, 기획은 목표를 성취하기 위한 활동이고, 일곱째, 기획은 효율적인 수단을 강구하는 과정이다.

기획에 대한 정의에 대해 김석년은 다음과 같이 설명한다. [83]
1) 사전에 무엇을 할 것인가, 어떤 방법으로 할 것인가, 누가 할 것인가를 결정한다.
2) 여러 개의 대안적인 행동 과정 중에 하나의 과정을 선택하는 사전 결정의 과정이다.
3) 목표, 정책, 절차를 선택하며 미래를 내다보고 준비하는 것이다.
4) 행동에 앞서 행하는 예상 적 의사를 결정하는 일이다.
5) 목적이나 목표를 사정하고, 수립하고, 수행하고, 평가, 조정하는 지속적인 과정이다.

B. 기획의 필요성

교회에서 기획을 한다 하면 영적인 것을 제한하는 것처럼 생각하는 사람이 있다. 그러나 하나님은 기획의 하나님이시다. 철저히 계

---

82) Y. Dror, "The Planninig Process" : A Facet Design, "Internationl Review of Administrative Sciences, vol. 29 (1963), pp. 46-58.
83) ibid., pp. 242.

획하시고 계획하신 것을 실행에 옮기시는 분이시다. "만군의 여호와께서 맹세하여 이르시되 내가 생각한 것이 반드시 되며 내가 경영한 것을 반드시 이루리라(사14:24). 은혜와 믿음은 내가 할 수 있는 최선의 노력에 더하기로 작용하는 하나님의 능력을 기대하는 것이지, 결코 무책임하고 방만한 자세를 옹호하는 것이어서는 안되는 것이다.

기획은 영적인 것과 믿음을 제한하는 것이 아니라 오히려 구체화한다. 이미 진행된 사역에 대한 평가를 통해 약점을 보완하고 강점을 강화하는 기획의 특성상, 앞으로 진행될 사역의 성취도는 높아지기 마련이다. 기획을 통해 목표뿐 아니라, 목표 달성을 위한 구체적인 항목과 예상치를 보여 줄 때, 성도들은 비전에 대한 큰 확신을 갖고 적극적으로 동참하게 될 것이다.

C. 기획 목회의 중요성

1. 목회를 일관성 있게 할 수 있도록 도움을 준다.
2. 성도들이 목회 계획에 대한 사전 지식으로 빨리 이해하고 합의점을 도출하여 추진 될 수 있도록 도와준다.
3. 목회에 대한 비전을 새롭게 발견할 수 있도록 도와준다. 목회계획을 보면서 목회 계획을 중심으로 하는 비전이 새롭게 형성된다.
4. 갈등을 사전에 조절할 수 있게 한다. 사전 지식으로 오해로 인한 충돌을 방지한다. 커뮤니케이션을 이루게 한다.
5. 교회를 안정적으로 성장시킨다. 장기, 중기, 단기계획을 통해서 이루어지기 때문이다.
6. 문제점을 진단하고 치료할 수 있도록 도와준다. 계획 설계도가 분명 세워져 있기 때문에 진단이 쉽게 된다.

7. 다음 해 목회 계획을 세우는데도 많은 도움이 된다. 작년도 성공한 실패한 프로그램에 대해 참조가 되기 때문이다.

D. 기획 목회의 유형[84]

1. 기간별 유형 : 장기(10년 정도), 중기(5년 내외), 단기(1년 내외)

계획성 있는 목회는 질서의 하나님의 뜻에 부합하는 것이다. 목회자는 하나님의 뜻을 받아 어떻게 목회할 것인가? 구체적인 계획을 세워야 한다. 목회 계획은 장기적이며 중단기적, 단기적인 계획을 세워야 한다. 이런 계획을 세우는 것이 목회기획이다.

2. 대상별 유형

목회기획에 있어 대상은 먼저 목회자의 자신의 영역을 고려해야 한다. 또한 목회적 부분을 대상으로 해야 한다. 첫째, 목회자 자신의 부분에는 여러 가지가 있겠으나 제일 중요한 부분이 설교의 영역이다. 목회적 부분에는 인사, 재정, 교육, 예배, 전도 등의 부분이다.

1) 설교기획

1년 52주 기간 동안 매주 주일낮예배, 오후(저녁)예배, 수요저녁예배, 금요기도회, 새벽기도 등의 설교를 기획한다. 설교에는 본문 강해

---

84) 황성철, 「교회 정치행정학」, p. 144.

설교, 주제설교, 또는 절기 설교나 교회력에 맞춰 설교를 정하기도 한다. 본문과 주제를 미리 정해놓고 설교를 하게 되면 매주 찾아오는 설교에 대한 부담을 좀 덜 수 있다. 그리고 일관성 있는 설교를 함으로 성도들이 설교에 대한 안정감과 다음 설교에 대한 기대감을 가질 수 있다. 설교기획은 미리 정해져 있는 본문이기에, 설교자는 현재의 상황에 맞는 현장성 있는 설교를 준비하도록 해야 한다.

2) 인사기획

임직 자를 세울 때 원칙을 가지고 세워야 할 것이다. 교단의 헌법을 기본적으로 따라야 하며, 교회 형편에 맞춰 적절하게 인사를 기획해야 한다. 교회의 규모에 따라 인사의 조직이 다를 수 있기 때문이다.

3) 재정기획

재정기획은 장기적인 면에서 교회 사업계획에 맞춰 예산을 세워야 할 것이다. 건축을 위한 예산, 교회 목적 사업, 선교를 위한 특별헌금 등을 준비하기 위해 장기적인 예산을 세워야 한다. 또한 단기적인 재정도 예산을 기획해야 한다.

4) 교육기획

교육기획은 교단의 교육정책이나, 개교회의 교육정책에 맞춰 미리 계획을 세워서 하는 것이 교육의 일관성을 가져오게 하고 교육의 효과를 이루게 한다. 새 신자(새 가족)부터 기존 신자 전체의 교육에 대한 계획안을 세워야 한다. 양육체계, 제자훈련 체계, 사역자 훈련 체계, 교회학교 교육체계 등을 세워야 한다.
5) 예배기획

예배기획은 모든 공 예배, 그리고 새벽기도회, 금요기도회를 어떻게 드려야 할 것인지 기획한다. 예를 들면 주일낮예배는 전통예배, 주일 오후(저녁)예배는 열린 예배 형식으로 찬양과 함께 말씀 강해 시간으로, 금요기도회는 집회 형식으로, 새벽기도회는 묵상의 시간으로, 또는 간절한 기도의 시간으로 목회자의 목회 특징에 따라 다르게 될 것이다. 또한 시간별 예배 순서에 대한 큐시트(cue sheet)를 작성하여 점검한다.

6) 전도기획

전도기획은 전도를 위한 새생명축제, 총동원주일 등의 구체적인 계획을 세우는 것이다. 일정별 계획, 조직, 예산, 시설 등 전반적인 것을 기획하여 교인들과 함께 추진해나가는 것이다. 전도 기획안에 대해 서울 사랑의교회 계획안을 간략하게 제시한다.

서울 사랑의교회 대각성 전도집회 기획안[85]

1) 대각성 전도집회의 패러다임으로 목회자 자신의 생각을 바꿔야 한다. 이를 위해서 대각성 전도집회의 목회 철학과 사역의 전략에 대해서 깊이 이해할 수 있는 경험과 지식을 얻어야 할 것이다.
2) 대각성 전도집회를 탐방하고 대각성 전도집회 세미나에 참석하라.
3) 자신의 목회 토양을 분석하라.
4) 커뮤니케이션 준비(성도들에게 전할 전도 독려 메시지)하라.
5) 대각성 전도집회를 기획하라.

---

85) 서울 사랑의 교회 대각성 전도집회 계획안(담임 오정현 목사).

6) 비전을 공유하라.

7) 3~6개월 간의 마스터 플랜을 작성하라.

8) 전도 자료를 제작하라.

9) 후속 양육자 교육 시스템을 구축하라.

10) 태신자를 작정하고 좋은 이웃 관계를 맺으라.

11) 전도에 대한 동기 부여를 할 수 있는 설교, 홍보, 기도
가 필요하다.

12) 대각성 전도 행사를 진행하라.

전도 마스터 플랜

항목			담당자	월
홍보	전도 동기부여 설교 계획		담임목사	
	주보 광고 일정 및 내용		○○○	
	대각성 전도집회 기도 제목 제작		○○○	
제작 할 것들	전도 자료	전도지	○○○	
		전도엽서	○○○	
		전도용 설교 소책자	○○○	
		전도용 오디오 테이프	○○○	
		부활절 계란 바구니 카드	○○○	
		전도수첩	○○○	
		특별 구역교재	○○○	
	행정 자료	태신자 등록 카드	○○○	
		참석자 / 결신자 카드	○○○	
		전도집회 순서지	○○○	
		결신 축하카드	○○○	
	후속 양육 자료	인도자용 지침서	○○○	
		양육 대상자용 교재	○○○	
		기타자료	○○○	
	현수막		○○○	

3. 기획 이용 빈도별 유형

행사 진행 일정	집회 이전 단계	예산편성	○○○	
		태신자 등록	○○○	
		특별 기도회	○○○	
		D-day 상황판 운영	○○○	
		집회 순서 담당자 결정	○○○	
		등록, 안내위원 사전 교육	○○○	
		후속양육 담당자 사전교육	○○○	
		행사 시나리오 제작	○○○	
	전도집회 단계	사진촬영 및 자료 수집	○○○	
		참석자/ 결신자 분류	○○○	
	후속 양육 단계	후속양육 보고서 수거	○○○	
		등록자 분류	○○○	
		피드백 회의	○○○	

첫째, 단일 사용기획이다. 한시적 효과를 위한 기획으로 특정한 기간을 위해 수립한 기획을 말한다. 둘째, 상용 기획이다. 동일한 내용의 업무에 대하여 동일한 결정을 반복적으로 사용하는 기획을 말한다.

4. 정책성 별 유형

첫째, 정책기획이다. 정책기획은 목회 목적, 목표, 철학에 맞게 전체적인 기획이다.

둘째, 운영기획이다. 운영기획은 정책기획에 따라 실행되는 조직, 인사 관리, 재정, 각 프로그램 등의 실행 계획이다.

E. 기획의 원칙

1. 성경적 원리로 기획하라

성경에서 벗어나지 말 것이며, 교회 본질에서 벗어나지 말아야 한다.

2. 기도로 기획하라.

믿음의 확신으로 기획하라. 성령의 감동과 감화, 인도로 기획하라.

3. 교회의 목적과 목표를 세우고 검토해야 한다.

기획은 목적과 목표에서부터 시작한다. 기획에 있어서 목표는 나아갈 방향, 궁극적인 성취 지점을 나타낸다. 반면에 목적은 목표에 도달해야 하는 당위성, 혹은 그 정신을 진술하는 것이다.

4. 성취 가능한 목표를 세워야 한다.

목표는 구체적이고 측정 가능한 수준을 설정하여 성도들로 하여금 성취 의욕을 불러일으킬 수 있도록 해야 한다.

5. 효율성을 목표로 하여야 한다.

효율성이란 최소의 비용으로 최대의 효과(효과=결과=성과)를 의미한다. 과거 자료와 현재 상황 분석, 목표수립, 최적의 방법 선정, 진행 절차 결정, 필요한 자원 수집, 자원 및 인력 배치, 예산 편성, 결과 예측 등 기획안의 모든 내용은 효율성을 바탕으로 한다. 단 효율성은 우선순위에 입각하여 결정해야 한다.[86]

6. 일보다 인간 존재를 더 강조해야 한다.

---

86) 김석년, 「패스 브레이킹」, pp. 245-248.

교회는 프로그램이나 기획이 주목적이 아니다. 사람, 영혼이 더 중요하다.

7. 분수에 맞는 일을 해야 한다.
교회 상황에 맞게 기획을 해야 한다. 개척교회, 중·소형 교회, 대형 교회의 상황에 맞춰서 기획해야 한다.

8. 통계, 자료에 매몰되지 말아야 한다.
일반적인 통계나 자료들에 너무 영향을 받아서는 안 된다. 참고로 하되 자체 기획을 세워서 추진해야 한다.

9. 적절한 평가 기준과 검토의 방법을 포함해야 한다.
올바른 평가 기준이 바로 설 때 바른 진단이 나올 수 있고 피드백이 가능하다.

10. 전 과정에 일관성을 가지고 기획해야 한다.
통일성이 있는 주제, 목표에서 벗어나지 말아야 한다.

11. 기획안의 성공적 시행을 위하여 필요한 지도력을 확보하라
기획의 추진 과정에 있어 중요한 리더십이다. 리더십이 바로 세워질 때 기획안대로 이루어질 수 있다.

12. 모든 사람들을 그리스도에게 인도하는 것이어야 한다.
기획의 최종 목적은 영혼을 주님께로 인도하는 것이기 때문이다. 교회의 모든 사역은 궁극적으로 신앙 성숙과 교회 부흥(선교 적 사명 완수)에 있다.

F. 기획 과정의 단계

기획이란 추구하는 목적을 이루기 위해 사전에 계획하는 모든 과정을 말한다. 목회에 있어서 기획은 매우 중요한 우선적 과정이다. 기획이 세워질 때 목회는 방향성을 가지고 이루어진다. 이러한 기획에는 몇 단계의 과정이 이루어진다.

1. 기획을 위한 사전 준비

목회자는 기획을 하기 전에 우선 비전을 수립해야 한다. 비전은 하나님 앞에 목회자 자신의 사명성이다. 복음을 위해 어떤 비전을 받았는지 확인해야 한다. 그리고 그러한 비전 위에 구체적인 기획을 준비해야 한다.

2. 목적과 목표의 설정

기획은 목적과 목표에서 비롯된다. 기획에 있어서 목표는 나아갈 방향, 궁극적인 성취 지점을 나타낸다. 목적은 목표에 도달해야 하는 당위성, 혹은 그 정신을 진술하는 것이다. 따라서 목표는 구체적이고 측정 가능한 수준을 설정하여 성도들로 하여금 성취 의욕을 불러일으킬 수 있도록 해야 한다.[87] 또한 목적은 성경적인가 검증해야 한다.

3. 자료 및 정보의 수집과 분석

기획을 세움에 있어서 자료와 정보 등을 다양하게 수집한다. 이러

---

87) ibid., pp. 245-246.

한 정보는 첫째, 광역적 상황으로 국제적이며, 국내적, 그리고 교계 및 교단의 여러 상황이 교회에 어떤 영향을 미치는지 조사한다. 둘째는 지역적 상황으로 교회가 위치한 지역사회의 환경, 지역교회의 상황이다. 그리고 셋째는 교회 내부의 역량을 점검하는 것이다. 목회 기획을 수립함에 있어 교회 내의 자원을 점검하는 것이 필요하다. 그리고 그러한 자료와 정보를 구체적으로 분석하고, 도움이 될 만한 자료와 정보를 목회 계획에 반영한다. 그리고 각종 정보, 데이터를 분석해서 미래의 전망을 분석한다. 전망의 분석은 현재와 미래의 상황을 분석하는 것이다. 정확한 전망은 올바른 기획을 세우게 한다.

4. 가능성 점검

현재의 상황과 미래의 전망의 분석을 통해 목표성취의 가능성을 점검하여 성공률을 예측할 수 있다.

5. 대안(projects, 기획안)의 작성과 평가

모든 가능성을 점검한 후에는 목표성취를 위해 필요한 대안을 작성한다. 대안을 놓고 다시 분석하며 가능성을 평가한다.

6. 최종안의 선택

기획안에 대한 최종안을 작성한다. 최종안은 바로 시행될 시행 안이다.

IV. 조직화 과정

비전수립이 확고히 되었을 때 목회자는 교회의 장·중·단기 계획을 수립하여야 한다. 그리고 여기에 따른 구체적인 조직화 과정이 필요하다. 조직화 과정은 계획에 대한 전체, 부분적인 체계를 세우는 일이다. 전체 조직 체계에는 인사, 행정체계, 재정, 시설 등 제반 조직을 세우는 일이다.

A. 조직의 개념

1. 정의

버나드(C.I. Barnard)는 조직이란 협동의 관계이며 인간 상호작용의 구조라고 보고 조직을 '일정한 목적을 달성하기 위하여 의식적으로 조정된 두 사람 이상의 활동체계'라고 정의하였다.[88] 막스 베버(Max Weber) 조직이란 계속적이고, 의도적인 특정한 종류의 활동 체제[89]라고 정의하였다. 역시 행정학에서 조직이라 하면 '일정한 공동목표를 추구하고 있는 사람의 집단'을 말하며, 집단 그 자체를 넘어서서 '공동의 목표를 수행하기 위한 업무의 체계'를 말한다. 기획이 공동의 목표를 수행하려고 하는 '생각'(idea)이라 하면, 조직은 '실재'(reality)라고 할 수 있다.

---

88) 홍정근, 「교회 교육행정론」, p. 84.
89) Max Weber, The Theory of Social Economic Organization, translated by A. M. Handerson and Talcott Parson(New york: Free Press, 1947), p. 151.

2. 조직의 의미

1) 조직은 구성원들의 기능들을 잘 정의하는 것이다. 관련된 업무와 보조 정책들, 과정들을 만들어주는 것이다.
2) 교회는 일반 조직이 아니다. 그리스도의 지체들이 모여 그리스도의 몸을 이루는 영적인 몸의 영적 유기체이다.
3) 단순히 사람이 모이기만 한 곳이 아니라 그 안에 생명이 흐르고 있는 곳이다.

3. 조직의 중요성

교회행정에 있어서 조직은 매우 중요한 위치에 있다. 왜냐하면, 교회행정이 조직으로부터 출발하기 때문이다. 그렇다면, 왜 교회행정에서 조직이 중요한 위치에 있는 것인가?

1) 3대 중요 행정 중 기초가 되기 때문이다.

교회행정에 있어 세 가지의 중요한 행정요소가 있으니 곧, 조직행정과 인사행정과 재무행정이다. 이 세 가지의 행정요소는 우리로 하여금 조직의 중요성을 일깨워 주게 될 것이다. 먼저 조직행정은 교회에 필요한 기구를 조직적으로 편성하게 된다. 그리고 편성된 조직에 합당한 인원을 배치하여 조직의 골격을 잡아간다. 그 후에 재정을 확보하여 기구와 사람이 움직이는데 필요한 재정을 확보한다. 그러므로 교회행정에서 조직행정은 매우 중요한 위치에 있다.

2) 기획을 드러내는 일에 중추적 역할을 하기 때문이다.

교회행정에 있어서 조직행정이 중요한 위치에 있는 또 다른 이유는 기획한 것을 가동하여 드러내도록 하는 일에 중추적 역할을 하기 때문이다.

3) 질서를 유지케 하여 주고 공동체를 세워나가게 한다.

완벽한 조직은 전체 질서를 유지하며 안정을 주며, 공동체를 든든하게 세워나갈 수 있게 한다.

B. 교회 조직의 성경적 근거

1. 구약의 근거

이스라엘 백성을 통치한 모세의 사건, 이드로의 권면(출 18:19~23)이 있다. 애굽을 떠나 약속의 땅으로 행진하던 모세는 백성들의 모든 대소사 일을 혼자 감당하였다. 너무도 많은 일들을 혼자서 처리하면서 모세는 기진맥진하게 되었다. 이 때 모세의 장인 이드로가 조직을 갖추도록 권면하였다. 이드로는 모세에게 백성들 가운데 하나님을 두려워하며 진실하고 청렴결백한 유능한 인재들을 뽑아 천 명, 백 명, 오십 명, 열 명씩을 각각 담당하게 하여 언제나 그들이 백성들을 재판할 수 있게 하였다.

2. 신약의 근거

1) 예수님께서 열두 제자를 선택하고 훈련 시키고, 사역을 맡길 때이다. 예수님께서 중요한 일을 하실때에는 항상 베드로, 요한, 야고보 3명의 제자들을 따로 데리고 다니셨다. 그리고 전도할 때 두 명씩, 또는 70인의 전도대를 구성하여 전도하게 한 점이다.

2) 초대교회 일곱 집사를 선택하여 세운 사건(행 6:1~4)이다. 초대교회의 사도들은 행정의 일까지 맡아서 함으로 교회 안에 과부들끼리 구제 문제 때문에 갈등이 일어나게 되었다. 이런 갈등을 해결하기 위해 교회 안에 믿음과 성령이 충만한 자, 지혜가 충만한 자, 칭찬 듣는 자 중에서 일곱 명을 뽑아 집사로 임명하고 그들로 하여금 행정의 일을 하게 하였다. 이로 인해 사도들은 기도하는 것과 말씀 전하는 것을 전무하게 되므로 말씀의 역사가 더욱 크게 일어나 수많은 사람들이 회개하고 주님께로 돌아오는 역사가 일어났다.

C. 조직의 유형

조직의 유형에는 일반적으로 계선조직과 막료조직이다. 교회조직에서 활용할 수 있는 조직에는 계선조직과 막료조직의 장점을 살리고 단점을 보완한 형태의 위원회 조직이 있고, 필요에 따라 한시적으로 사용할 수 있는 과제수행 그룹이 있다. 이들을 살펴보면 다음과 같다.90)

1. 계선조직(係線組織)

계선조직(係線組織)이란, 상, 하 수직적 관계를 갖는 조직을 의미하는데, 이 조직은 공식적, 집행적 성격을 띠는 것이 특색이다. 명령계통이 수직, 상하의 관계로 정립되기 때문에 일의 효율성과 신속성을 높이는 장점이 있다. 또 단일체제의 성격을 띠므로 지도자가 안정된 가운데 신속하게 모든 일을 처리하는 장점이 있다. 개

---

90) 홍정근, 「교회 교육행정론」, pp. 89-91.

척교회나 소형 교회에서 운영하기 쉬운 조직일 수 있다. 그러나 목회자의 특성에 따라 달라질 수 있다. 카리스마적 목회자가 가질 수 있는 조직의 형태이기도 하다.

계선조직(係線組織)은 신속성과 효율적인 제도인 반면에 단일지도체제의 성격이므로 주관적, 독단적 조치로 인하여 일의 흐름에 있어 경직되기 쉽고, 조직이 너무 경직되기 쉽고, 전문가의 의견이 무시되기 쉬우며, 일이 주관적이고 독단적으로 처리될 가능성이 높고, 유능한 인재를 고루 활용하기가 어렵다는 점이다.

2. 막료조직(幕僚組織)

막료조직(幕僚組織)이란 업무집행을 하는데 가담하지 아니하나 업무를 기획하고 기타 부수 업무를 수행하는 참모직이다. 이는 부차적인 조직으로서 제2차적 조직의 성격을 갖는다. 막료조직(幕僚組織)은 전문가로 구성된 참모조직이므로, 유능한 인재들을 모을 수 있다. 일의 전문성과 효율의 극대 성을 기할 수 있다. 그리고 유능한 인재들의 의견이 수렴되므로, 조직이 주관적이거나 독단적으로 흐를 수 있는 점을 차단하게 된다. 뿐만 아니라 전문가의 조직적인 참여로 말미암아 발전적인 조직을 이룰 수 있다.

그러나 막료조직(幕僚組織)은 전문가의 의견을 수렴하므로 발전적이고 효율의 극대 성을 기하는 장점이 있는 반면에, 집단 지도체제적인 성격을 띠므로 경제적 손실이 따르며, 일의 신속성에서 결여되는 단점이 있다. 뿐만아니라 자칫 잘못하면 파당을 짓는 근원을 제공할 수 있는 문제점도 놓쳐서는 안 된다.

3. 위원회 조직

계선 조직의 장점과 막료조직의 장점을 살리고, 계선조직과 막료

조직의 단점을 보완할 수 있는 조직의 형태이다. 일반적으로 행정적인 결정이 한 사람에 의해 결정되고 집행되고 책임도 한 사람이 지는 단독제 조직과 대별된다. 위원회 조직은 동일한 계층과 지위에 있는 여러 사람이 회의를 거쳐 결정을 하고 책임도 함께 지는 협의제 조직이다. 이견의 조정을 통한 공정한 결성을 하며, 창의성을 발휘할 수 있다. 단점은 책임의 소재가 불분명하며, 결정에 시간이 많이 걸리며, 타협안에 머물러 버릴 위험이 있다.

4. 과제수행 그룹(팀)

일종의 프로젝트팀으로 특정한 프로젝트의 수행을 위하여 한시적으로 조직되어 가동된다. 교회조직에 있어 항구적 조직, 임시적 조직을 들 수 있다. 항구적 조직이란 교회가 있는 한 없어질 수 없는 조직을 말한다. 교회 헌법에서 항존직과 같은 성격이다. 예를 들면 공동의회, 직원회, 당회, 교회학교, 찬양대, 각 남·여 선교회나 전도회 등의 기구이다.

임시적 조직이란, 교회의 성장 과정이나 특별행사 등을 위하여 필요할 때만 만드는 조직이다. 교회 헌법에서 임시직과 같은 성격이다. 이 조직은 임시적이기에 그 목적이 완성되면 해체하여야 한다. 이 조직은 원리 등에 구애받지 않고 자유롭게 구성할 수 있다. 임시적 조직이란 교회성장에 따른 건축위원회, 성장위원회 등이며, 특별행사를 위하여 창립 행사준비 위원회, 연말 총회준비 위원회 등이며, 목회의 편의를 위하여 기획실, 비서실 등이며 기타 개교회의 능력에 맞춰 조직할 수 있다.

교회 조직의 유형에 대해 우선 목회자의 지도 유형은 카리스마적 예언자적 리더십이 있어야 한다. 왜냐면 목회자는 영적 지도자이기 때문이다. 성령의 영감과 말씀을 기준으로 목회하기 때문이다. 또한 목회자는 영적 리더십과 동시에 행정적인 관리와 경영의 합리적 운영을 하는 리더십을 발휘해야 한다. 인간관계를 통한 의사소통의 능력, 전문성, 환경의 변화에 대한 융통성을 조절할 수 있어야 한다. 그리고 교회의 모든 프로그램의 실행은 평신도와 함께 이루어가는 관계성 리더십이어야 한다.

D. 교회 조직의 이론

린그랜(Alvin J. Lindgren)과 쇼척(Norman Shawchuck)의 공저 *Management for Your Church*에서 제시한 조직 이론을 소개한다.91)

1) 전통적인 조직 이론

전부터 내려오는 대로, 변화 없이 그대로를 말한다. 현상을 유지하고 보존하는 데 신경을 쓴다. 정지 상태, 전통 중시, 변화를 거부한다. 이런 이론은 조직의 지도자의 일방적인 주장을 승계한다. 위협적인 변화로부터 구성원을 보호하며, 구성원은 진취적인 욕망이나 창조력의 기대감이 없다.

2) 카리스마 조직 이론

지도자 개인의 직관, 비전, 소명을 중시한다. 정지 상태나 현상 유지를 거부한다. 조직의 사명을 강조하며 봉사를 강조한다. 지도자의 카리스마적 리더십을 요구하며 추종한다.

---

91) Alvin J. Lindgren and Norman Shawchuck, *Management for Your Church*(Nashville : Abingdon Press, 1981), pp. 20-25.

3) 관료 조직 이론(고전적 조직)

관료의 책임과 역할이 중요시되는 조직이다. 고전적 조직이라 할 수 있다. 목표 달성을 중점으로 한다. 조직의 목표를 달성하는 데 도움을 주는 수단이다. 규칙 준수를 강요하며, 위에서 결정을 내려 주어 통제를 지속시키는 일이 지도자의 역할이다.

4) 인간 관계 조직 이론

내적이고 인격적인 성장의 목표를 두고 경험하게 한다. 소그룹의 친밀한 관계를 이룬다. 개인이 우선시 된다. 지도자는 모든 사람들이 마음을 열어 표현할 수 있도록 관계를 개선시키는 것이다.

5) 계통조직 이론(시스템, 체계 이론)

관료 조직이나 인간 관계 조직의 중간형이다. 1960년대 이후 미국 교회에서 서서히 대두했다. 교회의 목표와 교인들의 목표를 같이 중시한다. 교회나 조직을 중시할 시에는 관료 조직을 사람이나 교인을 중시할 시에는 인간 관계 조직이 효과적이다. 이 둘을 동시에 중시하는 조직이다.

위와 같은 다섯 가지 조직 이론을 비교하면 다음과 같다.92)

(표 3 - 교회 조직 이론의 비교)

---

92) Peter F. Rudge, *Ministry and Mangement* quoted in Alvin J. Lindgren and Norman Shawchuck, Management for Your Church(Nashville : Abingdon Press, 1981), pp. 26-27.

이 론	전통적 조직 Traditional	카리스마 조직 Charismatic	관료적 조직 (고전적) Classic	인간관계 조직 Human relations	계통조직 Systems
조직적이고 신학적인 용어	조직적으로는 세습적, 신학적으로는 하나님의 백성	조직적으로는 직관적, 신학적으로는 새로운 피조물	조직적으로는 고전적, 신학적으로는 하나님의 건물	조직적으로는 민주적, 신학적으로는 믿음의 교제	조직적으로는 유기적, 신학적으로는 그리스도의 몸
조직의 개념	전통 유지	직관 추종	제도 추종	그룹, 단체지도	계통에 적응
의사결정 과정	장로들이 관여 서두르지 않음	자발적으로 예고 없이 자기 마음대로 지도자가 선포	장(張)으로부터 명령발표, 의식적으로, 합리적으로 계산적으로	비공식적, 친밀한, 유동적 관계를 통한 단체 결정	여건과 환경을 따라서 적절한 방안을 채택, 목적과 지속적 적응
지도자의 기능과 스타일	전통유지, 현상유지(부성적, 제사장적)	개인적 매력으로 지도와 동기부여, 선지자적, 영감적	상명하달식 공격적으로 지도적으로	발표하고 참여하는 분위기 창출 창조적으로 비지시적으로 감각적으로	분명한 목적을 위하여 주위 환경 분석, 변화 시도, 전문적 활동가

갈등 관리 스타일	안정과 현상을 위협하는 힘에 대하여 거부하고 무시	도전적이고 호전적이고 논쟁적임 갈등 증폭	권위에 의한 복종, 기존 정책에 항거	타협으로 충돌 해결	종합적이며 창조적으로 문제에 접근
주위 환경과 관계	현상 유지를 위한 외적 변화 거부	현상 유지 거절 변화 표명	지배 혹은 협동으로 환경과의 긴장 해결	환경을 존중하고 유동적 관계 형성	변화하고 있는 환경을 고려하고 융통성 있게 상호 관계를 조성
사람에 대한 견해	사람은 현상에서 보호 주도력을 기대 않음	사람은 활동적이고 능력있음, 지속적 지시 중재 필요함	사람은 통제와 지시가 필요함	사람은 동기부여하면 책임을 갖고 수용함	사람은 모두가 같은 기술지식을 가지지 않음, 분명한 목표 효율성으로 동기부여 가능
커뮤니케이션	지도자가 유산으로, 불분명한 동의 기대	지도자가 직관의 내용 설명하면 추종자는 순종	지도자가 방향을 제시하고 위에서부터 아래로	지도자는 개인에게 참여를 격려하고 기여하며 그룹끼리 교제	모든 방향은 공개된 채널을 통하여 연결자를 통하여
목표들	일반적으로 규합되나 목표가 분명히 언급되지 않음	지도자가 주도하는 대로, 지도자의 철학과 목적을 반영	객관적, 양적, 계급적으로 위에서부터 아래로 하명된다.	주관적이며 토론을 통하여 목적과 목표를 세운다	환경을 고려하여 결정적여 협적 목적을 모색

위와 같은 다섯 가지 조직 이론 비교는 시대와 문화와 환경에 따라 그 유형이 다르게 된다. 보수적이고 폐쇄적인 상황에서는 전통적, 카리스마적, 고전적인 조직 유형을 갖게 되며, 민주적이고 개방적인 상황에서는 인간관계, 계통적 조직의 유형으로 가게 될 것이다. 인간관계와 계통 조직은 변화하는 환경을 고려하는 것을 볼 수 있다. 지도자의 일방적인 입장으로 끌고 가는 조직은 건강한 조직을 이룰 수 없다.

E. 체계 이론을 통해 본 교회 운영체계93)

체계 이론은 1940년대부터 나오기 시작해서 1960년 이후에 교회 행정 분야에서 두드러지게 관심을 끌고 있는 조직 이론 중 하나이다. 체계 조직 이론은 모든 조직 과정에 환경이 관련되어 있다는 점이다. 계통조직은 환경과 관련되어 있기 때문에 이런 면에서 체계 조직이라 할 수 있다. 체계 이론을 통해 본 교회 운영체계의 전반은 다음의 구조를 가지고 있다.

1. 투입체계

교회가 존재하고 활동을 계속해 나가기 위하여 외부로부터 받아들이는 원자재 같은 것을 말한다. 구체적으로는 새 교인, 재정, 고용된 사람들, 새 기술과 방법, 재료 등을 말한다. 교회가 필요한 투입 자재를 얻기 위해서는 교인들을 심방, 복음 전도, 홍보, 교육 등

---

93) Alvin J. Lindgren and Norman Shawchuck, *Management for Your Church* 「교역 관리론」 박은규역 (서울 :대한기독교 서회, 1986), pp. 32-50 참조.

이 있다.

2. 변형체계

원자재들(사람, 재정, 기술 등)을 원하는 결과(회심, 영생, 봉사, 충성, 훈련된 평신도 등)로 변화시키고자 하는 수단들의 총체이다. 변형체계는 다음 세 가지 요소를 구성하여야 한다.

1) 신학적 선교적 목적
   교회의 존재 목적, 정체성은 선교이다.

2) 조직 구조
   교회가 선교적 사명을 감당하기 위해서는 조직이 필요하다.

3) 개인의 내적 관계, 사람 사이의 관계
   인간관계의 다양한 형태는 조직 구조와 교회의 신학적 선교적 목적을 이룬다.
   변형체계는 두 가지 기능이 있다. 첫째는 교회 자체를 유지하기 위한 힘을 공급하고, 둘째는 변형된 자재를 교회가 환경에 영향을 주기 위하여 환경으로 내보내는 일이다.

3. 산출체계

투입된 원자재(재정, 사랑, 프로그램)가 변형 과정을 거쳐 변형된 자재로 내보내지는 것을 말한다.

4. 환경

체계 조직의 모든 과정은 환경과 관련되어 있다. 교회는 사회적, 정치적, 경제적 체계와 같이 끊임없는 상호작용, 의존, 변화 속에서 존재한다.

5. 경계

경계의 기능은 체계의 정체성을 유지하는 것이다. 경계를 너무 개방하면 환경으로부터 너무 많은 요소가 투입되어 체계의 고유성과 특성을 상실한다. 너무 폐쇄하면 환경으로부터 투입되는 것이 없기 때문에 조직이 서서히 죽어 간다.

교회에는 두 가지 경계가 있다. 첫째, 물리적 경계로서 유형적 경계이다. 시설, 건물, 비품, 소유지 경계선 등이다. 둘째, 감각적 경계로서 무형적 경계이다. 전통, 신앙, 역사, 가치, 사회적 위치 등이다.

경계의 기능에서 여과의 기능이 있다. 첫째, 체계가 원하는 원자재를 여과하는 일이다. 둘째, 체계가 들어오고 싶어 하지 않는 원자재를 여과한다. 셋째, 전이된 자재를 체계 안에 간직하도록 도움을 준다. 넷째, 체계가 환경 부분에 영향을 끼치게 하기 위하여 변형된 자재를 내보내는 일이다.

6. 피드백 환곡선

교회 프로그램을 통하여 기대하는 것과 실제적인 상황 사이에는 언제나 차이가 있기 마련이다. 교회의 선교 목표와 관련된 교회의 실제 활동을 결정하기 위해서는 질적, 양적인 정보를 끊임없이 수집해야 한다. 여러 형식, 여러 계층(연령, 성별, 임원, 비 임원, 기관별, 스텝, 같은 지역에 있는 다른 교회 등)을 통하여 계획하고, 평가하고, 문제해결을 위하여 정보를 수집하고, 분석하고, 해석하고 이용해야 한다. 이런 끊임없는 과정이 피드백이다.

F. 조직의 원리94)

1. 수직적 원리

수직적 조직이란, 한 지도자를 정점(頂点)으로 수직적 형태를 이루는 조직이 되어야 한다는 것이다. 즉, 교회는 당회장을 정점(頂点)으로 수직적 형태를 이루며 하나님의 교회를 이끌어가야 한다.

2. 위임받은 직무권한의 원리

조직이 완성되면 그 조직에 합당한 당회장의 권한을 위임하여야 한다. 이 권한도 사실은 하나님이 예수 그리스도에게, 예수 그리스도가 사도들에게, 사도들이 오늘날 주의 종들에게 계승되어져서 각 교회에서 수직적 조직으로 편성되어야 한다.

교회 안에서 하부조직의 위임권자는 결국 목사로 연결되어야 한다. 그리고 이와 같은 위임된 수직적 조직이 활성화 될 때에 교회는 활기찬 증진을 하게 된다. 왜냐하면, 위임되지 않는 조직은 움직이지 않기 때문이다.

3. 통일되어야 할 통제와 명령의 원리

---

94) 이광복, 「교회행정학의 실제」, pp. 37-59. 참조.

교회조직에서 통제와 명령은 어떤 관계를 유지하여야 하는가? 그리고 명령의 내용과 통제의 내용들이 어떻게 진행되고 어떻게 전달되어야 하는가? 이 두 가지는 아름답게 조화되어 통일되지 아니하면 교회 분란의 요소로 등장할 우려가 있으므로 조심해야 할 것이다.

1) 통제(統制)

모든 조직은 그 조직의 활동이 상부 책임자로부터 통제되어야 한다. 그렇지 아니하고 통제권을 잃을 때 그 조직은 교회의 목적 수행에 역행하게 된다. 따라서 교회의 모든 조직은 권한을 위임받은 목사가 통제할 수 있어야 한다. 그리고 하부조직체는 그 조직체의 부서장이 통제할 수 있어야 한다. 그러나 부서장의 활동은 목사의 통제권 속에 있어야 한다. 즉, 교회의 모든 하부조직체는 목사의 통제권 속에서 움직여야 한다. 이와 같은 통제의 권한이 무너진다면 교회의 조직이 온전하게 움직일 수 없다.

2) 명령의 통일성

교회행정에 있어서 조직을 구성할 때에 통제와 명령의 출처가 통일되어야 한다. 비록 권한은 하부조직으로 위임되어 수행할지라도 그 집행의 내용들과 진행의 과정, 그리고 하부조직으로 내려가는 행정의 제반 명령들이 통일되어야 한다. 그리고 그 명령과 통제의 권한은 담임목사에게로 집중되어야 한다.

4. 교회조직의 일반 원리

1) 그리스도의 마음으로 확신을 제공할 수 있어야 한다.

2) 구조의 우월 종속의 관계가 되어서는 안 된다. 한 지체, 평등성을 고려해야 한다.

3) 모든 구성원이 의미 있게 참여할 수 있게 해주어야 한다.

4) 영속성(장기적)과 유연성(단기적)을 동시에 추구해야 한다. 장기 계획. 단기계획을 수립한다.

5) 규범적이고 구체적인 것이 좋다.

6) 교회의 신학을 잘 반영해야 한다.

7) 분명한, 잘 정립된 목표로 진행되어야 한다.

8) 가능한 한 단순하게 해야 한다. 복잡한 조직은 힘을 분산시킨다.

9) 유사한 업무는 통폐합한다.

10) 책임과 권한을 항상 일치시켜야 한다.

11) 분명한 지침이 있어야 한다.

12) 회중들의 권한을 분명히 해야 한다.

13) 고정화되지 않아야 한다.

14) 필요에 따라 즉시 변형되어야 한다.

15) 효율적인 운영을 위한 감독이 필요하다.

16) 조직을 만들 때 성경적인가를 먼저 생각하라.

17) 프로그램 중심보다 사람 중심이어야 한다.

기계가 아무리 좋아도 일은 사람이 맡는다. 사람이 먼저고 조직은 사람을 위한 것이다.

18) 예산보다 일 중심으로 일한다.

돈에 얽매여 일하는 것이 아니라, 일 중심으로 다른 것들이 따르도록, 융통성 있게 해야 한다.

5. 좋은 조직의 이점

1) 업무분담이 잘된다.

2) 책임 소재가 명확하다.
3) 혼동을 줄일 수 있다.
4) 불필요한 수고의 반복을 피할 수 있다.
5) 교회의 업무를 체계화시킨다.
6) 목사의 지휘 계통이 원활하게 된다.
7) 교회 업무의 책임소재가 분명해진다.
8) 효과가 증가된다.
9) 교회의 업무에서 발생하게 될 불안요소가 제거된다.
10) 업무에 더욱 충실하게 된다.
11) 성도들의 폭넓은 동참을 유도하게 된다.

하나님은 무질서의 하나님이 아니라 거룩한 질서 속에 계시는 분이시다. 우리 몸을 창조하실 때에도 무질서하게 만드신 것이 아니라 거룩한 질서를 유지하도록 만드셨다. 우리 몸의 구조를 한번 보라! 얼마나 조직적으로 창조되었는가? 우주 만물을 창조하실 때에도 체계적이고 조직적으로 창조하신 하나님이시다.

그렇다면, 분명하지 않은가? 질서의 하나님이 우주 만물과 인간을 창조하심에 있어서도 조직적인 체계 속에 거룩한 질서를 유지하도록 만드셨다면, 자기 피로 값 주고 사신 바 된 교회를 위해서는 더욱더 거룩한 질서를 따라 조직을 세워 이루어가도록 권면하시지 않겠는가?

그러므로 조직의 활성화로 교회행정의 효율을 높이는 것은 지극히 성경적이라 할 수 있다. 따라서 교회행정의 조직 분야는 거부되거나 제외시킬 대상이 아니라 더욱더 연구하고 발전시켜 하나님의 나라와 그 의를 이루는 일에 촉진제 역할을 하도록 해야 할 것이다.

G. 교회의 행정기구

교회의 행정기구는 교회를 다스리는 기구를 말한다. 행정기구는
사법(치리)기구라고도 한다. 교회행정 기구는 각 교파별로 다소간
차이가 있다. 한국에서 가장 많이 전파된 장로교의 행정기구로서는
상위의 조직 기구로서 당회, 노회, 대회, 총회가 있고 개 교회들에
있어서는 목사, 장로, 집사 등이 기관적 성격을 가지고 존재하며,
교회의 본질적 임무 수행을 위한 각급 행정 기관으로는 각종 위원
회가 있다. 즉 예배, 교육, 전도, 새가족, 재정, 기획, 청년, 음악, 제
직회 등 다양한 기관이 존재한다.

1. 지교회 기구

1) 당회

당회는 개 교회 또는 지교회를 다스리는 치리회로서 교회를 대표
해서 교회의 중요한 사항을 의결한다. 당회는 담임목사와 장로들로
구성되어 있고, 담임목사가 당회장이 된다. 당회는 교회 안의 인사
사항, 치리 사항(교인의 신앙상태, 교인의 포상, 징계, 해벌), 사무
행정(재정, 시설관리 등)을 관리하고 결의한다.

2) 제직회, 직원회[95]

제직회, 직원회는 일반적으로 집사 이상의 임직 자들로 구성된다.
장로교회 교단에서는 제직회라 하며, 필자의 교단인 기독교대한성
결교회에서는 직원회라 한다. 의장은 담임목사가 된다. 재정의 결

---

95) 기독교대한성결교회 헌법 제46조.

산 보고 및 집행에 관한 사항을 의논한다. 교회의 각종 행사를 계획하고 진행한다.

3) 공동의회, 사무총회[96]

공동의회, 사무총회는 세례교인 전체 모임을 말한다. 장로교회 교단에서는 공동의회라 하며, 필자의 교단은 사무총회라 한다. 의장은 담임목사가 된다. 1년 결산 및 예산안 처리의 모임이다. 임직자들을 선택하고 공포한다. 향후 1년의 목회의 전반적인 계획을 의논하고 결의하여 집행한다.

이밖에도 지 교회는 담임목사를 중심으로 각 위원회, 각 부서, 교회학교 등의 조직이 있다.

2. 노회, 지방회[97]

노회, 지방회는 지역 안에 있는 지교회들의 연합으로 구성된다. 장로교회 교단에서는 노회라 하며, 필자의 교단은 지방회라 한다. 필자의 교단인 기독교대한성결교회에서 지방회는 총회에서 정한 행정구역 내에 있는 10개 이상의 당회가 포함된 30개 이상의 지교회로 조직한다.[98] 지방회는 지방회를 이끌어갈 임원을 선출한다. 그리고 각 위원회와 각 부서를 조직하여 운영한다. 지방회는 지교회를 감찰하며, 지교회의 성장을 돕는다. 그리고 각종 행정문서, 치리 사건을 처리한다. 지방회는 총회에 보고할 안건을 의결하며, 총회를 보조하는 역할을 한다.

---

96) ibid., 헌법 제47조.
97) ibid., 헌법 제 51조.
98) ibid., 헌법 제51조 1항.

3. 총회

총회는 교단의 모든 지 교회를 하나로 묶는 교단의 대표적인 모임이다. 총회는 지방회에서 파송한 목사와 장로로 구성된다. 총회는 하회인 지방회나 노회에서 건의안 결의안, 청원서 등을 의결한다. 총회는 임원을 선출하고 항존 위원회와 각부 부서를 조직하고, 사업계획을 의논하고 결의한다. 총회 재정 결산 및 예산안을 확정하여 통과시킨다.

V. 인사행정 과정

A. 인사행정의 개념

 인사행정이란 행정에 있어서 모든 인적요소를 다루는 것을 말한
다. 행정은 사람이 한다. 어떤 조직이나 제도를 막론하고 그것을
구성하고 운영하는 것은 사람이다. 교회도 마찬가지이다. 인사행정
은 교회 조직의 활성화로 효율성을 높이기 위하여 모든 인적요소
를 적절하게 배치하며 다루는 것을 말한다. 따라서 인사행정은 조
직행정을 구성하는데 필요한 유능한 직원을 선택하는 것을 포함한
다. 그리고 인사행정은 행정조직에 필요한 구성 요원을 선발할 뿐
만 아니라 선발한 직원에 대한 급여, 건강, 안전, 근무평정, 징계
등의 각종 사항을 원활하게 수행하게 된다.

B. 인사행정의 중요성

 인사행정에는 적재적소에 인사배치 및 이동, 능력개발, 교육훈련,
인사에 따른 보수, 인사기록, 근무관리, 징계 등이 포함된다. 목회
자는 이 모든 분야에 전문적이지는 못할지라도 상당한 지식을 갖
춰야 한다. 목회현장에서 가장 어려운 부분이 바로 사람을 관리하
는 것이다. 교회행정의 어느 부분보다도 어렵고 복잡한 부분이 바
로 인사행정이다. 인사행정이 잘되면 그 목회는 매우 큰 힘을 얻게
될 만큼 교회의 운명을 결정짓는 중요한 사항이다.
 뿐만아니라 목사는 교인들의 신상을 항상 파악하여야 한다. 그리
고 적재적소(適材適所)에 일꾼들을 배치함으로써 조직의 효율성을

도모할 수 있어야 한다. 또 가장 조심해야 할 부분은 정실인사를 피하고 항상 좋은 일꾼들을 양성하려는 목회자의 굳은 의지가 있어야 한다. 왜냐하면, 목회현장에서 인사행정은 매우 중요한 것이기 때문이다.

만약 이와 같은 인사행정의 기본을 무시하고 독단적인 정실인사로 인하여 조직으로 하여금 불협화음을 유발시킨다면, 목회 행정은 헝클어진 실타래처럼 풀려지지 않게 될 것이다. 그러므로 목회자는 먼저 인사행정의 중요성을 깨달아 최선을 다하는 노력이 필요할 것이다.

C. 인사행정의 성경적 근거

하나님의 구원 사역은 사람을 선택하는 일부터 시작하셨다. 아브라함, 모세, 다윗, 바울 등 성경의 수많은 인물들이 선택되어 쓰임 받았다. 인사행정의 성경적 근거는 조직행정의 성경적 근거에서 언급된 바 있다.

1. 구약의 근거

구약에서 인사행정의 근거로 적용할 수 있는 대표적인 사건을 두 가지로 들 수 있다. 첫째, 출애굽 한 이스라엘 백성들을 다스릴 천부장, 백부장, 오십 부장, 십 부장을 선출하는 사건과 두 번째는, 기드온의 300명 용사를 선출하는 사건을 들 수 있다.

2. 신약의 근거

첫째, 초대교회 일곱 집사를 선택한 말씀이다. "형제들아 너희 가운데서 성령과 지혜가 충만하여 칭찬을 듣는 사람 일곱을 택하라

우리가 이 일을 저희에게 맡기고"(행 6:3)

둘째, 가룟인 유다를 대신하여 제자를 선택하는 말씀이다. "[23]저희가 두 사람을 천(薦)하니 하나는 바사바라고도 하고 별명은 유스도라고 하는 요셉이요 하나는 맛디아라 [24]저희가 기도하여 가로되 뭇사람의 마음을 아시는 주여 이 두 사람 중에 누가 주의 택하신 바 되어 [25]봉사와 및 사도의 직무를 대신할 자를 보이시옵소서 유다는 이를 버리옵고 제 곳으로 갔나이다 하고 [26]제비뽑아 맛디아를 얻으니 저가 열 한 사도의 수에 가입하니라"(행 1:23~26).

예수님께서는 기도로 준비하고 제비를 뽑아 추천하고 인선하였다. 기도가 우선인 것을 보면 하나님의 뜻에 의해 사람을 선택하는 것을 볼 수 있다.

또한 에베소서 4장 11절에서 12절에는 인사행정에 관련한 의미를 제시하고 있다.

> 11 그가 어떤 사람은 사도로, 어떤 사람은 선지자로, 어떤 사람은 복음 전하는 자로, 어떤 사람은 목사와 교사로 삼으셨으니 12 이는 성도를 온전하게 하여 봉사의 일을 하게 하며 그리스도의 몸을 세우려 하심이라

이 말씀에는 인사행정에 대한 의미가 담겨져 있다. 그것은 첫째 "성도를 온전케 함이다. 인사행정은 교회 안의 모든 성도들을 온전케 하는 의미가 있다. 둘째, 봉사의 일을 하게함이다. 여기서 "διακονιας(디아코니아스)"는 '섬김의 일을 하게 함'이란 의미이다. 인사행정은 섬김의 의미를 지닌다. 셋째, "그리스도의 몸을 세우기 위함"이다. 교회에서 인사는 개인을 위한 것이 아니라 그리스도의

몸을 세우려는 궁극적인 목적을 의미한다.

D. 인사행정의 장점

교회행정은 사람이 하는 일이다. 그러므로 교회에서 성도들과 함께 업무를 수행하는 것은 행정적인 장점과 도전을 가져다준다. 인사행정의 장점에 대해 로버트 데일(Robert Dale)은 아래와 같이 소개한다. 99)

1. 바른 인사행정은 교회를 봉사 공동체로서 이해하게 된다.

교회는 봉사 조직을 가진 봉사공동체인데 이것을 인사행정을 통해 알게 된다. 지체로서의 개인은 지체로서의 고유 업무를 수행함으로 하나의 몸인 교회를 이룰 수 있다.

2. 바른 인사행정은 위원회, 혹은 회의를 통하여 목회를 달성한다.

사람의 역량은 시간, 공간적으로 제한을 받는다. 그러므로 목회자는 모든 일을 동시에 혼자서 하려고 하는 생각보다 조직이 소유하고 있는 인력을 적절히 활용해야 하며, 나아가 조직 내의 위원회나 회의를 통하여 목회의 목표를 성취하는 것이 바람직하다.

3. 자원봉사자를 발굴하여 목회에 도움을 주게 한다.

---

99) Robert Dale, "Working with People", in *Church Adminiatration Handbook*, ed. Bruce P. Powers(Nashville : Broadman Press, 1985), p. 66.

교회에는 유급봉사자와 자원봉사자가 있는데 교회는 자원봉사자를 어떻게 얼마나 발굴하느냐 하는 것은 교회에 지대한 영향을 준다.

4. 목회에 연합된 팀을 구성케 한다.

목회에서 팀은 교회의 목적과 목회의 질을 달성하는 데 있어서 중요한 역할을 한다. 좋은 팀은 바른 인사행정을 통하여 가능하다.

5. 문제를 해결한다.

교회 내의 문제는 상당수가 인간관계나 사람에 관한 것이다. 인사행정은 이러한 문제를 사전에 예방할 수 있으며, 해결할 수 있다. 문제는 인간관계에 대한 불만이나 인사에 대한 불만이 포함되어 있다.

6. 각종 회의를 목적대로 이끌어 갈 수 있으며, 교회의 직원들과 긴밀한 관계를 형성하게 하며, 문제가 있는 교인들을 잘 관리하게 되며, 나아가서는 조직체로서의 교회의 분위기를 형성해 나갈 수가 있게 된다.

E. 인사행정의 원리

교회는 여러 계층과 여러 종류의 사람들이 모인 기관이다. 그러기 때문에 교회에서 사람을 세워 일을 한다는 것이 쉬운 일이 아니다. 인사를 잘못하여 교회가 어려워지는 경우가 허다하다. 그러므로 인사행정은 이런 점을 충분히 고려하여 적절한 인사를 세우는 지혜가 필요하다.

1. 영성의 원리

교회는 영적인 기관이기 때문에 교회의 인사는 영적인 측면이 고려되어야 한다. 무엇보다도 사전에 깊은 기도를 통해 선택한다. 예수님께서도 제자들을 선택하실 때 밤이 맞도록 기도하셨다(눅 6:12-13). 초대교회에서 안수집사를 선정할 때 성령과 믿음이 충만한 자, 지혜 있는 자, 칭찬 듣는 자를 선정하였다. 영성은 우선적으로 고려해야 할 인사행정의 원리이다. 영성에 있어서 또한 중요한 것은 소명과 사명성이다. 부름받았다는 분명한 소명에 대한 확신, 그리고 복음을 위해 충성하고자 하는 사명감이 있어야 한다.

2. 인격을 갖춘 자

초대교회 안수집사 선정 기준에 칭찬 듣는 자는 '인격'을 의미한다. 물론 성령의 열매로 주어지는 것도 있지만, 기본적으로 인격은 성장 과정에서부터 이루어지기 때문에 평소에 그의 됨됨이의 성격을 보아야 한다. 은혜는 받았지만, 옛 성품이 그대로 남아있는 사람들이 있을 수 있기 때문이다. 물론 성령으로 옛 성품이 긍정적인 면으로 변화될 수도 있기 때문에 변화된 모습을 보아야 한다.

3. 합리성을 갖춘 자

교회에서 인사는 영성과 인격을 갖추어야 하지만 합리적인 면도 함께 고려해야 한다. 합리성이란 객관적 사고를 할 수 있고, 모든 면에 이성적으로 분별력과 통찰력을 갖고 모든 일을 합리적으로 처리할 수 있는 자를 말한다. 극단적으로 치우치지 않고 모든 면에

균형적으로 생각하고 행동하는 자를 말한다.

4. 전문성을 갖춘 자

전문성은 교회에서 맡고 있는 분야에 대한 전문적인 지식과 경험, 기술을 말한다. 예배, 교육, 찬양, 전도, 선교, 봉사, 시설, 관리 등의 여러 분야에 전문성을 가지고 일을 할 때 교회는 역동적이며 발전적으로 건강하게 이루어질 수 있다.

5. 공정성

공평, 동등한 위치에서 공정성을 가지고 인사를 한다. 지연이나, 혈연 등의 인맥을 배제해야 한다. 담임목사나 당회의 어떤 장로의 인사가 되어서는 안 된다. 이를 위해 인사는 헌법과 교회 자체 정관에 합당한 기준에 서 있는 자가 선정되어야 하며, 모든 사람이 인정할 수 있는 공정성, 공평성이 있어야 한다.

공정성을 위해 점수 제도를 이용하여 객관적 기준을 통해 선정하기도 한다. 즉 개인의 신앙적인 수준 및 예배 출석, 헌금, 봉사, 전도 등의 전반적인 신앙생활에 대한 통계를 내 선택하는 것이다.

6. 복지성

교회 안에서 복지라 하면 업무의 효율을 위한 환경개선, 편의 제공 등에 관심을 가져야 한다. 또한 적절한 포상이 주어지면 더욱 좋다. 물론 교회 안에서 모든 직분 자들은 무급으로 봉사하기 때문에 물질적 보상은 주어지지 않지만, 일꾼을 세워주고, 인정해주고, 일을 위임해주고, 힘을 실어주며, 적절한 칭찬과 동기부여를 통해 일을 원활하게 할 수 있도록 독려해주어야 한다. 유급직원의 경우는 다른 일반 직장과 비교하여 열등감이나 불이익을 초래하지 않도록 유의하야 하며 객관적 기준에 따라 승진, 포상 등의 기회를 주어야 한다.

7. 분업성

교회에서는 한 사람이 모든 일을 다 맡아 할 수 없다. 한계가 있기 때문이다. 개척교회일 경우 이런 경향이 있을 수 있다. 그러나 교회가 성장하면 할수록 일은 구체적으로 세분화 되어야 하며, 가급적이면 한 사람이 한 분야에 전문성을 가지고 일을 할 수 있어야 한다. 그리고 자기 재능에 따라 적재적소에 배치해야 한다.

그리고 한 분야에서 가급적이면 2년 정도 일하게 하고 다른 분야에서 일하게 한다. 한 분야에서 계속 일하게 되면, 그 분야에서 자기주장이 나올 수 있기 때문이다. 중요한 부서에서는 그 자리에 계속 일하고 싶어 하기 때문이다. 그러나 교육 부서라든지 전문성이 요구되는 분야는 어느 정도 계속 일할 수 있도록 하여야 한다.

8. 소통성

교회는 효율적인 인사행정을 위하여 기구의 종적 기능과 횡적 기능을 완수하기 위하여, 폭넓은 대화와 협의체를 구성하고 건의사항, 협의 사항 등이 충분히 반영될 수 있도록 해주어야 한다.

이를 위해 위원회나 팀, 구역, 또는 세부 조직을 구성할 수 있고, 위원회를 통해 나온 의견은 각 위원장들의 모임을 통해 수렴할 수 있으며, 이런 위원장들의 의견들을 교회의 당회나 담임목사에게 전달할 수 있는 체계가 갖추어져야 한다.

9. 훈련

지속적인 교회의 발전을 위해서는 적절한 인사를 위한 훈련이 있어야 한다. 인사개발은 영성 및 제자훈련, 은사훈련, 품성훈련, 행정훈련 등을 통해 전문가를 개발해야 하며 그런 전문성을 갖춘 인재를 등용해야 한다. 이런 인력개발을 위해 동기부여(보상과 체벌, 소속감)가 효과를 내기도 한다.

이외에도 인사 임명 시 유의사항100)은 아래와 같다.

1) 먼저 교회는 하나님께서 사람을 창조하실 때에 특별하신 창조적 의미를 가지고 창조하셨다는 것을 인정하여야 한다.
2) 사람은 물건과 같이 취급되어서는 안 된다. 사람을 고려해야 한다.
3) 교인들의 잠재력을 기대하여야 한다.
4) 교인을 신뢰하고 일을 맡길 수 있어야 한다.
5) 목회자는 항상 개인에게 관심을 가져야 한다.
6) 동시에 목회자는 교인의 능력을 파악해야 한다.
7) 목회자는 인사행정을 함에 있어서 타인의 감정을 잘 다스리고 받아들이는 관용이 필요하다.
8) 인사행정은 장기적 안목으로 추진해 가야 한다.
9) 교회가 하기로 되어 있는 업무에 대하여 흥미를 가진 자만을 임명한다.
10) 발전상을 가지고 있고 신앙이 강한 자만을 인정한다.
11) 해당업무와 관련된 자들을 만날 수 있는 시간적 여유를 가진 자만을 임명한다.
12) 최선의 길은 미래에 있고 아직 마련되지 않았다고 믿는 자

---

100) 김정기, 「교회행정신론」(서울: 성광문화사, 1996), p. 442.

만을 임명한다.

13) 하나님, 인간 그리고 미래를 낙관하는 자만을 임명한다.

14) 다른 사람과 잘 조화해서 일할 수 있는 자만을 임명한다.

15) 교회와 교회 목표에 충실한 자만을 임명한다.

F. 인사 관리의 유형

인사 관리의 유형은 일반적으로 다음과 같은 네 가지로 분류할 수 있다.[101]

1. 실적제도

임명 승진, 기타 인사 조치를 상대적 능력에 근거하여 행하는 인사제도. 임명과 승진, 봉급 수준의 결정과 임면 등을 실적에 의하여 결정하며, 시험을 통하여 경쟁적으로 얻는다. 가장 보편적인 방법이나 실적을 평가하는 기준이 모호할 때가 있으며 그 기준을 결정하는 것이 어려운 일이다.

2. 정치적 보상제도

정권을 위해 공헌한 자에게 직책을 수여하는 제도이다. 개국공신에 대한 보상 관행, 혈연, 지연 등을 통하여 관직이 수여된다. 정실제도, '낙하산 인사'이다. 하부조직으로부터 반발을 받는다.

3. 필요 제도

---

101) ibid., pp. 416-418.

실직상태에 있거나 불완전한 상태에 있는 사람에 대하여 정부 직을 제공하는 제도이다. 실업자를 구제하기 위한 제도이다. 공공기금 확충이 필요하다.

4. 특혜 제도

특정인에게 특별한 혜택을 제공하는 제도이다. 퇴역 장성에 대한 특혜, 장애인 특혜, 소수민족 특혜가 있다. 이러한 제도는 사회정의 실현 입장에서 실천되고 정당화 된다. 특히 한국 교회에서는 여성들에 대한 배려가 아쉽다. 여성 장로, 여성 목사, 여성들이 지방회나 총회에 참여하는 비율을 점차 높여가는 것도 필요하다.

G. 인사행정과 사기 앙양

인사행정에 있어서 사기 앙양은 매우 중요한 비중을 차지한다. 사기는 일을 효율적으로 해나갈 수 있게 하는 촉진제이다. 사기는 자발적 봉사 의욕을 말한다. 교회에 헌신적으로 일을 하게 한다. 그리고 보람을 느끼게 한다. 사역을 하는 한 사람의 사기는 교회 공동체 전체에 긍정적인 영향을 끼치게 한다. 일반적으로 사기에 직접, 간접으로 영향을 미치는 요인은 다음과 같다.[102]

1. 은혜 충만

교회는 영적인 기관이며, 영적인 성도로 이루어져 있다. 교회에서 사역자는 기본적으로 은혜 충만을 유지하고 있어야 한다. 은혜가

---

102) 손병호, 「교회행정학 원론」, pp. 377-381.

충만한 성도와 사역자는 그 은혜의 힘으로 사기가 앙양되는 것이다. 은혜가 충만하다는 것은 첫째, 소명감이 분명해야 한다. 나를 부르신 주님의 은혜가 분명해야 하며, 둘째, 구원의 확신이 분명해야 하며, 셋째, 성령의 임재가 확실해야 하며, 넷째, 말씀의 은혜와 기도의 능력을 체험해야 한다. 그래서 늘 깨어서 기도하며 말씀을 묵상하며 살 때 은혜가 항상 충만할 수 있게 된다.

2. 물질적 보수

물질적 보수는 사기에 지대한 영향을 미친다. 물론 교회 안에는 유급직보다는 무급직의 성도들의 사역이 대부분이다. 교회에서 물질적 대우는 주로 유급직 사역자들이나 직원들을 말한다. 물질적 보수는 인격이나 명성과 관계, 생활의 안정, 사회적 안정, 근무의욕과 사업의욕을 고취시킨다. 무급직 성도들에게 물질적 보수란 사역을 함에 필요한 모든 자원을 충분히 제공하는 것이다. 또한 교육과 훈련의 서비스를 제공하는 것이다. 또한 칭찬과 격려를 아끼지 말아야 한다.

1) 보수는 업무의 가치에 근거를 두어야 한다.
2) 보수는 같은 지역의 다른 교회의 동일 직종의 가치와 비교해 볼때에 합리적 관계에 있어야 한다.
3) 보수는 다른 교회 지위와의 관계에서 공정하게 가치를 인정받아야 한다.
4) 보수는 가족 구성원의 형편을 고려해야 한다.

2. 귀속감 또는 일체감
매슬로우는 인간의 욕구에 소속감이 있다고 했다. 사람은 본질적으로 어떤 단체에 소속하려고 한다. 이러한 소속에 대한 귀속감과 일체감으로 자부심과 연대의식, 충성심을 가지고 집단의 사기를 앙양시킬 수 있다.

3. 안정감

안정감은 사기를 더욱 높여준다. 귀속감과 일체감을 가지면 정서적으로는 안정감을 얻게 된다. 유급 직원에게는 사대보험(국민연금, 산재보험, 의료보험, 고용보험)이나 은퇴 후 대책을 세워줌으로 안정감을 갖게 한다.

4. 성공 감

성공감이란 자기가 발전하고 있다는 것, 자기가 바라던 것이 이 교회에서 이뤄지고 채워진다는 것이 체감되는 느낌이다. 개인적 성공 감을 갖게 한다.

5. 인정

개인의 가치가 조직을 통하여 인정되게 한다. 인정받고 싶어하는 것이 사람의 본능이다. 이것이 인정되지 아니하면 자존심이 상한다.

6. 건강

개인적으로 건강한 신체와 정신을 갖는 것이다. 더욱이 목회자나 성도의 영적 건강은 사기를 진작시키는 데 중요하다.

7. 신뢰감

교인 간의 불신감을 해소하는 것은 사기에 중요한 일이다. 교인 간의 신뢰감이 있을 때 사기가 진작된다.

8. 일치감

교회의 각 부서는 경쟁의 대상이 아니라 일치의 대상이다. 교회의 부서 간이나 개인 간에 일치감이 조성되면 업무의 효율성이 증대된다.

9. 화목

교회 내의 불화는 그리스도의 몸을 파괴하는 일이다. 화목은 그리스도의 몸을 이루는 일이다. 교회는 서로 화목한 가운데 교회의 분위기가 활성화된다. 화목을 회복하면 교인의 사기는 앙양되고 건강한 교회를 이루게 된다.

H. 권 징(勸 懲)

권징은 교단의 헌법에 명시되어 있다. 현재 교단 적으로는 권징이 실시되고 있으나 교회에서는 잘 이루어지지 않고 있다. 올바른 권징(勸懲)은 교회의 거룩한 질서를 유지하는 촉진제가 됨을 기억하여야 한다.

권징은 대상자를 징벌하는 데 그 목적이 있는 것이 아니라 범죄자로 하여금 돌이키도록 하는 데 있다. 그러므로 목사는 권징에 앞서 범죄자가 자신의 죄를 깨닫고 돌이킬 수 있도록 방문하여 권면하는 것이 필수적이다. 그래도 듣지 아니하면 이방인과 같이 여기라고 했다.

1. 신앙적 지도 절차

1:1의 권면, 2:1의 권면, 교회의 권면이 있다.

2. 권면을 듣지 아니할 때

권징에 앞서 신앙적 지도의 절차를 밟고 그래도 듣지 아니할 때에는 최후의 수단으로 징계를 내려야 한다. 권징은 교단의 헌법 징계법의 절차에 따라야 한다. 그러나 가급적 이 단계에 오지 않도록 기도로 준비하며 주님의 사랑으로 권면하려는 절대적인 노력이 필요하다.

I. 교회의 인사 조직

지교회에는 여러 인사가 있다. 교역자인 담임목사, 부교역자와 교직자인 장로, 권사, 안수집사, 서리 집사 등이 있다. 또한 교회학교 각 부서, 각 위원회의 인사 조직이 있다.

1. 담임목사

담임목사는 지교회를 대표하는 자이다. 교단의 헌법에 따라 자격과 역할이 다르다. 대체적으로 담임목사는 행정적으로 교회를 대표하며, 지교회를 돌보는 목양의 사역을 감당한다. 필자의 교단(기독교대한성결교회)의 헌법에 제시된 목사의 직무를 보면, (1) 목사는 예배를 주관하고 설교를 하며 성례전을 집례하며 교인의 행정과 권징을 치리한다. (2) 교인을 심방하며, 믿지 않는 자에게 전도하고 과부, 고아, 고독한 사람과 빈궁한 자를 돌보아야 한다. (3) 지교회의 직원회, 당회, 사무총회의 의장이 된다. (4) 본 교회의 감찰회, 지방회, 총회의 의장은 담임목사에 한하며 경우에 따라 사회를 위임할 수 있다.[103]

2. 부 교역자

부 교역자는 전도사, 목사로 구성된다. 부 교역자는 교회가 성장함에 따라 목회의 활성화를 위하여 담임목사의 직무를 돕는 직책이다. 따라서 부 교역자는 고유의 업무를 가지고 오는 것이 아니라 보조적 직무를 수행하는 직책이다. 부 교역자 중에 교육목사, 음악목사, 전도목사, 선교목사 등도 있다.

3. 장로

장로는 집사, 혹은 안수집사, 권사 중에서 선택한다. 자격은 대체적으로 장로 이전 직분에서 몇 년의 근속[104]을 요구한다. 근속은 기본적으로 주일성수, 십일조의 이행 여부이다. 직무는 교인의 대표로 목사와 협동하여 행정과 권징을 치리하는 치리회원이다. 또한 교인들을 돌보며, 전도와 선교에 힘을 쓰며, 교회의 각종 행사에 지도자적인 위치에서 리더십을 발휘한다.

4. 권사
권사는 대체로 여자 성도들이 대상이다. 그런데 요즘 대부분의 교단들은 남자 성도들에게도 임직을 준다. 권사 역시 몇 년의 근속을

---

103) 기독교대한성결교회 헌법 제43조 3항.
104) 기독교대한성결교회 헌법에는 7년 근속.

요구한다. 직무는 담임목사를 도와 성도들을 돌보며, 전도와 선교에 힘을 쓰며, 교회의 각종 부서에서 봉사의 직무를 감당한다.

5. 안수집사

안수집사는 대체로 남자 성도들 대상이다. 안수집사도 여성들에게도 안수를 준다. 안수집사는 서리 집사(1년 임시직) 중에서 선택하되 근속한 자이어야 한다. 안수집사는 담임목사와 장로의 리더십을 위임받아 교회의 모든 일에 실제적으로 경영하며 실행에 옮기는 일을 하게 된다.

6. 서리 집사

서리 집사는 1년 임시직이다. 매년 사무총회(공동의회)시 공포한다. 서리 집사는 주일성수와 십일조 생활이 의무이며, 교회의 모든 행사를 보조한다.

VI. 재무행정

재무행정은 교회행정 중에서 반드시 필요한 행정이다. 영적인 기관이지만 교인들의 헌금을 관리하는 분야이기 때문에 중요한 행정 중의 하나라고 해도 과언이 아니다. 교회의 규모가 비대해지면서 교회의 재무행정은 그 전문성까지 필요로 하게 된다. 목회자는 교회 안에서 재정문제에 문제가 발생할 소지가 있으므로 재무행정에 대한 능력을 갖추고 있어야 한다.

A. 재무행정의 개념

일반적으로 재무행정이란 국가·지방자치 단체 기타 공공기관이 공공정책을 수행하는 데 필요불가결한 재원을 경제적·합리적으로 조달·배분하고 이를 효율적으로 관리·운용하는 일련의 과정이다. 이러한 재원의 조달·관리·운용은 정부 그 자체의 존립유지와 정부활동의 원동력이 된다.105)

교회 재무행정이란 교회의 존립, 유지, 활동에 따르는 재물의 수입, 관리, 사용에 관한 행정 작용을 말한다. 교회재정은 교회의 목적과 사명을 수행하는 데 없어서는 안 될 경제적 활력이다. 특히 교회의 활동을 돕기 위해서 재정의 조달, 배정, 지불 및 회계에 대한 업무는 교회행정에서도 그 핵심이 될 때가 많다.106) 교회에서 재무행정은 교회의 전반적인 행정의 과정을 실행시키는 동력이 된다. 재정이 필수인 것은 아니지만 재정은 건강한 교회를 이룰 수

---

105) 박용치, 「현대 행정학 원론」, p. 847.
106) 황성철, 「교회 정치행정학」, p. 298.

있도록 도움을 준다. 그런데 재정을 잘 관리하지 못할 때 재정은 교회에서 많은 문제점을 야기한다. 그러므로 재무행정에 대한 전문적이며, 투명한 관리가 무엇보다도 필요하다.

B. 재무행정에 대한 성경적 근거

재무행정에 대한 성경적 근거는 십일조와 헌물이다. 말라기 3장 8절에서 하나님께 드리는 헌금을 "십일조와 헌물"이라 하였다. 구약시대에 십일조는 제사장, 레위인, 고아, 과부 등 어려운 사람을 위해 그리고 성전 유지관리를 위해 사용되었다. 헌물은 성전 건축이나 특별 목적을 위해 드려졌다. 예수님께서도 십일조에 대해 인정하셨다(마23:23, 눅18:12).

창세기 40장에서 46장의 배경을 보면, 요셉이 보디발 장군 집의 가정 총무로 있었는데, 여기에서 요셉은 가정을 총 책임지는 관리로서의 역할을 한 것으로 보인다. 요셉은 행정에 있어 재정에 관한 모든 것을 관장한 것으로 보인다. 초대교회 안수집사 7명에게 맡긴 교회의 제반 사무 역시 재정에 관련한 부분도 있었을 것이다. 그리고 예수님께서도 12제자 가운데 재정을 가룟 유다에게 맡긴 것을 볼 수 있다. 또한 사도 바울은 돈을 사랑하는 것은 일만 악의 뿌리가 되므로(딤전6:10) 재물을 잘 관리함을 말하고 있다.

C. 교회재정의 수입

교회가 영적 기관이라 하더라도 사람들이 모인 공동체이기에 정규적인 수입이 없게 되면 그 공동체가 원활하게 돌아갈 수 없다. 교회의 수입은 외부의 별도 수입이 없이 성도들의 헌금으로 이루어진다.

1. 교회 수입의 종류

교회의 수입은 헌금 수입과 별도의 수입으로 분류한다. 헌금 수입은 주일 예배 때마다 드리는 주일헌금, 십일조, 각종 감사헌금, 절기헌금, 건축헌금, 선교헌금, 구제헌금, 시설 및 비품 구입 특별헌금, 부흥회 헌금 등이다. 별도의 수입은 교회가 별도로 운영하는 수입이다. 예를 들어 어린이집, 양로원, 급식소, 도서관, 카페 등의 복지사업이다.

2. 헌금의 정신과 자세

헌금에 대한 정신으로는 구약시대에 십일조와 헌물을 드리는 청지기적인 정신이 있지만 본질적으로는 하나님의 사랑과 은혜에 대한 감사와 믿음의 표현이다. 율법적으로 헌금을 드려야 된다는 사고방식에서 마땅히 드려야 된다는 것은 구약적 개념이다. 그렇다고 해서 율법의 말씀을 전적으로 무시해서는 안된다. 율법은 신약 시대 이후에 살아가는 모든 성도들에게 주신 하나님의 말씀이기 때문이다. 다만 율법적으로 매여서 드리지 말라는 말씀이다. 신약 시대 이후에 헌금을 드리는 바른 정신은 율법에서 말씀하신 하나님의 말씀에 기본적으로 순종하는 마음을 가지고 감사와 믿음을 가지고 드리는 것이어야 한다.

그래서 헌금을 드리는 자세는 첫째, 미리 기도하며 정성으로 준비하는 헌금이 되어야 한다(고후9:5). 둘째, 감동된 대로 드려야 한다. "각각 그 마음에 정한 대로 할 것이요 인색함으로나 억지로 하지 말지니 하나님은 즐겨 내는 자를 사랑하시느니라"(고후 9:7). 셋째, 최선을 다해 드려야 한다. "……저희가 힘대로 할 뿐 아니라

- 177 -

힘에 지나도록 자원하여"(고후 8:3). 넷째, 은혜로 드려야 한다. "환난의 많은 시련 가운데서 저희 넘치는 기쁨과 극한 가난이 저희로 풍성한 연보(捐補)를 넘치도록 하였느니라"(고후 8:2). 다섯째, 믿음으로 드려야 한다. "오직 너희는 믿음과 말과 지식과 모든 간절함과 우리를 사랑하는 이 모든 일에 풍성한 것 같이 이 은혜에도 풍성하게 할지니라"(고후8:7). 여섯째, 말씀대로 드려야 한다. "만군의 여호와가 이르노라 너희의 온전한 십일조를 창고에 들여 나의 집에 양식이 있게 하고 그것으로 나를 시험하여 내가 하늘 문을 열고 너희에게 복을 쌓을 곳이 없도록 붓지 아니하나 보라 (말3:10)." 신약 시대 이후에 살아가는 성도는 하나님의 말씀을 존중하며 지켜야 한다. 일곱째, 드림으로 드려야 한다. 헌금은 드림으로 드려진다. 이 말은 헌금을 드리면 드릴수록 습관화되어 잘 드릴 수 있게 되는 원리이다.

3. 교회 재정 수입 증대 방안

재정 수입은 하나님이 주시는 것이기에 사람이 어떻게 그것을 예측하고 준비할 수 있겠는가 생각할 수 있다. 그러나 질서 있는 교회를 이루어가게 하시는 하나님의 속성이 있으며, 생각할 수 있는 이성을 주셨기에 재정 수입에 대한 나름의 준비를 하는 것이 지혜로운 자세이다. 교회는 재정이 풍성할 때 행정 집행에 안정과 여유가 생긴다. 그러기 때문에 교회는 재정 수입에 대한 충분한 계획이 있어야 한다. 교회 재정 수입 증대에 대한 방안에 대해 다음과 같이 소개한다.

1) 은혜가 충만한 교회가 되어야 한다.

은혜가 충만하면 헌금은 자연스럽게 증가한다. 목회자는 우선적으로 강단에서 전하는 메시지가 성도들에게 은혜가 되어야 한다. 이를 위해 목회자는 개인적으로 깊은 기도와 말씀 묵상에서 우러나오는 설교가 되어야 한다. 그리고 삶속에서 경험하는 말씀이 되어야 한다. 그리고 은혜로운 교회가 되게 하기 위한 기도의 훈련, 말씀의 훈련의 영성 훈련을 지속적으로 공급해야 한다.

 2) 청지기 훈련을 해야 한다.

 청지기란 무엇인가? 주인의 것을 관리하며 경영하는 사람이다. 그러기에 성도들이 자신들이 청지기란 인식이 중요하다. 교회 공동체의 한 구성원으로서, 청지기적인 사명을 가진 사명자로서 자세를 가지고 신앙생활 하는 것이 필요하다. 이런 청지기적인 자세는 교회 헌금에 대한 올바른 자세를 갖게 한다. 교회의 모든 운영에 필요한 헌금의 수입에 대한 자신의 책임감을 가지고 헌금을 하게 되기 때문이다.

 3) 철저한 예산 수립이 필요하다.

 교회가 어떤 일을 함에 있어 기획이 필요하고, 그 기획에는 재정에 대한 계획이 필요하다. 재정에 대한 계획은 예산 수립이다. 이런 예산은 수입에 대한 예측을 할 수 있게 한다.

 4) 전도지향적인 교회가 되어야 한다.

 무엇보다도 성도들이 증가하면서 교회 수입은 증대된다. 그러므로 열심히 전도하는 교회가 되어야 한다. 그리고 그들을 제자로 삼아 교회의 충실한 일군이 되게 해야 한다.

5) 철저한 재무행정의 관리가 필요하다.

수입과 지출의 예산 수립, 집행, 결산, 감사의 모든 재무행정의 과정이 잘 준비가 되어야 한다. 어떻게 지출할 것인가? 어떻게 관리할 것인가? 어떻게 사용할 것인가? 의 계획이 잘 구비되어 있어야 한다. 그리고 성도들 전체가 이런 재무행정에 대한 인식을 갖고 있어야 한다. 그래서 불필요한 재정이 낭비가 되는 일이 있어서는 안된다. 그리고 이런 행정관리는 성도들에게 재정에 대한 긍정적인 신뢰를 심어주기 때문에 열심히 헌금을 할 수 있게 동기를 촉진키시게 된다.

D. 예산의 기능

교회에서 예산이란 일정 기간에 있어서의 수입과 지출에 관한 것을 측정하는 계산이다. 이것은 교회재정 활동의 집약이라 할 수 있다. 예산은 사전에 예상될 수 있는 경비 및 수입에 관한 계획안이다. 그리고 일반적으로 1년의 회계연도의 수입과 지출을 의미한다.

일반적으로 예산의 기능은 통제·관리·계획으로 분류하여 설명하고 있다. 교회 예산의 기능은 다음과 같다.

1. 교회 전반적인 활동의 목회 계획의 기초이며 기준이 된다.

예산은 교회의 목적 및 목표의 반영이다. 그리고 이러한 목적과 목표를 어떻게 달성할 것인가에 대한 설명이다. 또한 설정된 목적과 목표들을 수행하거나 달성하겠다는 약속이요, 승인이다. 또한 예산은 교회 활동 전반에 대한 미래의 방향성이다. 예산은 교회의 모든 단기적이며 중·장기적인 목표와 정책을 제시해주는 설계도나 마찬가지이다.

2. 통제와 조정의 기능이다.

예산의 수입과 지출에 따라 질서 있게 추진하고 그 사역에 대하여 평가를 받는 과정에서 예산은 목회 활동을 적절하게 통제하며 조정하는 역할을 한다.

3. 법적인 기능이다.

예산 수립의 과정은 법적인 절차를 거쳐야 한다. 예결산위원회, 직원회, 당회, 사무총회 등의 심의를 거쳐야 하기 때문이다.

4. 경제적 기능이다.

예산의 적절한 통제와 조정은 예산을 안정시키며, 안정된 상태에서 재정의 수입을 촉진시키는 역할을 하게 된다. 안정된 예산 운영은 무계획적이고 무질서한 운영을 피하게 함으로 교회 재정관리를 원활하게 한다.

E. 예산의 원칙[107]

예산의 원칙이란 예산의 편성과 집행에 있어서 준거 기준이 되는 원칙을 말한다. 예산의 원칙에 대해 전통적인 예산 원칙과 현대적 예산 원칙이 있다.

---

107) ibid., pp. 318-320.

1. 전통적인 예산 원칙

전통적인 예산 원칙을 전개한 학자들 중 가장 대표적인 노이 말크(F. Neumark)의 예산 원칙은 다음과 같다.108)

1) 공개의 원칙

예산 심의, 의결 및 결산 등의 전 예산 과정이 공개되어야 한다는 원칙이다. 공개의 원칙은 전 교인들에게 신뢰감을 주며, 헌금에 대한 자세를 갖게 하며, 교회 활동에 대한 동기부여를 갖게 한다.

2) 명료의 원칙

예산은 교인들이 이해할 수 있도록 분명해야 한다. 예산을 주도하는 몇 사람만이 이해하는 예산이 되어서는 안 된다. 수입의 출처와 지출의 용도가 분명하게 자세하게 표시되어야 한다.

3) 사전 결의의 원칙

예산은 집행되는 회계연도의 개시 전에 사무총회(또는 공동의회)에서 의결되어야 한다.

4) 엄밀의 원칙

예산과 결산이 일치해야 한다는 원칙이다. 예산은 집행과정에 따

---

108) 松野賢吾, 「財務論」(東京 : 千會書房, 1969), p. 31. 박용치, 「현대 행정학 원론」, pp. 854-856.

라 결산과 완전히 일치하기는 어렵다. 그러나 예산과 결산이 지나치게 차이가 생길 경우 예산의 사전 의결의 원칙에 위배된다. 따라서 예산과 결산이 지나치게 유리되지 않고, 잉여나 부족 현상이 생기지 않도록 예산과 결산이 원칙적으로 일치하도록 하여야 한다.

5) 한정성의 원칙

세출 예산의 각 항목은 서로 명확한 한계가 있어야 하며, 일정한 기간에 한정시켜 사용해야 한다는 것이다. 따라서 예산은 정해진 목적 외에는 사용할 수 없으며, 계상된 금액 이상으로 지출할 수 없으며, 회계연도를 경과할 수 없다. 그러나 이 원칙에도 예외가 있다. 예산의 목적 외 사용금지에 대한 예외로서는 예산의 이용·전용이 있고 초과지출 금지에 대한 예외로서 예비비가 있고, 회계연도 독립의 원칙에 대한 예외로서 예산의 이월·계속비·과년도 수입·과년도 지출 등이 있다.

6) 단일의 원칙

이 원칙은 예산은 전체적으로 단순해야 한다는 것이다. 예산의 형식이 많은 독립된 복수 예산으로 존재한다는 것은 예산 전체의 명료성이 상실되고 재정의 전체 규모를 파악할 수 없게 만든다. 이 원칙이 지켜지지 않는다면 예산 통제가 효율적으로 이루어지지 않는다.

7) 통일성의 원칙

통일성의 원칙은 특정한 수입을 특정한 지출과 바로 연결시켜서는 안 된다는 것이다. 교회의 모든 세입은 교회의 재정에 수납되고, 모든 세출은 교회재정에서 지출되어야 한다는 원칙이다. 사람들은 자신이 낸 헌금 명목대로 개인적으로 지출이 되기를 좋아하는 심리가 있다. 그러나 그렇게 개인적으로 지목해서 헌금을 하다 보면 교회 전체 재정관리가 합리적으로 이루어질 수 없다. 그러나 통일성의 원칙에 예외로서 특별회계와 목적세가 있다. 현재 우리나라의 목적세로는 국세에 교육세, 농어촌 특별세, 교통세가 있고, 지방세에는 도시 계획세, 소방공동시설세, 지역 개발세, 사업 소득세 등이 있다.

8) 완전성의 원칙

이것을 예산 총계주의 원칙이라 한다. 모든 수입 및 지출을 모두 예산에 편입시켜야 한다는 원칙이다. 이 원칙은 예산에 계상되어야 할 필요한 모든 지출과 수입을 은폐하거나 고의로 누락시키는 행위를 금지한다. 교회 예산에 문제가 되는 것은 각 기관의 사역자들이 자신의 개인적인 재정을 사용하고 회계 처리를 않아 교회 전체 재정의 입장에서 숨은 경비가 되어 예산 규모를 파악할 수 없게 되는 것이다.

2. 현대적인 예산 원칙

위와 같은 전통적 예산 원칙은 예산의 통제적 기능이 강조되던 때의 원칙이며, 예산의 통제적 원칙이 완전히 사라진 것은 아니지만 예산의 관리적 기능, 계획적 기능 등이 강조되면서 수정된 예산 원칙이 나오게 되었다.[109] 이러한 수정이 필요한 이유는 행정 기능의 확대, 목회 리더십의 강화 등으로 교회 예산의 원칙은 국가

---

109) 유훈, 「재무행정론」(서울 : 법문사, 2000), pp. 113.

예산과 비슷하게 그 원칙이 변화되었다.110)

미국의 예산국장을 지낸 Harold D. Smith는 전통적 예산의 원칙을 비판하고 통제지향의 예산 원칙을 비판하면서 관리지향의 예산을 주장하였다. Smith의 예산 원칙은 다음과 같다.111)

1) 계획의 원칙

예산안은 행정 활동에 대한 사업계획을 반영하는 것이어야 한다는 원칙이다. 예산과 계획은 표리관계에 있으며, 행정 수반의 정책의지를 나타내는 것이다. 따라서 예산 편성과 계획은 행정 최고 책임자가, 즉 담임목사의 감독 아래 행해 져야 한다는 원칙이다.

2) 책임의 원칙

정부가 예산을 경제적으로 운영해야 한다는 원칙이다. 예산이라는 것은 국회가 정부에 대하여 자금 지출의 권한을 부여한 것에 불과하기 때문이다. 이런 점에서 목회자나 사역자의 예산 집행이 중요한 것을 보여준다.

3) 보고의 원칙

예산 과정의 모든 행위가 각 부서의 재정보고와 업무보고를 기초로 집행해야 한다는 것이다.

---

110) ibid., pp.118-120.
111) Harold D. Smith, *The Management of Your Government*(New York : McGraw-Hill, 1945), pp. 84-85, 90-94.

4) 수단 구비의 원칙

예산을 효과적으로 활용하기 위하여 적절한 행정상의 수단을 구비하여야 한다는 원칙이다. 예비비와는 별도로 비상시를 대비한 준비금 제도를 마련해야 한다는 것이다.

5) 다원적 절차의 원칙

예산 운영의 효과성을 높이기 위하여 사업별로 예산 절차를 달리해야 한다는 원칙이다. 현대의 행정 활동은 사업의 목적·종류 등에 있어서 매우 다양하므로 일반적 행정 활동, 장기 개발사업, 기업적활동 등 다원적인 예산 절차가 필요하다. 교회에서도 특별 건축을위한 예산, 선교를 위한 예산 등의 별도의 예산 절차가 필요하다.

6) 행정부 재량의 원칙

총괄 예산으로 결정된 예산에 집행부서의 재량권을 많이 주어야한다는 원칙이다.

7) 시기 신축성의 원칙

장기 사업에 관한 예산을 의회(교회에서는 사무총회, 또는 공동의회)가 의결해주고, 그 집행 시기는 경제 사정의 변동에 따라 행정부가 결정하도록 해야 한다는 원칙이다.

8) 상호 교류 적 예산 기구의 원칙

예산 집행 시 부서 간의 상호 교류 및 정보 교환의 관계에 있어서 적극적인 협조가 잘 이루어져야 한다는 원칙이다.

3. 양 원칙의 조화

입법부 우위론적인 전통적 예산 원칙은 통제 지향적인 원칙인 데반해, 행정 국가론적인 현대적인 예산 원칙은 행정 목적의 효율적 달성을 위한 관리 지향적 원칙이라 할 수 있다. 따라서 양자는 대립할 수밖에 없다. 그러나 양자 모두 공동체를 위한 의미가 있기에 상호 보완·조화를 이루어야 할 것이다.

F. 예산의 종류112)

1. 회계 단위에 따른 종류

1) 일반회계 예산

일반회계 예산은 특정한 것을 제외한 일반적 활동에 대한 총세입·총세출을 망라하여 편성한 예산이다. 교회에서 일반 예산이라함은 1년간 총수입과 총지출이 포함된 것을 말한다. 대체적으로 교회의 기본적인 경상비를 말한다.

2) 특별회계 예산

특별회계 예산은 특정한 목적으로 한 세입과 세출을 말한다. 교회에서 특별회계 예산이라 함은 건축헌금, 선교헌금, 목적 헌금 등이

---

112) 박용치,「현대 행정학 원론」, pp. 870-877. 황성철, 「교회정치 행정학」, pp. 322-325. 참조.

다. 특별회계 예산은 일반회계 예산과는 별도로 운영한다.

2. 예산안의 제안 성격에 따른 종류

1) 본 예산

본 예산은 교회가 회계연도 최초로 성립시킨 정규 예산이다. 일반적으로 국가 정부는 회계연도마다 예산안을 편성하고 회계연도 개시 90일 전까지 국회에 제출하고, 회계연도 30일 전까지 이를 의결하여야 한다.

2) 수정 예산

수정 예산은 예산을 편성하여 통과시키기 전에 부득이한 여러 사정으로 인하여 변경하지 않으면 안 되는 경우에 수정안을 제출하는 경우이다. 수정 예산은 예산 금액의 감소, 예산 목적의 변경, 예산 총칙의 변경 등 예산 전반에 걸친 수정을 의미한다. 그러나 예산의 수정은 예산 금액의 합계를 증가시키지 못한다.

3) 추가 경정 예산

예산이 통과된 이후 이미 성립한 예산에 변경을 가할 필요가 있을 때 편성하는 예산이다. 갑작스러운 목회 계획의 변경이나 행사의 확대 등으로 인해 불가피하게 수정하는 예산이다.

3. 예산 불성립 시 조치 수단에 따른 종류

회계연도 개시 일까지 공동의회에 의결되지 못하였을 때에 무 예산 상태를 방지하기 위한 특별 조치이다.

1) 잠정 예산

회계연도 개시 일부터 최초의 수 개월분의 일정 금액의 예산을 경상비에서 지출을 허가하는 예산이다. 보통 1/4분기 예산을 잠정적으로 편성한다.

2) 가 예산

부득이한 사정으로 회계연도 개시 전에 의결되지 못하였을 때 예산을 의결할 때까지 미리 1개월분 예산만 의결하여 집행하도록 해주는 예산을 말한다.

3) 준예산

현재 우리나라의 준예산은 예산안이 회계연도 개시 일까지 국회를 통과하지 못하였을 때 사용하는 제도이다. 이때 전년도에 준하여 집행하는 예산을 말한다.

4. 비상시에 따른 종류

1) 신임 예산

예산이 정상적인 절차대로 하지 못하는 경우이다. 신임 예산 제도는 영국과 캐나다에서 채택하고 있는 제도로서 의회는 총액만 결정하고, 그 예산의 구체적인 용도는 행정부가 결정하여 지출하도록 하는 제도이다. 전시 등 비상시에는 지출을 요하는 항목이나 금액을 예측할 수 없을 뿐만 아니라, 수시로 필요로 하는 신규 사업을 위한 예산을 즉시로 마련하여야 하기 때문에 이러한 수요에 응하기 위해서 신임 예산 제도를 마련하게 된 것이다.

2) 예산 초과 지출의 승인

정상적인 예산 절차의 예외를 두는 또 하나의 제도로서 영국에서 사용되고 있다. 회계연도가 거의 끝나갈 무렵 추경 예산으로는 예산의 집행이 절차상 너무 늦을 경우 회계연도가 끝나고 초과지출 행위가 끝난 다음 하원에서 추인받는 예산 제도이다.

5. 예산 제도에 따른 종류

1) 품목별 예산

품목별 예산이란 교회 안에 발생되는 품목의 종류에 따라 예산을 편성하는 제도를 말한다. 품목별 예산의 주된 요소는 1) 기관별 예산 2) 기관의 운영과 행정 작용에 소요되는 품목의 나열 3) 소요경비와 그 품목별 내용의 금전적 표시라 할 수 있다.[113] 이것은 지출 예산의 대상과 성질에 따라 분류하는 방법으로서 선교비, 전도비, 교육비, 인건비, 출판비 등으로 나눈다.

2) 성과주의 예산

예산 과목을 기능·활동·사업계획으로 분류한 다음, 이에 따른 각 세부사업을 단위원가와 사무량으로 표시·편성하는 예산을 말한다.

---

113) Jesse Burkhead, *Government Budgeting* (New York : John Wiley, 1956), pp. 127-128.

예를 들어 교육비의 경우 학생 1인당 1년간 소요경비가 1만 원이 든다 할 때 1백 명인 경우 1만 원×1백 명=1백만 원이 된다.114)

3) 계획 예산

장기적인 기획과 단기적인 예산을 결합시킴으로 자원 배분에 관한 의사결정을 합리적으로 행하기 위한 제도이다. 이 제도는 먼저 사업의 목표를 달성하기 위하여 최선의 대체 안을 선정하고 그 대안을 실현하기 위하여 수단과 절차를 적당한 기간에 걸쳐 설정하고, 이에 필요한 자원이나 비용을 계산하는 제도이다.

4) 영 기준 예산

행정 기관의 모든 사업·활동의 전 회계연도 예산을 고려하지 않은 영 기준을 적용하여 계속 사업·신규 사업을 막론하고 그 능률성·효과성과 사업의 계속·축소·확대 여부를 새로 분석·평가하고 사업의 우선순위를 결정하여 이에 따라 예산을 편성·결정하는 제도를 말한다. 과거의 실적에 구애받지 않고 새로운 관점에서 예산 편성을 하는 제도이다.

G. 예산의 과정115)

현대 일반 재정학의 연구 범위는 경비, 수입, 지출, 조세, 예산, 공채, 재정정책 분야로 이루어진다. 재무행정은 예산, 회계, 감사, 구매, 재산관리로 압축할 수 있다. 일반적으로 재무행정은 예산 과정이라 할 수 있다. 국가의 경우 어느 나라를 막론하고 회계연도는

---

114) 김정기, 「교회행정 신론」, p. 483.
115) 박용치, 「현대 행정학 원론」, pp. 940-983. 참조.

다르지만, 예산 과정은 거의 동일하다. 즉 1) 예산의 편성 2) 예산의 심의 3) 예산의 집행 4) 결산 5) 회계 감사의 주기를 반복한다. 우리나라의 경우 3년의 예산 주기를 가지고 있다. 교회도 대체로 이러한 과정을 밟는다고 볼 수 있다. 교회 재무행정의 과정은 예산의 편성 - 예산의 심의 - 예산의 집행 - 결산 - 감사의 과정을 거친다.[116]

1. 예산의 편성

예산 편성이라 함은 일정한 회계연도의 세입과 세출을 미리 계산하는 것을 말한다.

1) 예산 편성의 단계

교회에서 예산 편성은 보통 아래와 같은 단계를 거친다.

(1) 담임 목회자의 신년도 목회 방침에 따른 계획서 작성
(2) 당회에서 신년도 예산 편성 방침 결의(목회자의 목회 방침 및 목회 계획 반영)
(3) 예산 요구서 작성
각 기관, 교회학교 부서, 각 위원회의 신년도 예산 방침에 따른 사업계획서 및 예산 요구서 작성
(4) 예산 요구서의 접수 및 사정
당회, 직원회, 예산위원회에서 사정
(5) 예산안 시안 작성
당회, 직원회, 예산위원회에서 작성
(6) 예산서 결의

---

116) ibid., pp. 302-303.

사무총회에서 결의 확정

2) 예산 편성에 있어서 주의할 요소들

예산 편성 과정은 교회마다 상황이 다르겠지만 담임 목회자에게
는 상당한 스트레스의 요인이 된다. 당회, 직원회, 사무총회까지 심
의하고 결의하는 과정은 상당한 정치적 성격을 띠고 있기 때문이
다. 이런 과정에서 주의할 점들은 다음과 같다.

(1) 모든 예산 편성 과정에 반드시 예배가 들어가야 한다.
　　기도와 찬송, 말씀의 영적 시간은 교회 예산이 하나님의 뜻
에 의해 믿음으로 세워져야 함을 예시한다.
(2) 예산 편성은 합리적으로 세워져야 한다.
　　합리적 예산 편성은 수입과 지출의 균형을 맞추어야 하며, 지
출 부분에 있어서는 무리하거나 과도한 지출이 있어서는 안 되며,
적절하고 타당한 지출이 되어야 한다.
(3) 예산이 당회 및 예산위원회 중심의 산물이 되게 하지 말
것이다.
　　특정한 세력을 가진 사람들의 손에 편중된 예산이 되어서는
안 된다는 것이다. 예산 편성은 각 기관 및 부서, 교회학교, 각 위
원회의 의견들이 적절하게 고려되어야 한다.

2. 예산의 심의

예산안의 심의는 사무총회에서 한다. 물론 사무총회에서 의결하기
전에 이미 당회나 각 기관장, 부서장, 위원장 등과 협의와 조정이
이루어짐으로 심의 의결은 비교적 짧을 수 있다.

3. 예산의 집행

예산의 집행이란 교회의 수입과 지출에 관련된 모든 업무를 말한다. 예산의 집행은 예산에 의하여 정하여진 세입·세출뿐 아니라, 예산이 성립될 수 있는 모든 세입·세출을 포함한다. 사무총회에서 예산이 심의·확정되면 예산을 집행하게 된다. 예산 집행은 다음과 같은 원칙들이 고려되어야 한다.

1) 통제와 신축성의 원칙이다.
세워진 예산은 예산 집행에 있어서 지켜야 할 재정적 범위와 한계를 제시한 것이라 할 수 있다. 그러므로 예산의 목적 외 사용이나 초과지출은 원칙적으로 금지된다. 그러나 정세의 변동이나 경제 사정에 따라 신축성을 유지해야 한다. 이러한 원칙하에 효율적으로 예산을 사용할 수 있어야 한다는 원칙이다. 이러한 효율성은 예비비나 추가 예산의 긴급 배정 등을 통해 집행할 수 있다.

2) 예산과 사업계획은 표리관계에 있으므로 이 양자는 집행 최고 책임자의 직접 감독 아래 집행되어야 한다. 예산에 맞게 사업이 집행될 수 있도록 감독하여야 한다.

3) 예산의 집행에 있어서 각 기관은 사업계획이 예산 범위에서 가장 경제적으로 수행되도록 해야 한다.

4) 예산을 목적 외에 사용할 수 없다. 그런 일이 필요할 때는 당회장의 승인을 받아야 한다.

5) 예산 집행의 감독, 기록, 보고, 통제
재정부장, 또는 재정위원장은 예산 편성대로 균형을 유지하며,

감독하고 조정하는 역할을 한다.

6) 예산의 이월

예산은 원칙적으로 1년에 한하여 효력을 가지는 것이므로 연도 내의 미사용액은 잉여금으로 다음 회계연도에 세입이 되어 그 사용 목적에 관하여 다음 회계연도 예산에서 다시 의결을 거쳐 사용한다.

4. 결산

결산은 1년의 회계연도 동안의 교회의 수입·지출의 실적을 확정적 계수로서 표시하는 행위이며, 예산에 의해 수입·지출을 한 것의 사후적 재정보고를 의미한다. 예산은 교회재정이 집행되는 근거라면, 결산은 그 예산이 바르게 세워졌는가를 점검하는 계기가 된다. 결산은 예산을 편성하는 것 못지않은 중요한 사안(事案)이다. 그러므로 모든 지출 내역을 총괄하고 명료하게 작성하여 사무총회에 회부되어야 한다. 그리하여 편성된 예산이 바르게 집행되었음을 사무총회 회원들에게 인식시켜줄 의무가 있다. 결산은 예산이 잘 집행된 것에 대한 교인들의 평가를 받는다. 또한 결산은 다음 년도 예산의 재정 운영에 반영할 수 있는 기회가 될 수 있다.

5. 회계 감사

1) 회계 감사의 의의

회계 감사란 재정활동과 수입, 지출의 결말에 관한 사실을 확인 또는 검증하고 그 결과를 보고하기 위하여 장부와 기록을 체계적으로 검사하는 것을 말한다.

(1) 감사의 대상은 회계 기록이다.

(2) 감사는 장부에 기장한 자 이외의 제3자여야 한다.

(3) 감사는 부기 기록이 각 거래를 적절하게 해석하고 그 경제적·법률적 사실을 진실하게 표시하고 있다는 것을 입증하는 회계 기록의 정부(正否) 검증 절차이다.

(4) 감사는 회계 기록의 적부(適否)에 관한 비판적 검증이며, 검증의 결과에 대하여 감사의 의견을 표시해야 한다. 쉽게 말하면 지출의 합법성이다.

2) 회계 감사의 목적[117]

(1) 경비사용의 적정과 담당 직원의 선량한 관리자로서의 직무 수행을 확인하는 데 있다.

(2) 자금의 적정한 경리 여부 확인

(3) 재산 목록 등 특정 항목 확인

(4) 부정, 횡령 행위의 적발

3) 회계 감사의 과정

(1) 감사의 임명

감사는 일반적으로 당회에서 선임한다. 기독교대한성결교회 헌법 시행세칙 제10조에 의하면 2명의 감사를 선임한다. 미조직 교회는 직원회에서 선임한다고 하였다.

(2) 감사는 재정 사항과 사무 행정을 감사한 후 직원회에 보고한다.

(3) 직원회에서 통과된 감사의 보고서는 사무총회에 제출하여 감사가 보고를 하여 최종 의결을 거친다.

---

117) 손병호, 「교회행정학 원론」, p. 404.

H. 예산의 분류

예산은 일정한 기준에 따라 분류되어야만 그 성격을 밝힐 수 있으며, 교회 활동의 전반적인 내용을 알 수 있다. 따라서 예산의 내용이 되는 세입·세출을 정확히 파악하고 비교가 용이하도록 일정한 기준에 따라 유형별로 나누어 체계적으로 배열하는 것을 말한다. 일반적으로 예산 분류의 목적은 다음과 같다. 첫째, 사업계획의 수립 및 예산 심의를 용이하게 한다. 둘째, 예산 집행을 효율적으로 할 수 있다. 셋째, 예산의 분류는 징수·지출의 책임 한계를 명확히 하는 데 도움을 준다. 넷째, 예산 분류는 재정적인 안정이나 재정 자원의 개발을 위하여 도움을 준다. 예산의 분류는 다음과 같다.

1. 기능별 분류

세출에 관한 분류 방법으로서 정책 수립을 용이하게 하고, 예산 심의를 촉진 시키는 데 목적이 있다. 이 분류는 목회 활동에 대한 개략적인 정보를 성도들에게 제공하는 의미가 있다. 기능별 분류는 역할별 분류라 할 수 있다. 즉 역할별 이란 필요한 항목에 따라 예산을 편성하는 것으로서 한국교회에서 가장 많이 사용하고 있는 방법이다. 예배, 교육, 관리, 봉사, 행사, 전도, 선교, 건축 등을 위한 항목이다.

(표4- 기능별 예산 분류의 예)

기능별	내 역	금액
예배를 위한 경비	예배용 비품 구입비	
	예배용 자료 구입비	
	성례비	
	찬양대 유지비	
	예배 준비비	
교육을 위한 경비	교회학교 지원비	
	교육자료 구입비	
	교육환경 시설비	
	교육훈련비	
	교육 행사비	
행정을 위한 경비	사무실 유지비	
	문서비	
	인쇄비	
	접대비	
	사무실 인력 인건비	
전도를 위한 경비	전도 시설비	
	전도 용품 구입비	
	전도훈련비	
건축을 위한 경비	토지 구입비	
	설계비	
	시공비	
	각종 세금	
	합 계	

2. 품목별 분류

품목별 편성이란 교회 안에 발생되는 품목의 종류에 따라 예산을 편성하는 제도를 말한다. 품목별 항목으로 사용되는 내용을 소개하면 다음과 같다. 인건비, 공과금, 비품비 등이다.

3. 조직별 분류

조직별 분류는 교회 안의 남·여전도 회(혹은 선교회), 초, 중, 고 학생회, 각 위원회 별 예산을 편성하고 집행한다.

4. 사업계획 및 활동별 분류

위에서 설명한 기능별 분류를 세분화하면 사업계획별 분류가 되고, 이것을 다시 세분화하면 활동별 분류가 된다. 사업계획별 분류는 각 기관과 부서의 업무를 구체적으로 몇 개의 사업계획으로 나누어 예산을 배분하는 방법이다. 예를 들면 어느 기관에서 전교인 수련회를 주관하는데 그 행사에 필요한 사업계획 및 예산을 세우는 경우이다.

I. 재무행정의 조직

재정위원회(부, 이하 재정위원회)는 교회의 중추적 역할을 하는 기관이다. 그러므로 목사는 재정위원회의 조직을 임명함에 있어 심사숙고해야 할 것이다. 그리고 교회의 재정을 다루는 직분 자들은 신앙 성, 인격성, 정직성 등의 요소들을 골고루 갖춘 자로 선정하여야 한다.

그리고 목사는 재정위원회 위원들이 일할 수 있는 제도적 장치가 무엇보다도 시급하고 중요함을 인식해야 한다. 오늘날 교회재정에 사고가 나는 경우의 대부분이 은혜라는 명목 아래, 조직과 관리가 허술하기 때문에 일어나고 있음은 재무행정의 중요성과 심각성을 일깨워 주고 있다.

1. 중·대형 교회의 조직

목사는 자기가 시무하고 있는 교회가 중·대형 교회라면 재정위원회(부) 조직을 구성할 때 그 조직의 효율성과 활성화를 위하여 세부적으로 작성하여야 한다. 즉, 재정위원회의 총책임은 당회장(당연직)이 맡고 그 밑에 재정위원장, 재정부장, 회계, 재정부원으로 구성함이 적절하다. 그리고 재정위원장은 장로로, 재정부장은 안수집사로, 회계는 안수집사 또는 서리 집사로, 재정부원은 집사로 구성함이 가장 이상적이다.

2. 소형 교회의 조직
당회장, 재정부장, 재정 집사로 구성된다.

J. 헌금관리와 지출

헌금은 성도들이 신실한 믿음으로 하나님께 드린 귀한 물질이다. 그러므로 목사는 교회의 헌금을 관리함에 있어 청지기의 본분을 다하는 성실성을 보여야 한다. 왜냐하면, 현대 교회에서 가장 큰 문제로 대두되는 것이 목회자의 헌금관리에 있다 해도 과언이 아니기 때문이다. 그렇다면, 헌금관리와 지출은 어떻게 활용하는 것이 가장 적합한가?

1. 헌금관리

1) 주의할 사항

헌금관리는 재정위원회(재정부)의 가장 중요한 업무이다. 그러므로 헌금의 통계가 틀리거나, 분실하거나 하면 매우 복잡한 문제가 발생하게 된다. 그러므로 헌금의 올바른 관리는 통계의 정확성과 드려진 헌금의 내용을 정확하게 명시하는 것이 필요하다.

2) 헌금을 결산하는 장소

헌금은 그 중요성만큼이나 결산하는 장소도 중요하다. 만약 헌금을 결산하는 장소가 매 주일 바뀔 정도라면 심각한 문제를 일으킬 소재가 다분하다. 그러므로 헌금을 관리하는 장소는 반드시 일정한 곳으로 지정해야 한다.

뿐만 아니라 헌금의 집계를 위한 장소는 사람들의 눈에 잘 띄지 않는 곳이 적합하다. 그리고 헌금의 결산은 시작과 끝이 한 장소에서 이루어질 때 가장 효율적이다. 또 헌금의 결산은 집계표를 작성 후 이상이 없을 때 업무가 마무리되는 것이다.

3) 재정부의 헌금결산 부원

헌금의 집계는 재정부원에 한해서 정리하는 일에 동참하도록 해야 한다. 잡다한 일이 많다고 해서 아무나 거들도록 하지 말아야 한다. 특별히 집계하는 재정부원은 헌금 내역이 노출되지 않도록 해야 하며, 만약 노출시키는 부원이 있다면 이 일에 가담시키지 말아야 한다. 왜냐하면, 헌금의 집계는 교회의 흐름과 성도들의 신앙적 흐름을 한눈에 알 수 있는 것이기 때문이다. 그러므로 헌금의 집계 내역은 담당 재정부원들 외에 아무도 모르게 하는 것이 효율적이다.

4) 헌금정리의 동시성

헌금을 정리하는 재정부원들은 반드시 동시에 시작하고 동시에 끝나는 것을 원칙으로 삼아야 한다. 부원 혼자서 헌금함을 정리하는 일이 없도록 세심한 주의를 기울여야 할 것이다. 예를 들면, 헌금을 정리하는 동안은 화장실에도 가지 않을 정도의 세심한 주의를 기울여야 한다. 이와 같은 일들을 미리 정리한 후에 수전(收錢)에 동참시키는 것이 바람직하다.

5) 헌금집계를 위한 기도

헌금을 정리할 때에는 반드시 부원 중 한 사람이나 재정위원장(부장)이 대표로 기도하므로 시작하고, 헌금의 집계를 다 마친 후에도 기도로 마무리해야 한다. 왜냐하면, 헌금은 교회재정의 중심이기 때문이다. 그러므로 헌금집계에 참여하는 자들은 이 중요한 직무를 수행함에 있어 기도로 시작하고 기도로 마치는 자세를 가져야 한다.

6) 업무 분리

헌금의 통계를 위해서는 헌금을 확인하는 업무, 헌금을 장부로 정리하는 업무, 헌금을 지출하는 업무로 구분할 수 있는데, 이 세 가지의 업무를 한 사람이 통괄해서는 안 된다. 반드시 여러 명의 부원을 배치시켜 업무를 분류시켜야 한다. 왜냐하면, 사단은 언제, 어느 때에 가룟 인 유다와 같이 시험에 들게 할지 모르기 때문이다.

7) 목사의 할 일

목사는 재정부원들이 집계해 온 헌금의 통계를 놓고 교인들의 신앙상태를 점검하여야 한다. 예를 들면, 갑자기 헌금 액수가 늘어난 성도가 있다면 그 배경을 확인하여 은혜의 결실인지 확인할 필요가 있는 반면, 갑자기 헌금 액수가 줄어드는 성도가 있으면 그의 주변 환경에 어떤 변화가 있는지를 살펴서 신앙적 지도를 해야 할 필요가 있다.

그렇지 아니하고 다분히 헌금의 액수만 확인하고 관리하는 목사가 되면 교인들의 경제적 흐름을 바르게 이해하지 못하게 된다. 그렇게 될 때, 목사는 교인들의 기쁨과 슬픔을 바르게 이해할 수 없게 된다.

2. 지출(支出)

1) 관련자들의 결재가 있어야 한다.
2) 반드시 서류로 신청해야 한다.
3) 미리 신청해야 한다.
4) 큰 액수는 지출이 가능한지 사전에 협의되어야 한다.
5) 영수증을 받아야 한다.
6) 집행의 신속성이 있어야 한다.
7) 모든 재정의 집행권자는 목사이다.

K. 임금 책정

교회에서 인건비를 받는 사람은 목회자와 일반 직원이다. 목회자는 담임목사, 부 교역자이다. 일반 직원은 사무행정직, 관리직, 운전기사 등이다. 교회에서는 임금 책정에 대한 기본 규약을 갖고 있어야 한다.

1. 교역자

한국교회에서 교역자의 임금은 교회마다 천차만별이다. 교역자 임금은 지금까지 논란의 대상이다. 교역자 임금은 주는 자, 받는 자가 되어서는 안 된다. 헌금은 하나님의 것이지 교인들의 것이 아니다. 헌금은 교인들의 투자나 주식도 아니다. 되돌려 받을 수 있는 것이 아니다. 거액을 바쳤어도 그것은 이미 봉헌기도가 끝나면 자기 돈이 아니다. 헌금을 낸 자도 유세할 수 없다. 하나님의 것이기 때문이다.

1) 사례금 조정을 합리적으로 하라

지방회나 노회에서 합리적으로, 객관적으로 조정할 수 있다. 현재 감리교에서는 감리사가 지교회의 교역자 사례를 조정할 수 있는 권한을 가지고 있다. 개교회로 하면 예산에 합리적으로 조정을 하여야 한다. 작은 교회에서는 교역자 사례가 비중을 많이 차지할 수밖에 없다는 점도 고려해야 한다. 교역자의 직급, 근속 년수, 자녀의 수나 상황(학자금), 경제적 여건에 따라 적절하게 책정될 수 있어야 한다.

2) 사대보험(국민연금, 건강보험, 고용보험, 산재보험)을 보장해야 한다.

작은 교회에서는 사례비만 해도 벅찰 수 있기 때문에 사대보험까지는 어려울 수 있다. 그러나 목회자의 생활에 위급한 상황이 올 수도 있기 때문에 가급적 사대보험을 들어주어야 한다. 그리고 교단의 연금도 책정해 주어야 한다.

3) 은퇴 후에도 은급이 나가게 한다.

교역자는 교단에서 교단 연금에 가입을 하여야 하며, 지교회에서는 퇴직 연금이나 은퇴 후 고정적으로 받을 수 있는 연금에 대한 계획을 세워야 한다.

2. 일반 직원

교회의 일반 직원들도 인건비뿐 아니라 사대보험, 퇴직금 등을 책정해 주어야 한다. 목회자 역시 성직을 섬기는 자이지만, 일반 직원들도 똑같은 성직을 섬기는 분들이기 때문에 소홀해서는 안 된다.

Ⅶ. 리더십

교회행정에 있어 리더십은 목회자의 리더십과 평신도의 리더십이다. 목회자의 리더십은 교회행정에 있어 가장 중요한 부분이다. 목회자의 리더십은 행정을 이루어나가는 설계도나 마찬가지이다. 좋은 설계도가 되어야 훌륭한 집이 세워지듯이 교회행정의 목적과 목표 방향, 비전수립은 교회를 바르게 성장할 수 있게 한다. 자동차로 말하면 운전자가 있어야 자동차는 활용된다. 운전자는 행정을 인도하는 지도자이며 목회자이다. 교회행정은 자동차를 완벽하게 만드는 것처럼 완벽하게 준비되어야 한다. 여기에 목회자의 완벽한 리더십이 필요하다. 목회자의 리더십은 비전수립의 정책 결정 부분도 포함하지만, 관리 및 경영의 행정의 전반을 주관한다. 평신도 리더십은 목회자의 리더십에 조정되고 통제를 받는다.

이처럼 교회행정에 있어 아주 중요한 리더십은 오늘날 많은 위기에 처해 있다. 그것은 교회 안에서 리더십을 발휘해야 할 목회자나 평신도의 리더십이 많은 손상을 입고 있다. 자신의 연약함, 부족함 때문이기도 하겠지만 거센 세속의 여파가 참된 리더십을 이루지 못하고 있다. 한때 카리스마적 리더십이나 롤 모델적인 리더십을 발휘했던 거목들의 리더십이 추풍낙엽처럼 쓰러지는 경우가 종종 일어나는 상황이 오늘의 현실이다. 특히 포스트모던 시대로 접어들면서는 더더욱 리더십을 발휘하는 것이 어렵게 된 현실이다.

A. 리더십의 정의

리더십이란 조직의 목표 달성을 위해 구성원들에 대하여 영향력을 행사하는 과정으로서, 리더가(Leader) 추종자(Follower)에게 영향력을 행사하고, 추종자가 행동할 수 있는 동기부여를 받아 행동할 수 있게 하는 능력(Empowerment)을 말한다. 이 능력은 팔로우가 역동적으로 또는 진취적으로 활동하게 하는 능력을 말한다.

앨런 케이스(Alan Keith)는 "리더십은 궁극으로, 대단한 일을 일으키는 데에 사람들이 공헌할 수 있게 하는 방법을 만들어내는 데 대한 것이다."라고 정의한다.118)

B. 리더십의 종류119)

1. 거래적 리더십(transactional leadership. give & take)

지도자가 구성원에게 일정한 거래 조건을 제시하는 방법으로 구성원에게 동기를 부여하는 방식으로 한 지도력이다. 거래적 리더십은 처음 1947년에 Max Weber에 의해 설명되었고, 1981년에 Bernard Bass에 의해 보충되었다. 거래적 리더십은 매니저/경영자들이 주로 이용하며 통제, 조직(화), 단기계획 과정 등의 기본 관리 과정에 주목한다. 거래적 리더십 이론을 이용한 유명한 리더로는 De Gaulle을 들 수 있다.

거래적 리더십은 주로 사람들의 사리추구를 자극함을 통해 동기부여와 조직원 관리를 해낸다. 거래적 리더는 보상과 처벌을 통한 동기부여 가능하다고 믿는다. 만약 직원이 리더의 요구대로 해내면 보상이 따르고, 만약 리더의 요구대로 해내지 못하면 처벌이 따른다.

---

118) 위키백과 지도력.
119) ibid., 리더십.

거래적 리더십은 '규칙을 따르는' 의무에 관계되어 있기 때문에 거래적 리더들은 변화를 촉진하기보다 조직의 안정을 유지하는 것을 중시한다. 거래적 리더십은 위기와 응급상황에 효과적이고 명확한 방향이 설정된 프로젝트를 진행할 때 효율적이다. 하지만 뚜렷한 한계점 때문에 현대사회에서는 효율적이지 못하며 이러한 단점을 보완하여 나온 이론이 변혁적 리더십이다.

2. 카리스마적 리더십

지도자가 가지는 인간다운 매력, 외모, 분위기 등을 이용하여 부하를 복종시키는 방법으로써 통솔하는 지도력이다. 성경적으로 카리스마 리더십은 태어난 것일 수 있고 개발되어질 수 있는 것으로 생각된다.

1947년 독일 사회학자 Max Weber가 카리스마의 개념을 처음 소개하였고, 이후 많은 사회학자, 정치학자들이 카리스마 리더십에 대해 많은 관심을 가지고 연구하기 시작했다. 베버는 카리스마를 '한 개인이 보통사람들로부터 구분되는 어떤 자질, 초자연적이거나 초인간적인, 아니면 어떤 예외적인 힘이나 능력을 부여받았다고 인정되는 개인특성의 어떤 자질이다'라고 정의하였다. 그에 따르면, 모든 사회에는 그 사회를 지배하는 힘이 존재하는데, 그 힘은 다수에 의해 합의된 안정된 것이다. 대중은 그 힘을 따르는 것을 의무라고 느껴 자발적으로 복종하게 된다. 이러한 복종의 원천은 바로 권한에 있다. 권한은 보편적인 가치체계를 지닌 사람들이 이의 이용을 합법적으로 허락하는 경우에 발생된다. 조직의 구성원들이 권한이 올바르게 사용된다는 믿음을 공유하거나 이에 대한 판단을 유보하면서 자발적으로 복종하려 할 때 구성원들이 공유하는 보편적인 가치체계는 권한사용의 기반을 제공해준다고 볼 수 있다.

3. 변혁적 리더십(Transactionl)

변환적(전환적)리더십 이론'이라고도 한다. 지도자가 부하들에게 기대되는 비전을 제시하고 그 비전 달성을 위해 함께 힘쓸 것을 호소하여 부하들의 가치관과 태도의 변화를 통해 성과를 이끌어내려는 지도력에 관한 이론이다.

변혁적 리더십 이론은 종래의 모든 리더십 이론을 거래적 리더십 이론이라고 비판하면서 등장한 이론이다. 즉, 지도자가 제시한 조직목표를 구성원들이 성취하면 그것에 따른 보상을 주는 목표 달성과 보상을 서로 거래(교환)하는 현상을 리더십으로 보는 입장이 거래적 리더십 이론이다.

급변하는 기업환경의 변화 속에서 기업이 생존하기 위해선 구성원으로부터 조직에 대한 강한 일체감, 적극적 참여, 기대 이상의 성과를 달성할 수 있는 동기유발을 자극할 수 있는 새로운 리더십이 요구되었다. 이에 따라 1980년대 미국 기업들이 성공적인 리더들을 따라 하기 시작했다. 이러한 변화의 맥락 속에서 새로운 리더십의 새로운 패러다임을 만들어내기 위해 1978년 James MacGregor Burns가 처음으로 변혁적 리더십을 이론적으로 제안하였고 1985년 Bernard M. Bass에 의해 진일보하였다.

Burns는 그의 저서 'Leadership'에서 정치적 지도자들의 리더십을 연구하는 과정에서 초점을 리더와 구성원 간의 관계에 맞춘 것이다. 권력의 행사라고 인식되는 기존의 리더십을 구성원의 수요와 욕구를 만족시키는 과정이라고 생각을 바꾸기 시작한 것이다. Burns는 Maslow의 욕구계층이론과 Kohlberg의 도덕적 발전이론을 결합하여 변혁적 리더십의 동기유발수준과 도덕 수준을 형성하였고, 변혁적 리더십은 이런 도구 역할을 해야 한다고 제시하였다. 변혁적 리더는 부하들에게 높은 기대를 갖고 확신에 찬 행동을 보여주며, 또한 개인적 배려를 통하여 그의 부하들 나아가서는 조직까지는 변화시킬 수 있다고 한다.

변혁적 리더십이란, 관리자가 조직의 목표를 달성하기 위해 종사원들에게 최대한 자율권을 부여하여 종사원 스스로가 열심히 근무하게 하는 리더십이며, 신뢰와 믿음을 바탕으로 이루어지는 리더십이기에 종사원들에게 조직의 미래에 대한 비전과 자신감을 끊임없이 불어넣어 자신감 있게 근무할 수 있게 하는 리더십이다. 또한, 조직목표를 달성하게 하기 위해서 종사원들에게 업무에 대한 이해력을 향상시켜 문제해결 능력을 키우게 하고 관리자가 종사원들 개개인의 장점과 단점을 파악하여 세심하게 배려해주기에 열심히 근무하게 하는 리더십이다. 따라서 변혁적 리더십은 관리자의 리더십에 따라 종사자들의 조직 시민 행동, 직무 만족에 영향을 미친다.

1) 변혁적 리더십의 구성 요소[120]

변혁적 리더십은 카리스마(charisma), 지적 자극(intellectual stimulation), 개별적 배려(individualized consideration), 영감적 동기(inspiration motivation)등의 요인들로 구성되어 있다(Bass, 1985; Avolio & Howell, 1992; Bass & Avolio, 1990, 1993, 1996).

Bass(1954)의 초기는 영감적 동기가 카리스마에 포함되지 않았으나, Bass & Avolio(1990)는 이후 여러 번의 연구 과정을 거쳐 수정하고 개발하여 '영감적 동기' 요소를 추가하여 변혁적 리더십의 구성요인을 카리스마, 지적 자극, 개별적 배려, 영감적 동기로 구분하였다. 카리스마, 지적 자극, 개별적 배려, 영감적 동기로 구

---

120)
https://m.blog.naver.com/PostView.naver?isHttpsRedirect=true&blogId=syhahm&logNo=90076144755. 함석열 나뭇군 네이버 블로그 참조.

분된 유형의 변혁적 리더는 큰 변화를 이룩해야 할 책무를 수행하는 리더로서 변화를 성공적으로 이루기 위하여는 추종자들로 하여금 정상의 노력과 헌신을 이끌어 낼 수 있어야 한다.

(1) 카리스마(charisma)

카리스마는 남들이 갖고 있지 못한 천부적인 특성, 또는 사람의 마음을 끄는 개인적인 독특한 힘 등으로 정의되는 카리스마는 변혁적 리더십의 핵심 요인으로 부하가 리더에 대하여 어떻게 인식하고 행동하는가 하는 측면을 나타내고 있다. 그러므로 매력 있는 변혁적 리더는 비전과 사명을 선포함으로써 부하들이 리더를 존경하고 신뢰성을 가지며, 자신감을 가지고, 리더와 자신들을 동일시하도록 해 준다. 이러한 리더는 비전에 의하여 부하들을 각성시킨다.

Weber(1947)는 카리스마에 대한 설명에서 비범한 재능이 있는 사람, 위기상황, 위기상황에서의 합리적인 해결책, 비범한 인물을 통해서 큰 권력(power)을 얻는다고 믿으면서 비범한 인물에 매력을 갖는 추종자들, 계속 성공하는 사람의 재능과 우월성의 확인 등이 있어야 한다고 하였다.

일반적으로 카리스마적 리더는 조직의 모든 계층에서 발견되고 있지만 중·하위 계층보다는 최고 계층에서 많이 나타난다는 사실이 Avolio(1990)의 MLQ(multipactor leadership questionnaire) 조사에서 발견되었다. 특히 노동력, 시장경쟁, 기술 등의 급격한 변화에 대비하려는 조직체에서 질서와 방향을 제시하는 카리스마적 리더십은 계급제도와 대체할 수도 있고, 상호작용하는 팀과 조직을 이용함으로써 관료적인 경직성을 피하는 역할을 제공할 수도 있다.

Williner(1984)는 카리스마적 리더란 태어날 때부터의 초인적인 자질을 가진 사람이라기보다는 부하에 의해 초인적인 자질을 가진 사람으로 자극되는 사람이라 하였다. 즉 카리스마적 리더는 리더 자신보다 추종자의 인식이 더욱 중요한 것임을 설명하고 있다.

변혁적 리더십의 여러 요인 중에서 가장 중요한 구성요인인 카리스마는 Weber(1947)나 House(1977), 그리고 Williner 등의 이론을 토대로 특히 House의 이론을 중심적으로 발전시켜 Bass(1989)가 정교화시킨 이론이다.

Bass(1990a)는 House(1977)의 카리스마적 리더십에 관한 실증연구에서도 부하의 만족도를 높이는 가장 효과적인 리더십 유형으로 카리스마를 보고하였다. 카리스마가 변혁적 리더십의 중요한 요소라고 주장하는 Bass는 그의 이론에서, 카리스마적 리더들은 고도의 자신감, 자신의 신념에 대한 강한 확신, 사람들에게 영향력을 행사하려고 하는 강한 권력 욕구를 가지고 있을 가능성이 크다고 하였다. 즉 카리스마를 지닌 리더는 진정하게 중요한 것이 무엇인지 이해하는 능력, 기업의 사명을 효과적으로 표현할 수 있는 감각, 부하에게 제시할 비전 등의 요소를 가지고 있는 리더는 일체감이라는 강한 감정과 미움과 사랑의 감정을 이끌어냄으로써 그들이 창조하는 의미와 이미지를 통하여 기대를 높이고 흥분을 불러일으킨다고 주장하였다. 즉 강한 권력 욕구를 가진 리더는 부하들을 설득하고 부하들의 행동에 영향을 주게 만든다는 것이다.

Bass(1990a)는 카리스마적 리더들은 부하로 하여금 할당된 직무에 몰입하도록 만들고, 조직에 대하여 충성심을 지니게 하며, 모든 부하들로부터 존경을 받고, 조직에 필요한 것이 무엇인지 파악할 수 있는 재능과 조직에 대한 사명감을 가지고 있는 사람이라고 정의하고 있다.

Bass & Avolio(1993)는 카리스마적 리더의 특성으로 자신감, 자기 결단력, 변혁능력, 내적 갈등의 해결능력을 제시하고 있다. 카리스마를 지닌 리더는 자신감을 가지고 영향력을 행사하려 하며, 월등한 의사소통의 기술을 갖고 있으며, 명확한 목표를 제시하며, 성공한 사람이라는 인상을 심어주고 행동을 강조하며, 제시된 사명을 달성하도록 부하들을 동기부여 시키는 능력을 가지고 있다는 것이다.

또한 Bass & Yokochi(1991)는 카리스마적 리더는 자신감, 충성심, 목적의식과 부하들이 품고 있는 목표와 이상을 확실히 표명할 수 있고 능력을 발휘할 수 있는 자질을 갖춘 재능 있고 존경받는 인물로 설명하고 있다.

Bass(1990b)는 카리스마를 변혁적 리더십의 필수조건으로 보고 리더의 내적 방향 설정 능력, 자신감, 야망, 그리고 사명감 등을 조직에 의해 적절하게 제어하지 못하면 오히려 조직에 부정적인 결과를 초래 할 수 있음을 들어 충분조건은 아니라고 했다.

사회지향적인 카리스마는 부하의 자율성을 고취시키며 높은 성과를 달성하도록 하고, 부하의 발전을 고무시키며, 비전과 사명을 내면화하도록 한다. 이러한 리더들은 부하의 잠재력을 가장 높은 수준으로 개발하여 자신을 대체하는 리더로 성장시키는 위험을 감수한다.

(2) 개별적 배려(individualized consideration)

개별적 배려는 리더가 부하 개개인이 가지고 있는 욕구의 차이를 인정하여 그들이 가지고 있는 욕구 수준을 보다 높은 수준으로 끌어올리며, 부하가 더 높은 수준을 올릴 수 있도록 잠재력을 개발하기 위하여 일대일의 관계를 전제로 이루어지는 리더의 행동이다. 즉 리더가 부하의 발전 욕구를 이해하고 공유함으로써 각각의 부하들을 능력에 따라 독특하게 개별적으로 다르게 다루는 것을 의미한다.

부하와 일대일의 관계를 통하여 피드백과 팔로우 업(follow-up)을 제공한다. 이러한 피드백과 팔로우업은 조직 사명의 달성과 개인의 현재 욕구를 연결하고, 시간과 조건이 적절한 경우 현재의 욕구를 상향 조정함으로써 개인의 욕구와 조직의 필요를 합치시킨다. 개인의 능력이 개발되면 권한의 위임과 책임 수준을 증가함으로써 부하들의 자신감을 향상시킨다. 이러한 개별적 배려는 리더가 자기를 인정하고 존중해 주며 자기의 욕구를 이해하고 만족시켜 주는 상대에게 반응하고 추종한다. 때문에 추종자 개인에 대한 관심과 애정은 리더의 발전 지향성에 영향을 미치는 것임으로 추종자의 차별화와 개별적 배려는 훌륭한 변혁적 리더의 조건이다.

(3) 지적 자극(intellectual stimulation)

지적 자극은 새로운 아이디어를 부하에게 제시함으로 문제에 대한 이해와 해결능력을 증대시키는 것을 말한다. 리더에 의한 지적 자극의 결과 부하는 미래에 직면하게 될 문제를 스스로 해결할 수 있는 능력을 개발하고, 부하가 스스로 생각하도록 격려함으로써 부하는 스스로 문제를 해결하는 능력을 배우게 된다. 또한 지적 자극은 기존의 사고방식과 관습에서 벗어나 새로운 방식으로 문제에 접근하도록 부하들을 동기유발 시키며 기존의 문제에 대한 원인 규명을 통하여 합리적인 해결방법을 찾을 수 있도록 전문적 지식을 활용할 수 있어야 한다.

Quinn & Hall(1983)은 합리성, 실존주의, 경험주의, 이상주의 등 리더 자신의 개인적인 선호에 따라 4가지 유형의 지적 자극의 차이를 제공할 수 있다고 다음과 같이 주장하였다.

첫째, 합리성 지향적 지적 자극이다. 논리적, 분석적 사고 능력을 향상시키는 데 중점을 둔다. 문제해결이나 의사결정과정에서 논리적 추론, 분석을 강조한다. 비판적 사고의 추론적 기술을 향상시킨다.

둘째, 실존 지향적 지적 자극이다. 인간의 존재와 의미에 초점을 둔다. 자신의 삶과 인간 경험에 대해 깊이 생각하며 탐구하도록 유도한다. 자아 인식과 자기발견을 촉진한다. 이를 통해 삶의 의미, 가치 탐구, 성장을 꾀한다.

셋째, 경험 지향적 지적 자극이다. 이는 경험적 전문가는 안전 보호, 안정, 연속성의 증진에 관심을 갖는다. 이런 리더는 보수적이고, 부하의 지적 자극에 대하여 조심스럽다. 실제 경험, 실험, 학습을 하게 한다. 현실 세계에 보다 더 잘 적응시키게 한다. 실용적 기술, 경험을 하게 한다.

넷째, 이상 지향적 지적 자극이다. 이는 이상주의적 지도자는 성장, 적응학습, 인지적 목표, 다양성, 창의성에 관심을 갖는다. 이상적 목표, 이상을 추구하는 데 중점을 둔다. 높은 목표를 설정하고, 그것을 달성하도록 격려한다. 열정과 동기유발을 일으켜 성취하게 한다. 미래의 비전, 꿈을 추구하게 하고, 긍정적 태도와 자신감, 성공적 삶을 이끌게 한다.

변혁적 리더는 부하의 아이디어와 가치관에 지적 자극을 가함으로써 문제를 새로운 각도에서 바라보도록 한다. 부하는 자신의 신념, 가정(假定), 가치관 등에 의문을 갖도록 고무되며 경우에 따라서 리더에게도 의문을 갖거나 적용하도록 한다. 창의성을 부양시키고 문제해결을 위해 직관과 논리적 방식을 갖도록 함으로써 부하의 미래 문제에 대한 해결능력을 개발한다. 부하는 창의적이고 혁신적이 됨으로써 문제 해결 지향적인 학습을 하게 된다. 일련의 리더십의 행사에 의하여 리더가 부하의 잠재력을 개발하면 리더는 권력화되고 부하는 리더로 변화시킬 수 있다.

부하들의 지적 자극은 정서적 동질화로 정서적 자극을 유발함으로써 부하들은 조직과 자신들의 미래에 대한 희망과 리더와의 일체감을 형성하게 된다. 그러므로 지적 자극은 변혁을 도모하려는 리더가 추종자의 창의적 사고를 조장할 필요에 의해 부하들로 하여금 새로운 것에 대한 이해와 수용을 의미하기 때문에 리더는 지적인 면에서 계속 추종자를 자극하여야 한다.

(4) 영감적 동기(inspiration motivation)

영감적 동기는 리더의 매력적인 비전을 전달하고, 상징물을 사용하여 부하의 노력을 집중시키며, 적합한 행동의 모델이 되어주는 능력을 의미한다. 영감적 동기는 부하들 마음속에 미래 모델상으로 인식되고 그들이 나아가야 할 방향과 성취의 상징으로 여겨지게 만들어야 한다.

Bass(1989) 등은 리더가 부하들에게 영감적 동기를 불어넣기 위해서는 부하들에게 자신의 기대를 명확히 전달하고, 팀 정신을 창출하며, 자신의 일에 열정을 갖도록 해야 한다고 제안하였다(Bass, B. M & Avolio, B. J. 1990).

그러나 연구자들 중에는 카리스마의 영감적 동기요소가 유사한 점이 많기 때문에 영감적 동기를 카리스마의 하위요소로 보는 경우도 있다. Conger & Kanungo(1987a)는 카리스마의 리더의 특성으로써 조직이 달성하기 원하는 이상적인 목표와 비전을 가지고 있으며, 공유된 비전의 달성을 위해서라면 개인적 위험과 자기희생을 무릅쓸 수 있으며 이를 통해 부하들로부터의 신뢰를 증가시킬 수 있으며, 비 습관적이고 예외적인 방법을 사용하여 기존의 질서를 초월하는 전문성을 발휘하며, 비전을 실현하고 혁신적 전략을 이용하는 영향을 미치는 환경적 요인들을 정확하게 평가할 수 있고 미래의 바람직하고 달성 가능한 비전을 제시하며, 주관적 행동과 자신감, 전문성, 부하들의 욕구에 대한 관심 등을 통해 부하들의 동기를 자극하고 지위세력(합법적, 강압적, 보상적 세력)이 아닌 개인의 독특한 세력(전문가적 및 준거적 세력)을 이용하여 부하들의 변화를 촉진하는 주역으로서 기능한다고 제안하였다. 이러한 Conger & Kanungo(1987b)의 설명에서도 카리스마 리더십의 특성으로서 리더의 카리스마와 영감적 동기요소가 함께 포함되어 있음을 알 수 있다.

그러나 Bass & Avolio (1990)는 카리스마적인 리더가 부하들로 하여금 행동적 모델링을 제공하거나 강한 동일시 등을 통해 영감적 동기를 갖도록 할 수 있지만, 카리스마가 없는 리더라 할지라도 부하들에게 비전을 전달하고 그것을 달성할 수 있다는 자신감을 심어줌으로써 영감적인 동기를 불어넣을 수 있다고 보아 카리스마와 영감적 동기를 분리하였다.

카리스마적 동기가 없어도 영감은 발생한다. 변화 주도적 리더는 공유목표와 무엇이 옳고 중요한지에 대한 상호 이해를 발표함으로써 부하들에게 영감을 제공한다. 또한 리더는 자극을 주는 이야기를 함으로써 부하들이 낙관주의적 사고와 비전을 제시하고 미래에 대한 열정을 갖도록 한다. 뿐만 아니라 획득 가능한 미래에 대한 비전을 유창하고 자신 있게 전달함으로써 보다 높은 수준의 성과 달성과 발전을 위한 에너지를 제공한다. 영감적 리더십에 의하여 리더는 부하들이 비전의 성취를 위하여 무엇을 해야 할 필요성과 의미를 향상시킨다. 즉 부하들은 리더의 능력과 판단을 믿고 따르기 때문에, 어떤 역경도 극복해 나갈 수 있다는 신념으로 상사와 공동체를 이루기 위해서 최선의 노력을 기울일 수 있게 해야 한다.

4. 서번트 리더십

거래적 리더십과 카리스마 리더십을 전통적 리더십이라 하면 변혁적 리더십과 서번트 리더십은 현대적 리더십이라 할 수 있겠다.

최근에 리더십 관련해서 자주 등장하는 리더십 모델 중의 하나인 서번트 리더십은 최근에 새로이 인정받고 인구에 회자되어 그렇지 사실 1970년대 후반에 처음으로 제기되었고 한동안 경영학계에서

별다른 주목을 받지 못하다가 1996년 4월 미국의 경영 관련 서적 전문출판사인 Jossey-Bass『On Becoming a Servant - Leader』를 출간한 것을 계기로 많은 경영학자들이 새롭게 관심을 갖게 된 리더십 모델 중 하나이다.

서번트 리더십(servant leadership)이란 구성원에게 목표를 공유하고 구성원들의 성장을 도모하면서, 리더와 구성원간의 신뢰를 형성시켜 궁극적으로 조직성과를 달성하게 하는 리더십이다. 서번트 리더십은 리더가 구성원을 섬기는 자세로 그들의 성장 및 발전을 돕고 조직목표 달성에 구성원 스스로 기여하도록 만든다.

그린리프(Greenleaf)는 1970년에 "The Servant as Leader"를 출간했다. 이 책에서 그는 최고의 리더는 하인, 즉 조직원들을 첫 번째로 생각하고 서번트 리더를 위한 핵심 도구는 경청, 설득, 직관과 통찰력, 언어 사용, 그리고 결과의 실제적인 측정이라고 주장했다. Greenleaf(1970)는 리더를 다른 사람에게 봉사하는 하인(servant)으로 생각하고, 구성원을 섬김의 대상으로 보아 명령과 통제로 일관하는 자기중심적 리더가 아닌 신뢰와 믿음을 바탕으로 개방적인 가치관을 지닌 리더로 보았다. 따라서 그는 서번트 리더십을 '타인을 위한 봉사에 초점을 두며, 종업원, 고객 및 공동체를 우선으로 여기고 그들의 욕구를 만족시키기 위해 헌신하는 리더십'이라고 정의하였다.

Schwartz(1991)는 서번트 리더십을 조직과 구성원의 목표가 균형을 이루는 가운데 구성원 각자를 팀 리더의 일부로 봄으로써 자율성과 공동체 의식, 주인의식을 갖도록 내재적인 의미를 부여하여 지시보다는 조언과 대화를 중요한 관리 도구로 사용하고, 구성원의 일체화와 공감대 형성을 통하여 조직의 목표를 달성하는 리더십이라 정의하였다.

Spears(1995)는 서번트 리더십을 모든 사람의 존엄성과 가치에 대한 믿음을 가지고 리더의 권력은 부하로부터 기인한다는 민주주의 원칙에 입각한 리더십이라고 정의한 바 있다.

서번트 리더십의 특성은 인내, 친절, 겸손, 존중, 무욕, 용서, 정직, 헌신, 타인의 욕구충족, 권위(자신의 개인적 영향력을 통해 타인이 자신의 의도대로 기꺼이 행동하도록 하는 기술). 권위는 권력과는 다르다. 권력은 '타인의 선택 여부와 상관없이 자신의 지위나 힘을 이용하여 타인이 자신의 의도대로 행동하도록 강요 또는 강제하는 능력이다.

1) 카리스마 리더십과 서번트 리더십 비교

카리스마 리더십은 리더 중심의 카리스마와 구성원들에 대한 자극 및 강력한 동기부여를 통하여 리더십이 발생한다. 리더가 존경심과 신뢰감 있는 모습으로 구성원들로 하여금 따르고 싶은 마음이 들게 하며, 구성원들에 대한 개별적 고려와 피드백을 통한 조직적 성장이 이루어지도록 유도한다. 그리고 이러한 개별적 성장은 결국 조직의 성과를 달성케 하는 특징을 갖는다. 반면, 서번트 리더십은 구성원에 대한 존중 및 배려, 경청 및 관계성을 중심으로 리더십이 발생한다. 서번트 리더는 소통과 헌신을 통하여 구성원들의 요구가 공동체에 반영되도록 노력함으로써 리더와 구성원 모두가 성장함을 추구하기에 폭넓은 다양성에 열려 있다.

(표5 - 카리스마적 리더십과 서번트 리더십 비교)

House(1970)의 카리스마적 리더십 모델과 Greenleaf(1991)의 서번트 리더십 모델

항목	카리스마 리더십	서번트 리더십
리더의	강한 우월감	섬세한 경청자

특징	강한 자신감	봉사자로서의 자각
	신념에 대한 확신	배우고자 하는 열정
	권력 욕구	헌신
리더의 행동	역할모형화	사랑의 가치를 우선시
	이미지 구축	솔선수범
	명확한 목표 제시	개인보다는 공동체 강조
	높은 기대전달 및 신뢰 표출	리더십 공유
	선별적 동기유발 및 자극	신뢰 관계를 통한 자발적 참여
리더십 효과	자발적 복종	자율성과 공동선
	성과 향상	도덕적 발전
	리더와 동일시	다양성에 개방

2) 카리스마적 리더십과 변혁적 리더십 비교

카리스마적 리더십은 추종자들과 지도자 간의 강력한 정서적 유대가 중요하고, 종종 추종자들에게 비전보다는 리더 자신에게 충성과 헌신을 보이도록 요구한다. 그 결과 나약하고 의존적인 추종자를 산출하는 경우가 있다.

반면에 변혁적 리더십은 추종자들이 개인적 이해를 버리고 조직 전체의 이익을 위해 전력하도록 유도한다. 변혁적 지도자들도 카리스마를 갖고 있지만 약간의 차이를 보인다. 지도 과정에서 감정에 의존하기보다 자유, 평등, 인본주의와 같은 가치에 호소하며, 저차원 욕구에 사로잡힌 추종자들이 고차원 욕구를 갖도록 한다. 이 과정에서 추종자들의 의식, 태도, 가치관 혁신을 추구하며, 합법적 권력이나 규칙, 전통 등을 강조하는 카리스마적, 관료적 권한체계와는 다른 성격을 보인다.

3) 변혁적 리더십과 서번트 리더십의 비교

(1) 리더의 역할

서번트 리더는 구성원에 대한 봉사를 기반으로 구성원의 만족, 성장, 봉사의 몰입, 사회적 개선 등 정신적인 것을 생성하는 문화를 구축하는 것을 목표로 한다. 구성원에게 선을 제공하고 구성원들에게 최선인 것을 실행하므로 공동선을 추구한다.

변혁적 리더는 조직의 목표를 향한 구성원의 고취하여 목표와의 일치 노력의 증가, 만족도, 조직이 얻는 생산성 등 역동적인 문화를 형성한다. 또한 조직에 선을 제공하고 조직의 사명을 수행하기 위한 의지와 열정에 대한 동기부여를 한다.

(2) 구성원들의 반응

현명하고 자유롭고 자율적인 사람이 되는 것이 서번트 리더십이 이끄는 구성원의 모습이다. 리더의 섬김을 모방하여 상호 관계적인 힘을 만들어 낼 수 있다.

변혁적 리더십이 이끌어내는 구성원은 조직의 목표를 추구하는 것에 초점을 둔다. 고양된 동기와 추가적인 노력을 통해서 이러한 결과를 이끌어 낸다.

(3) 리더의 카리스마

서번트 리더는 겸손과 정신적인 통찰력을 밑바탕에 두고 섬김에 초점을 둔 삶의 방식의 실행과 비전을 가지고 있으며 이를 통해 구성원의 자율성과 도덕적 발전, 구성원과 조직의 공동선 강화를 이끌어낸다.

변혁적 리더는 리더 훈련과 기술을 가지고 구성원들을 변화시켜 리더 혹은 조직의 목표 달성, 구성원의 개인적 발전을 이끌어 낸다. 구성원을 영감으로 고취시킨다.

5. 코칭 리더십

코칭 리더십은 최근에 유행되는 리더십이다. 운동 경기의 지도자를 코치(coach)라 부른다. 그리고 코치와 함께 팀 전체를 지도하는 코치를 감독(Head coach)라 한다. 코칭은 운동 경기뿐 아니라 모든 면에 적용된다. 오늘날 교회의 담임목회자 역시 코칭 지도자이다.

코칭은 지도자보다 지도를 받는 상대방의 입장을 우선한다. 코칭은 코칭을 받는 사람(이하 코치이 - coachee)의 잠재력을 최대한 끌어올리는 데 도움을 준다. 지도자의 카리스마적 관계가 아니라 섬김의 자세에서 비롯된다. 이런 면에서 코칭 리더십은 서번트 리더십과 맥을 같이 한다. 또한 코칭은 코치이의 부정적인 측면보다는 긍정적인 면을 고려하며, 과거보다 현재와 미래의 발전을 도모한다.

1) 코칭의 개념

코칭은 원래 마차나 철도 등의 객차 등에 쓰인 단어이다. 코치라는 말은 사람을 실어 나르는 개 썰매에서 유래되었다. 헝가리의 콕스(kocs)라는 도시에서 처음으로 여러 사람을 태우는 마차를 만들었는데 이 마차가 전 유럽에 퍼져서 콕시(kocsi), 또는 콕지(kotdzi)라고 불리게 되었다. 영국에서 이것을 코치(coach)라 불렀다.[121]

---

121) 정진우, 「코칭 리더십」교보문고 e-book (서울:아시아 코치센터,

코칭은 카운슬링, 멘토링, 컨설팅, 티칭, 트레이닝 등의 개념과 유사하게 사용되고 있다.[122]

(1) 카운슬링과 코칭

일반적으로 카운슬링은 상담으로 심리학적인 기술과 교양을 말한다. 상담은 과거의 문제를 치료하고 해결해주는 데 초점을 두는 반면, 코칭은 기본적으로 건강한 상태에 있으면서 성장과 변화의 동기를 가진 사람들을 위한 것이다. 상담은 사람의 심리에 집중하는 데 비해 코칭은 사람의 행동을 성숙하게 하는 데 초점을 둔다. 코칭은 드러난 행동에 미래지향적으로 스스로 발전하도록 돕는다.

(2) 멘토링과 코칭

멘토링과 코칭은 많은 유사점이 있다. 둘 다 일대일의 관계를 가지며, 변화와 진보에 초점을 두는 성장 지향적인 관계이다. 서로 유사하게 보이지만 멘토링은 학습자에게 지식과 정보를 제공하는 데 초점을 두는 반면, 코칭은 사람들이 어떻게 성장하고 변화하는지에 대한 기본적인 원리들을 삶의 모든 영역에 제공하는 데 중점을 둔다. 또한 멘토링은 멘토가 상위 개념으로 작용하지만, 코칭은 서로 동등한 관계로 생각한다.

(3) 컨설팅과 코칭

컨설팅이란 전문 지식을 가진 사람이 상담과 자문에 응해 상황을 듣고 분석해 대안을 제시하는 것이다. 컨설팅 전문가 즉, 컨설턴트는 내담자를 향해 방향을 가르쳐주고, 어떤 행동을 취해야 할지를 제시하고 인도하는 역할을 한다. 반면에 코칭은 코치이의 입장에서 그의 잠재력을 발견하고 그것을 최대한 발휘할 수 있도록 돕는 역

2005), pp. 23-24.
122) ibid., pp. 15-22.

할을 한다. 컨설팅에 있어 문제 해결자는 컨설턴트이지만, 코칭에 있어서 문제 해결자는 코치이이다.

(4) 티칭과 코칭

 티칭은 가르치는 것이다. 전통적으로 티칭은 정해진 학습 내용을 전달하거나 강의하는 것을 말한다. 티칭은 주로 지식 전달에 있으나 코칭은 인격과 일에 관한 기술을 개발하고 발전시키는 것이다. 티칭은 책임의식이 적지만 코칭은 상호의존과 상호 책임을 지고 목표를 이룰 때까지 도와주고 훈련하는 것이다.

(5) 트레이닝과 코칭

트레이닝은 목표를 정해놓고 그것을 이루기까지 신체를 반복하고 습관이 되게 해서 목표에 이르게 하는 것이다. 코칭은 인간의 신체보다는 전반적인 능력에 집중한다. 코칭은 인격적인 발달과 함께 특정한 일을 잘하게 하기 위해 인간관계의 기술을 개발한다. 트레이닝은 잠재력을 길러주는 것이지만 코칭은 잠재된 능력을 발견하는 것이다. 트레이닝은 반복된 훈련으로 습관을 기르고 감각을 발달시키는 면에서 코칭과 관련이 있다. 코칭은 신체, 정신, 마음, 재정적 영역 그리고 미래의 비전이 잡히도록 지도한다. 코칭은 포괄적이고 전인적이다.

2) 코칭의 원리

 코칭은 코치와 코치이와의 상호관계이다. 그러므로 코칭은 코치와 코치이가 존재해야 한다. 그리고 코치와 코치이는 공동의 목표를 향해 단계적이고 지속적인 대화를 나누며 상호 책임을 갖는다. 코칭은 다양한 형태의 대화가 이루어진다. 그러기 위해서는 시간과 장소가 필요하며 상호 간의 시간 약속과 신뢰가 형성되어야 한다.

그리고 문제해결을 위한 피드백을 가져야 한다.

(1) 기술/의지의 매트릭스

다음은 기술과 의지의 매트릭스에 의한 코칭의 원리에 대해 소개한다. 랜드버그는 코치 혹은 경영자에게 자신의 코칭과 경영 스타일을 고려하여 관리하고 있는 직원들이 수행하는 업무를 염두에 두고 이들의 기술과 의지에 맞추어 이끌 것을 제안한다.[123] 그는 이것을 기술/의지 매트릭스라고 부르는 데 문제의 특정 업무를 완수하려는 코치를 받는 사람의 의지와 기술에 근거해 코치 또는 매니저의 경영 스타일을 규명하는 방법이라고 정의한다. 그림으로 소개하면 아래와 같다.

(그림 - 3 의지와 기술의 매트릭스)

높은 의지	지 도	위 임
낮은 의지	지 시	격 려
	낮은 기술	높은 기술

---

123) 맥스 랜드버그, 김명렬역 「코칭 경영의 도」(서울: 푸른솔, 2003), p. 44.

기술은 코칭을 받는 사람이 자신의 역할을 수행할 수 있는 역량을 의미한다. 랜드버그에 의하면 기술은 훈련하여 숙달된 것, 경험한 것, 업무에 대한 이해도, 자신의 역할을 정확하게 인식하는 것 등을 포함한다. 의지는 일하고자 하는 마음을 의미한다. 랜드버그는 의지를 성취욕, 인센티브, 안전보장, 그리고 자신감에 따라 달라진다고 한다.

랜드버그는 기술/의지 매트릭스에 따른 코칭을 진행할 때 3단계 방법을 제시한다. 124) 1단계는 코칭을 받는 사람의 기술과 의지를 진단하는 단계이다. 코치가 코치를 받는 사람과의 인터뷰에서 직관적으로 탐색하고 기술과 의지의 높낮이를 분석할 수 있다. 2단계는 매트릭스를 이용하여 적절한 상호작용 스타일을 확인하는 단계이다. 코치를 받는 사람의 의지와 기술에 따라 적절한 코칭 기술을 선택한다. 코치는 기술/의지 매트릭스에 따른 네 가지 코칭 방법을 미리 알고 있어야 하며, 활용할만한 역량을 갖추고 있어야 한다. 3단계는 어떤 이유로 어떤 스타일을 사용할 것인지 코치를 받는 사람과 합의하는 단계이다. 코치가 분석한 바를 말할 수 있으나 먼저 질문으로 코치를 받는 사람이 스스로 기술과 의지의 높낮이를 말하게 한다. 그리고 코치가 탐색한 바를 피드백하여 서로 일치하는 점에 코칭 유형을 합의한다.

매트릭스 각 부분에 대해 소개하면 다음과 같다.125)

지시는 기술과 의지가 모두 낮은 사람에게 적용하는 것이다. 코칭은 엄격한 통제와 명확한 규칙, 시간의 제한 등으로 세밀하게 감독할 수 있다. 지시에 있어서 가장 먼저 해야 할 일은 의지를 형성시키는 것이다. 비전에 대한 그림과 함께 그리고 동기를 부여한다. 그다음에 기술을 발전시켜야 한다. 결과를 얻기 위해 일을 분담하

---

124) ibid., p. 45.
125) 정진우, 「코칭 리더십」, pp. 37-39.

고, 생활 습관을 바꾸기 위해 코치와 함께 훈련한다. 마지막으로 의지를 지속시켜야 한다. 습관과 일 처리에 대한 피드백을 제공하고 칭찬하며 부족한 점을 개선 시켜 준다.

- 먼저 의지를 형성시킨다.
- 브리핑을 제공한다.
- 동기부여를 확인한다.
- 미래에 대한 비전을 개발한다.
- 그다음 기술을 발전시킨다.
- "빠른 승리"를 달성하도록 일을 분담한다.
- 코치와 함께 훈련을 실시한다.
- 다음 의지를 유지시킨다.
- 피드백을 자주 제공한다.
- 칭찬하고 교육한다.

지도는 기술은 낮지만, 의지가 높은 사람에게 적용하는 코칭의 방식이다. 의지가 높으므로 기술을 향상시키기 위해 코칭의 에너지를 집중할 수 있다. 초기에는 기술 습득을 위한 시간을 가져야 한다. 같은 관심사에 관해 코치와 훈련을 가지고, 코치는 코치를 받는 사람을 이끌어준다. 훈련 과정에서 위험 부담이 적은 일을 먼저 해 보고, 경험이나 실수를 통한 학습을 유도할 수 있다. 그리고 기술에 대한 진전이 보일 때 좀 더 정확한 기술을 훈련하도록 수정 작업을 진행할 수 있다.

- 초기에 시간을 투자한다.
- 코치와 훈련을 실시한다.
- 질문에 대답하고 설명한다.
- 위험 부담이 없는 환경을 조성해 초기 "실수"와 학습을 유도한다.
- 진전이 보일 때 통제한다.

격려는 기술은 높지만, 의지가 낮을 때 적용하는 방법이다. 우선 의지가 낮은 이유를 찾고, 그에 대한 동기를 부여해야 한다. 코치를 받는 사람의 사고방식과 생활 습관 등을 모니터링 하고, 그에 대한 피드백을 제공해 의지를 높인다.

· 의지가 낮은 이유를 찾는다(예를 들어 일, 라이프 스타일, 개인적 요인 등)
· 동기를 부여한다.
· 모니터링하고 피드백을 제공한다.

위임은 기술도 높고 의지도 높은 사람에게 적용하는 코칭 방법이다. 이런 사람은 통제보다는 재량을 부여해야 한다. 목표는 설정하되 방법은 스스로 결정하게 한다. 일과 결과에 대한 칭찬은 하되 무관심하면 안 된다. 그리고 코칭의 코치를 받는 사람이 책임을 지도록 격려할 수 있다.

코치이가 의사결정에 스스로 참여해서 생각하는 바를 말하게 한다. 이 경우 적절한 위험부담을 감수해야 한다. 과잉관리를 피하고, 앞으로 전진할 수 있도록 다른 일들도 제시해 본다.

· 일을 수행하는 데 있어서 재량을 부여한다.
  - 목표는 설정하되 방법은 스스로 결정하게 한다.
  - 칭찬하고 무관심하지 말라.
· 코치를 받는 이가 책임을 지도록 격려한다.
  - 의사결정에 참여시킨다.
  - 생각하는 바를 이야기하도록 격려한다.
· 적절한 위험 부담을 감수한다.
  - 보다 확장된 일을 시킨다.
  - 과잉관리를 하지 않는다.

(2) Grow 시스템[126)

코치는 코치이를 자라게 하는 것이다. 이때 Grow라는 4가지 단계를 사용할 수 있는데 이것을 서포트 시스템(Support System)라고도 한다.

Goal(목표) - 인생에 있어서 도달하고자 하는 목적지다.
구체적 목표를 정하게 한다. (주제와 목적의 합의 단계. 코치와 코치이가 이야기함)
ex) 당신의 목표는 무엇인가? 그 일을 성취하기 위해서는 무엇을 시도해야 하는가?
Reality(실재) - 목표를 이루기 위해 취해야 할 방법은 무엇인가?
　　　　　　　　(구체적인 사례 등을 수집한다)
ex) 오늘날의 상황에서 실제 하는 것은 무엇인가? 무엇이 성취되었는가?
Option(대안) - 방법을 취하여 선택해야 할 요소들은 무엇인가?
　　　　　　　　대안을 제시하고 그중에서 선택한다.
ex) 당신이 가진 요소는 무엇인가? 요소들을 투입하라
Will(의지)/Warp-up(결론) - 언제 실행할 것인가?
　　　　　일정표를 작성. 계획을 실행할 때 발생할 수 있는 장애물을 확인해둔다.
ex) 무엇을 할 수 있는가? 다음 단계는 무엇인가?

< 이 단계에서 참고할 사항 >
- 이야기보다는 질문을 많이 사용한다.
- 코치이로부터 유용한 아이디어를 끌어낸다.
- 코치 자신이 뛰어나다는 점을 증명하려 해서는 안 된다.
- 대안과 결론 단계에서는 "체계적"이고 "창조적"으로 생각해야 한다.

---

126) ibid., pp. 41-43.

- 코치와 코치이가 경험한 구체적 사례를 이용해 설명하고 이해를 점검하라.

3) 코칭의 주요 기술[127]

(1) 질문기법
코칭에서는 여러 가지 기법들이 있다. 그중 대표적인 것은 "질문기법"이다.
- 코치는 질문을 통해서 상대방의 의사와 마음을 확인할 수 있다.
- 코치이에게 구체적이고 새로운 방향과 보다 나은 방향을 생각하게 한다.
- 질문을 받는 사람은 대답을 해야 하고 대답하기 위해 생각한다.
- 코치이의 생각을 자극한다.
- 코칭에서 질문은 강력한 힘을 가진다. 코치이가 생각을 바꿀 수도 있기 때문이다.
- 습관이 바뀌면 인생이 바뀐다.
- 코치이의 습관과 삶을 바꾸는 강력한 힘을 가진다.

* 좋은 질문의 특성
- 이해하기 쉽다.
- 3분 안에 간단하게 대답할 수 있다.
- 침묵하지 않고 생각을 요구한다.
- 감정과 사실을 스스로 드러낼 수 있게 한다.
- 반영하고 집중하도록 격려한다.

---

127) ibid., pp. 88-117.

* 질문을 위한 준비
 - 좋은 코치는 질문을 준비하는데 많은 시간을 보낸다.
 - 코치는 질문을 적어보고 그 질문들의 영역을 정할 수 있다. 또한 그 중요성에 따라 차근차근 질문할 수 있다.
 - 코치는 질문하고 대답을 경청할 준비를 해야 한다.
 - 경청 없이 질문을 하면 마치 심문을 받는 느낌을 주고 코칭이 잘 이루어지지 않는다.

* 질문의 종류 (4가지 형태)
 확대 질문 - 상대방의 능력과 가능성을 확대한다는 의미
  주어진 주제나 문제에 대해 보다 넓은 관점에서 생각하도록 유도하는 질문이다. 예를 들면 "그 문제를 해결하기 위한 다른 방법은 없을까요?" 라는 질문이 확대될 수 있다. 이렇게 하면 문제의 다양한 측면을 고려하고 새로운 아이디어를 찾을 수 있게 한다.
  미래 질문 - 미래형의 단어가 포함되어 있다. 미래의 가능성을 상상하거나 예측해보도록 하는 질문이다. 예를 들면, "5년 후에는 어떤 변화가 일어날까요?" 라는 질문을 통해 미래를 상상해볼 수 있으며, 이는 창의적인 아이디어나 전략을 개발하는 데 도움이 될 수 있다.
  긍정 질문 - 긍정적 의미가 포함됨으로 밝은 느낌을 가진다. 부정적인 상황보다는 긍정적인 면을 강조하는 질문이다. 예를 들면, "어떻게 하면 그 문제를 해결할 수 있을까요?" 대신 "어떤 방법으로 그 문제를 극복할 수 있을까요?" 라고 묻는 것이다. 이렇게 함으로써 긍정적인 태도를 유지하고 해결책을 찾는데 집중할 수 있다.
  열린 질문 - 생각을 자극하고 스스로 답을 찾을 수 있도록 돕는 질문이다. 예를 들면, "왜 그렇게 생각하는지 설명해 주시겠어요?" 이 질문은 상대방이 왜 그런 결정을 내렸는지 이유를 듣고자 하는

의도를 나타내는 것이다. 상대방의 의견을 존중하고 이해하려는 의도가 담겨 있다. 이런 종류의 질문은 대화를 더욱 풍부하게 만들고 서로의 관점을 이해하는 데 도움을 준다.

(3) 경청기법

경청기법은 대화에 있어서 듣기 방법과 관련된 기술이다. 질문기법이 코치이의 긍정적 대답과 성공 가능성을 이끌어 낼 수 있는지가 관건이라면, 경청은 어떻게 들어야 코치이의 성공 가능성을 높여 줄 수 있을지가 관건이다. 코칭에서 이야기를 듣는 태도는 3단계로 나눌 수 있다. 1단계는 귀로 듣는다. 2단계는 입으로 듣는다. 3단계는 마음으로 듣는다. 세 단계 모두 이야기를 듣는 단계이지만 단계에 따라 코치이에게 미치는 영향이 크다. 1단계의 귀로 듣는 단계는 코치이의 이야기가 코치의 귀로만 들리는 경우이다. 2단계의 입으로 듣는 단계는 코치이에게 적극적으로 질문하여 이야기를 듣는 경우이다. 3단계는 가장 이상적인 단계로 마음으로 듣는 단계이다. 코치이의 가능성과 잠재력을 최대한 발휘할 수 있도록 마음으로 귀 기울여 듣는 것이다.

C. 리더십의 유형[128)]

지도자 개인의 리더십은 차이가 있다. 리더십이 유형에 따라 조직에 미치는 영향이 다르다. 어떤 리더십은 강한 반발을 야기시키고, 어떤 리더십은 조직에 활력을 주고 생산성을 준다.

일반적으로 알려진 리더십의 유형은 1940년대 말에 연구된 세 가지 유형의 지도력이다. 이 유형은 화이트(Ralph White)와 리피

---

128) 황성철, 「교회 정치행정학」, pp. 222-231. 참조.

트(Ronald Lippitt)가 주장했다.129)

1. 권위 형

권위 형의 리더십은 모든 조직의 결정을 단독으로 하고 모든 실행 과정에서 지시적으로 명령한다. 특징은 권한의 집중과 피라미드식 권력형 구조이다. 이 유형의 지도자는 따르는 자들의 능력이나 의사와는 관계없이 일방적으로 결정하며, 따르는 자들도 지도자의 결정의 내용에 관계없이 집행만 한다.

권위형의 지도자는 권한과 책임을 따르는 자들에게 분배하지 않고 항상 지배자로 군림한다. 이 유형의 지도자는 공정성을 상실하고 편견을 가지고 사람과 업무를 평가하기 쉽다. 따르는 자들을 수동적으로 지도자에게 종속된 인간으로 이해한다. 그러므로 일반적 결정과 복종에 대한 강요는 오히려 지도자에 대한 적개심을 충동하게 된다.
이런 유형은 독재적 관료주의 형이라 할 수 있다. 독재적 관료주의 형은 행정이 정치와 하나가 된 형태이다. 관료가 정치와 행정의 권한을 동시에 갖는 독재형이다. 이러한 독재형은 신성한 교회가 갖는 영적 특수성 때문에 일어날 수 있다. 카리스마적 리더십이 이런 유형에 속한다 할 수 있다. 카리스마 리더십은 지도자의 특별한 은사와 능력에 좌우된다. 카리스마 리더십은 태어나는 것이 거의 지배적이다. 물론 후천적으로 개발된 리더십도 있다. 권위형의 카

---

129) Ralph White & Ronald Lippitt, *"Leadership Behavior and Member Reaction in Three Social Climate"*, in Cartwright and Zander, ed., *Group Dynamics*(Evanston : Row, Peterson and Co., 1953), pp. 585-611. 이성희, 「교회행정학」, op.cit., pp. 145-149 재인용.

리스마는 강력한 카리스마 리더십이 너무 독단적으로 흐를 경우에 생긴다.

2. 민주 형

민주 형의 리더십은 모든 정책을 조직구성원 전체의 토의를 통하여 결정하며, 지도자는 집단결의가 최대한의 효과를 얻을 수 있도록 용기를 북돋아 주고 협력자가 된다. 조직의 목표를 성취하기 위하여 지도자는 대안을 제시하여 주며, 조직구성원들에게 상당한 자유가 주어져 그들이 원하는 사람들과 함께 일할 수 있다.

특징은 구성원들로 하여금 참여하게 함으로 참여의식을 증진시킨다. 책임과 권한이 중앙 집권이 되지 않으므로 조직 구조가 분배가 되어 결과적으로 구성원들의 자율성과 책임성이 극대화되며 적극적 구성원이 된다.

이 유형은 변혁적 리더십의 유형이라 할 수 있다. 변혁적 리더십은 지도자가 구성원들에게 기대되는 비전을 제시하고 그 비전 달성을 위해 함께 힘쓸 것을 호소하여 구성원들의 가치관과 태도의 변화를 통해 성과를 이끌어내려는 지도력이다.

민주 형은 인간관계 중심적 참여와 자율성을 준다. 팀이나 동역자 의식으로 구성된 조직을 말한다. 그러나 너무 지나친 참여적 민주 형은 교회의 특수성에 비추어 볼 때 하나님의 목적에 어긋날 때도 있다. 때론 교회는 민주 형이 아닐 수 있다. 하나님의 뜻에 순종하여야 하는 영적 특수한 상황이 있기 때문이다.

3. 자유 방임형

지도자는 아무 역할을 하지 않는다. 구성원에게 자유행동을 극단적으로 허용하는 유형이다. 조직의 구심적 역할을 하는 지도자의 역할이 가장 소극적이다. 지나치게 지도자의 역할이 소극적이기 때문에 대로는 지도자가 없는 것으로 오인되기도 한다. 지도자는 구성원들에게 완전 위임하는 형태이다.

이런 경우에 조직 성원들의 윤리적 능력이나 업무의 수행능력이 조직이 추구하는 공동의 목표를 성취할 만큼 성숙하지 못하면 조직은 비효율적인 것이 된다. 지도자는 따르는 자들에게 하등의 통제나 강압을 하지 않기 때문에 조직의 구성원들이 이성적 판단과 성취 가능한 수행능력을 소유하지 못하면 비능률적인 지도력의 유형으로 비판을 받게 된다.

D. 현대 권장 목회 리더십

세상과 교회의 갈등을 치유하는 목회적 조정능력이 절실히 필요한 때이다. 다음에는 목회자가 가져야 할 리더십을 소개한다.

1. 변혁적 리더십

급변하는 세상 속에서 지도자는 창조적 변혁자로 구성원들과 함께 조직의 목표를 성취한다.

2. 강력한 영적 리더십

신정정치를 의미한다. 목회자는 깊은 기도와 말씀을 통해 감동을 받은 것을 제시(비전, 목회 계획, 프로그램, 목회 모든 과정)해야 한다. 성령 충만, 말씀 충만, 믿음 충만한 목회자가 되어야 한다. 목회자는 강력한 영적 카리스마를 소유한다. 성령의 권능과 은사, 말씀의 권능을 갖는다.

영적 리더 자는 일관성 있는 리더십을 가져야 한다.

1) 원칙 목회를 한다(성경적 원칙, 교단 헌법, 교회 자체 규정, 목회자 방침).
2) 단호한 어조를 유지한다(우유부단해서는 안됨). 끝까지 냉정함을 유지한다.
3) 끝까지 실행한다(탈락자가 있어도). 탈락자의 아픔, 도전을 인내할 수 있는 능력이 있어야 한다.
4) 스트레스를 잘 관리한다(인내가 너무 중요, 기도, 사랑과 용서, 문제 본질 파악, 대상자 입장 파악).

3. 감성 리더십

목회자는 교회 안에서의 목회자가 아니다. 세상 속에서의 목회자이기 때문에 세상 돌아가는 상황을 잘 알아야 한다. 이 시대는 포스트모더니즘 시대로 특히 감성의 시대이다. 목회자는 지성적인 면도 갖추어야 하지만 감성적인 면도 지녀야 한다. 세상 속에서 웃고, 울고 느끼는 감정으로 목회 리더십을 발휘해야 한다.

4. 서번트 리더십

현대에 요구되는 서번트 리더십은 바로 섬김과 봉사, 희생의 삶이다. 목회자는 성도들에게 이런 서번트 리더십을 가지고 본이 되어야 한다.

5. 융통성 리더십

목회자는 이 세상의 변화와 혁신에 적응해야 한다. 그러기에 세상을 잘 알아야 하며, 성도들의 상황 역시 잘 알아야 한다. 그래서 목회자는 첫째, 주님과 만남을 우선하며, 둘째, 성도들과의 교통을 하며(심방, 상담, 비전 공유, 교회행정 실행), 셋째, 세상 속에 세상과 함께 살아가는 법을 터득해야 한다. 여기에 목회자의 균형잡힌 융통성이 생길 수 있다.

융통성 리더 자는 다음과 같은 자세를 가져야 한다.

1) 원칙하에 갈등을 조절할 수 있는 다양성의 조절력이 있어야 한다.
2) 신앙은 보수, 성경적 입장, 그러나 배움은 열린 자세를 가져야 한다.
3) 여러 사람의 의견을 존중, 합의점을 도출해야 한다.
4) 유머러스한 얼굴, 자세가 필요하다(직원회 때 반대 발언 나와도 음성, 얼굴색, 태도 변하지 않을 수 있는 자세, 그러기 위해 반대 발언 한 사람 입장을 생각할 수 있어야 함).

6. 은사 리더십

은사 리더십은 목회자가 영적으로 갖는 은사 리더십이다. 목회자는 목회지도자로 다음의 능력을 갖추어야 한다.
1) 은혜롭고 감동적인 설교 능력
(1) 말 - 이야기식, 분석적, 상담 적, 예언적, 유머, 감성적, 날카롭고 무게 있는 말, 영성의 말로 설교할 수 있어야 한다.
(2) 얼굴 - 감정에 따라 얼굴을 변화시키는 능력이 있어야 한다.
(3) 자세 - 설교에 따라 제스처를 사용할 수 있는 능력이 있어야 한다.

2) 찬송의 능력

　　(1) 음악성, 영성, 가사를 보지 않고 부를 수 있는 능력이다.

　　(2) 메들리로 부를 수 있는 능력이다.

　　(3) 분위기에 따라 곡을 선정할 수 있는 능력(부르심, 회개, 결단, 파송 등)이다.

3) 가르치는 능력

　　(1) 자신의 인격을 나누는 훈련(영적, 인간적)이다.

　　(2) 정확한 지식을 전달할 수 있는 실력이다.

　　(3) 실행에 옮기게 할 수 있는 동기부여의 능력이다.

4) 추진력

　　영적 파워, 믿음, 분별력, 통찰력, 유머, 지혜, 인내로 인도한다.

5) 치유의 능력

　　영적, 육신, 정신 치유, 상담의 능력이다.

6) 전도의 능력

　　영성, 실력으로 어느 때나 어느 사람이나 전도할 수 있어야 한다.

7) 재정 능력

　　자체 재정으로 충분히 자립할 수 있어야 한다.

7. 동기부여 리더십

동기부여 리더십은 구성원들에게 동기를 부여하여 사기를 진작하고 조직의 효율성을 높이는 리더십이다. 동기부여 리더십은 여러 가지 이론이 있으므로 여기에서는 목회적 동기부여 리더십에 대해서만 간단히 다룬다.

1) 실행에 옮기기 전 대상자들에게 홍보, 설득(개인적으로, 때로는 집단적으로, 공개적으로)한다. 의사소통의 부분이다.
2) 갈등이 생겼을 때 갈등을 조절하는 능력이다. 합의 점 도출해야 한다.
3) 사전교육을 철저히 한다(비전, 목회 방침, 목회 철학, 목회 계획, 목회 규정, 교회정치, 각종 프로그램).

E. 예수 그리스도의 리더십

교회행정에 있어 최고 지도자는 예수 그리스도이다.

1. 예수 그리스도 리더십의 유형

1) 종의 리더십
예수 그리스도는 이 세상에 종으로 오셨다고 한다. "인자가 온 것은 섬김을 받으려 함이 아니라 도리어 섬기려 하고 자기 목숨을 많은 사람의 대속물로 주려 함이니라(막 10:45)". 종의 개념은 섬김, 복종, 희생이다. 오늘날 서번트 리더십의 모델이다.

2) 목자의 리더십

예수님은 "나는 선한 목자라 선한 목자는 양들을 위하여 목숨을 버리거니와"(요10:11) 하시며 목자로 오셨다고 친히 말씀하였다. 목자의 개념은 공동체를 이끌어 감, 공동체의 리더십, 공동체를 위해 희생, 공동체의 모범이다. 카리스마 리더십의 유형일 수도 있고, 변혁적 리더의 형태라 할 수도 있겠다.

예수 그리스도는 목자의 개념에 대해 다음과 같이 말씀하였다. 첫째, 목자는 양들을 잘 알아야 한다(요 10:4). 둘째, 목자는 양들을 보호하고 인도하며 풍성한 꼴을 먹여야 한다(요 10:10). 목자는 양들과 함께 거하면서 양들의 슬픔과 기쁨을 함께하며 그들의 고민을 들어주고, 필요를 채워주어야 한다. 셋째, 목자는 잃어버린 양에게 관심을 가져야 한다. 온 천하보다 귀한 한 영혼을 바라보는 눈이 있어야 한다(눅 15:4). 넷째, 목자는 양을 위해 목숨을 버릴 수 있어야 한다.

3) 청지기 리더십

청지기는 헬라어 '오이코노모스'인데 관리자란 뜻이다(눅 12:42). 신약 시대에는 부자들이 종들을 관리하고 집안일을 돌보기 위하여 관리인 즉 청지기를 고용했다. 청지기의 개념을 살펴보면 다음과 같다. 첫째, 위임자이다. 하나님께로부터 특별한 사명을 위임받은 자가 청지기이다. 둘째, 보호자이다. 청지기는 주인의 소유물을 잘 지키고 보호하는 경비 인이다. 셋째, 전달자이다. 복음의 말씀을 전달하는 사명자이다. 넷째, 관리자이다.

예수 그리스도는 하나님께 부여받은 위대한 사명 즉 복음 선교를 위해 청지기적 삶을 사셨다. 복음을 전파하고 양육하고 관리하고 보호하고 파송하는 청지기적 사명을 감당하셨다.

2. 예수 그리스도 리더십의 특성

1) 명령형

예수님의 리더십은 카리스마적 명령형이다. 제자들을 선택하였을 때 "나를 따르라", 병자를 고치실 때 "네 죄 사함을 받았으니 일어나 걸으라", 간음한 여인에게 "나도 너를 정치 아니하노니 가서 다시는 죄를 범치 말라", 복음 선포 명령을 내릴 때 "니희는 가서 모든 족속으로 제자를 삼아 ----- 가르쳐 지키게 하라" 말씀들은 모두가 명령형이다. 예수님은 명령형의 말씀을 통하여 카리스마적 리더십을 발휘하셨다.

2) 설득형

예수님은 수가 성 우물가에 물을 길으러 왔던 사마리아 여인을 만나 대화를 하였는데 그 대화는 상담과 설득의 대화였다. 예수님은 설득의 과정에 대화와 의사소통을 통해 설득을 하였다. 제자들이 서로 다투는 과정에서도 설득의 말씀을 하셨다.

3) 모범

예수님은 모든 삶에 제자들의 모범이 되셨다. 제자들과 함께 지내셨고 공유하셨으며 분여를 하셨다.

4) 위임

예수님은 제자들을 선택하셨을 뿐 아니라 그 제자들을 훈련시키시고, 세상 속에 사명자로 파송을 하셨다. 파송을 하실 때는 복음 전파의 권한을 위임하셨다.

F. 평신도의 리더십

목회자의 리더십은 정치의 리더십(정책 결정)이라 하면, 목회자의 정책을 집행하는 경영과 관리의 개념이다.

1. 섬김과 순종의 리더십이다.
2. 영성과 지성의 리더십을 가져야 한다(교회 일에 대해 영적이며 지적인 분석력, 통찰력)
3. 추진력, 관리력, 경영 행정 능력이 있어야 한다.
4. 의사소통 능력이 있어야 한다.
5. 친화의 능력을 갖추어야 한다.

G. 목회자의 리더십 개발

목회자는 영적 지도자로 끊임없는 자기개발이 필요하다. 다음은 목회자가 개발해야 될 요소이다.

1. 영적 파워

목회자는 영적 파워를 갖기 위해 다음의 습관을 실천해야 한다.
1) 셀프 예배(경건의 시간, 말씀과 기도)를 매일처럼 드려야 한다.
2) 늘 성령님의 인도를 받는 습관을 가져야 한다.
3) 성령의 은사를 받아야 한다.

2. 지성적 능력

목회자는 정보력, 전략가, 전문가, 뛰어난 감각(good sense), 통찰력(비전)을 가져야 한다.

3. 인격

목회자는 다음의 인격을 갖추어야 한다. 진실, 정직, 겸손, 열정, 봉사, 섬김, 거룩, 사랑, 결단력, 일정함, 평생 배움의 자세이다.

4. 건강

목회자 역시 사람이기에 목회를 하는 동안 건강관리에 힘을 써야한다. 목회자의 건강관리는 각종 스트레스를 다루는 법, 신체적 운동, 규칙적이고 건강한 식사 습관, 건강검진을 하여야 한다.

5. 멘토 링과 멘토

목회자는 멘토 링을 받을 수 있어야 하며, 본인 또한 멘토를 하는 자가 되어야 한다. 멘토 링의 과정은 지도자로서 지속적으로 활동할 수 있는 힘을 제공한다. 멘토 그룹, 같은 뜻, 같은 사역의 멘토 그룹, 네트워크 환경의 그룹, 멘토를 주고받는 그룹, 피드백의 그룹이 있다.

6. 커뮤니케이션(Communication) 능력

말하고, 듣고, 설득하고, 조언하고(상담, 컨설팅), 구성원들 간 연결의 능력(동기부여, 관계 회복의 능력), 위임하기(자기가 할 수 있는 일과 다른 사람이 할 수 있는 일을 분명히 구분한다). 이 과정에서 경청의 태도는 비움, 이해, 끼어들지 않기, 객관적 감정, 반영 (머리를 끄덕임), 존중의 자세가 있다.

H. 리더십 행정의 내용

1. 교회의 목적 설정

교회의 목적은 교회의 본질과 사명에 반영되어야 한다. 교회의 본질과 사명은 다음과 같다. (1) 예배 (2) 교육 (3) 친교 (4) 치유 (5) 봉사 (6) 증거이다. 이 중 가장 중요한 것은 증거이다. 증거는 전도 및 선교이다. 교회의 모든 기능은 전도하고 선교하는 일에 중심이 되어야 한다. 선교는 교회의 최종 목적이다.

2. 교회의 목표 설정

목표 설정은 목적을 기초로 한 교회의 비전이며 목회자의 목회철학이다. 개 교회가 실현 가능한 구체적인 목표를 설정한다. 목표설정은 개 교회의 상황을 분석해야 한다. 교회의 외부 환경과 내부상황을 파악해야 한다. 목표는 양적 질적 모두를 포함하는 유기체적 건강한 교회로의 목표를 설정해야 한다.

3. 교회의 목회 방침 설정

목회 방침은 목회 목표에 따른 세부 목회 원칙 및 규칙을 설정하는 것이다.

4. 정책 결정

정책 결정은 목회자의 비전 아래 당회원이나 기획위원회, 그리고 평신도 실무자들이 함께 모여서 각 분야의 정책을 결정한다. 정책

결정에 있어 몇 가지 유의점을 소개한다.130)

1) 스트레스 아래서 결정하지 말라. 뒤로 미루라
2) 순간적으로 충동에 의해 일시적인 즉흥적인 결정을 피하라.
경솔한 결정을 하지 마라.
3) 결정을 질질 끌지 말라.
4) 결정에 도움이 될 자를 상담하라.
5) 모든 일을 앞당겨 미리 걱정을 하지 말라
6) 잘못 결정할까 두려워 말라. 모든 결정에는 위험이 따른다.
믿음을 가져라.
7) 한번 결정하거든 끝까지 계속하라.

---

130) Harold Shapp, *Trained Man in Executive's*, Vol. 44.
No.3(March, 1975),

VIII. 동기부여

 조직 내에서 직무를 훌륭하게 수행할 수 있도록 의욕을 불러일으키는 것은 '동기부여'이다. 지도자의 능력이란 개인 혹은 공동체에 적절한 동기부여를 일으켜 직무를 효과적으로 수행하도록 하게 하는 것이다. 교회행정을 실행하는 과정에 있어서 동기부여는 지도력에 있어 매우 중요한 능력이다.

A. 동기부여의 이론131)

동기부여 이론에는 직무의 동기를 일으키는 내용을 중심으로 하는 '내용 이론'과, 과정에 중점을 두는 '과정이론'으로 나눌 수 있다.

1. 내용 이론

 내용 이론은 무엇이 사람들의 동기를 유발하는가에서 직무 동기를 찾으려는 입장이다. 조직 이론은 이제까지 인간의 욕구를 가장 중요한 동기 요인으로 보았다. 따라서 내용 이론을 욕구 이론이라고도 한다. 내용 이론은 인간이 어떤 욕구를 가졌으며 그 욕구를 자극하는 유인은 무엇인가를 밝히는 것이다. 욕구 이론은 인간관에 기초되어 있다. Edgar H. Schein은 인간모형을 중심으로 다음의 욕구 이론을 제시한다.132)

---

131) 김장대, 「교회행정학」 (서울: 도서출판 솔로몬, 1995), pp. 319-332. 황성철, 「교회 정치행정학」, pp.176-183. 참조
132) Edgar H. Schein, *Organizationl Psychology*(Englewood Cliffs : Prentice-Hall, 1980), p. 52.

1) 합리적 경제적 인간모형 욕구 이론

이 모형은 고전적 모형으로 F. Taylor의 과학적 관리론 등이 이 인간관에 기초하고 있다. 인간은 경제적 물질적 욕구를 지니고 있음으로 경제적 유인을 통해 동기를 유발시킬 수 있다고 본다. 인간은 외부에서 동기를 부여하지 않으면 행동하지 않는 피동적인 존재를 가정한다. 인간이 일하는 것은 자신의 쾌락과 경제적 이익을 위해 일하기 때문에 따라서 이러한 인간을 아주 타산적이며, 경제적이며 합리적이라고 본다. 이러한 모형에서의 직무 수행 방식은 인간을 강압적인 방법으로 다스려야 한다는 인간관리 전략이 나올 수밖에 없다.

2) 사회적 인간모형 욕구 이론

이 모형은 신고전적 모형으로서 인간 관계론에서 널리 수용하고 있는 모형이다. 사회적 인간은 경제성보다는 인간의 사회성에 의해 동기가 유발된다는 입장이다. 인간은 소속 집단에서의 귀속감, 다른 사람들로부터 인정과 존경 욕구, 애정, 호감 혹은 친밀감, 우정 등이 충족되었을 때 유발된다고 본다. 인간을 원자적 존재가 아니라 사회적 존재로 파악함으로 고전적 모형과 정면으로 대치된다. 이러한 모형은 E. Mayo의 인간관계론 연구를 통해 밝혀졌다. 이러한 모형은 강압적인 방법보다는 부드러운 인간관리 방식이 요구된다.

위의 두 모형은 서로 상반되면서도 욕구의 충족이 곧 직무 수행의 동기가 될 것이라는 전제, 동기부여가 밖에서 이루어진다는 점, 그리고 인간의 피동성을 전제로 하고 있다는 공통점이 있다.

3) 자기실현 인간모형 욕구 이론

현대에 가장 영향력이 있는 모형이다. 보다 저급한 단계에서 차원이 높은 욕구를 상정한다. 인간의 자기 성장 욕구를 전제함으로 성장이론이라고도 한다. 보람 있고 책임 있는 일을 통한 성장, 독자성, 자아 만족 등이 이루어지면 직무 동기를 유발한다는 것이다. 이 인간모형은 인간은 직무 수행에 능동적이라고 전제한다. 이러한 자기실현 인간모형으로서 대표적으로 Maslow의 욕구 단계이론, Herzberg의 동기 위생론, McClelland의 성취 동기이론 등이 있다.

2. 과정이론

과정이론은 직무의 동기를 일으키는 내용을 중심으로 하는 것이 아니라, 동기유발의 과정에 중점을 두는 이론이다.

1) 기대 이론

욕구충족과 직무 동기 사이에 직접적인 관계가 없다고 보는 입장이다. 예를 들면 돈을 벌겠다는 욕구가 바로 일을 열심히 하겠다는 동기로 연결되지 않는다는 것이다. 인간의 욕구와 동기유발 사이에 '기대(Expectation)을 개입시킴으로 동기유발의 과정을 밝히려고 한다.

2) 형평 이론

J.S. Adams는 자신의 처우에 대한 남과의 비교에서 형평성이 직무 동기에 영향을 미친다는 이론을 주장하였다. 사람들은 직무 수행에 투입한 것과 보상에 대한 합계를 다른 사람과 비교함으로 자기 자신에 대한 처우가 공평치 못하다고 믿게 되면 그것을 시정하기 위해 동기에 부정적으로 영향을 미치게 된다.

3) 학습이론

동기유발은 학습이라는 과정을 통해 동기가 유발된다고 본다. 이 것은 인간의 내면적 심리 과정보다 행태변화에 초점을 맞추는 행태 주의적 접근 방법이다. 이에는 다양한 학습이론들이 있지만, 대표적인 이론은 조작적 조건화 이론이다. 조작적 조건화에서 중요한 도구적 역할은 강화와 처벌이다.

4) 인식론적 평가이론

인간이 스스로 직무 수행 동기를 유발할 수 있다는 가정에 근거한다. 인간은 자신을 스스로 통제할 수 있다는 느낌을 가지려는 욕구를 가지고 있으며, 어떤 직무 자체가 그런 욕구를 충족시킨다면 직무 동기는 내재적으로 유발된다고 본다.

5) 직무 특성 이론

외재적 동기유발과 내재적 동기유발을 통합한 이론이다. 직무특성 이론은 잘 설계된 직무는 직원의 심리적 욕구를 충족시키고, 그렇게 충족된 욕구가 동기를 유발한다는 것이다. 직무의 기본적인 특성들이 심리적 상태를 유발하고, 그러한 심리적 상태가 직무성과를 가져온다는 것이다. 이 과정에서 인간의 성장 욕구가 개입함으로 성장 욕구가 강한 사람들이 그렇지 않은 사람에 비해 유리한 직무 국면들에 더 적극적으로 반응한다고 한다.

3. 자아실현 욕구 이론

1) A.H. Maslow 욕구 5 단계이론

Maslow는 동기부여를 개인으로 하여금 어떤 행동을 하게 하고, 내적인 동기를 가지게 하는 상태라고 보고 있다. 인간은 평생 사는 동안 목표를 향하여 살고, 그 목표를 성취하기 위하여 인간 내부에서 끊임없는 충동이 일어나고 있으며, 이것이 동기화하여 일정한 형태의 행동을 유발하게 된다, 그러므로 Maslow는 인간의 욕구를 다음의 5단계로 설명한다.

(1) 1단계 - 낮은 차원의 단계, 생리적(식용, 의복, 성욕, 수면) 욕구
(2) 2단계 - 안전(안정, 보호 질서, 공포와 불안으로부터 해방), 보호 욕구
(3) 3단계 - 소속감의 욕구(사회적 욕구)
(4) 4단계 - 존경(자존심의 충족), 존중 욕구
(5) 5단계 - 자아실현의 욕구(위의 네 가지 욕구 중 가장 높은 차원).

욕구 차이의 개인 차이를 무시한다. 한번 충족된 욕구는 없어지거나 동기유발과 무관한 것처럼 규정한다. 욕구 발로의 단계적 점진성 만을 강조하고 후진성을 무시한다. 욕구 자체가 계층적으로만 존재하는가 의문시된다. 인간의 욕구가 종류와 배열이 절대적인가 문제를 제기한다.

2) C. P. Aldefer의 ERG 욕구 이론

Maslow의 5단계 욕구는 실제 조직 생활에 적용하기가 애매 모호하다는 점을 비판하면서 Existence, relatedness, Growth 욕구의 3욕구를 제시했다.

(1) E(존재 욕구 : Existence)

생리적 욕구나 안전욕구와 같이 인간이 자신의 존재를 확보하는데 필요한 욕구이다. 예) 급여, 육체적 작업에 대한 욕구, 물질적 욕구 등

(2) R(관계 욕구 : Relatedness)

개인이 주변 사람들과 의미 있는 인간관계를 형성하고 싶은 욕구이다.

(3) G(성장 욕구 : Growth)

Maslow의 존경 욕구와 자아실현 욕구를 뜻하는 것으로 개인의 잠재력 개발과 관련되는 욕구이다.

Maslow와의 차이점은 ERG이론에서는 개인이 세 가지 욕구를 동시에 다 경험할 수 있으며, 욕구 출현 방향이 Maslow는 상향 일변도였지만, ERG이론에서는 상향 또는 하향으로 쌍방향이다. 즉, ERG이론은 고차원 욕구가 충족되지 않으면 다시 하위 욕구가 나타난다고 보았다.

3) F. Herzberg의 욕구충족 단계 이원론

Herzberg 욕구충족 단계 이원론은 동기-위생 이론이라고도 한다. 만족을 얻으려는 동기적 욕구와 불만을 피하려는 욕구를 위생적 욕구를 이원화시켰기 때문에 이원론이라 부른다. 직무 수행의 동기를 유발하는 동기 요인과 불만을 야기하거나 해소하는 위생요인, 혹은 유지 요인을 구분하여 동기와 생산성이 직접적으로 연관되지 않았다는 사실을 밝혀내었다. 이 두 본성은 반대 방향으로 작용하고, 조직 내에서 중첩되지 않는다. 아래 그림은 Herzberg의 유지

및 동기요소들을 제시해준다.

(표6 - 위생 요인과 동기 요인)

위생 요인	동기 요인
외부적(비본질적) 요소들	내부적(본질적) 요소들
회사 정책과 행정, 감독의 질	성취감, 인정감, 직무내용, 승진
대인관계(감독, 직원 동료)	업무 그 자체, 성장의 가능성
보수, 직업 안정성, 근무조건, 지위	책임감

위생요인은 불만족을 해소하는 요인으로 작용을 하지만, 직접적 동기 요인이 되지 못한다. 예를 들면 정책과 보수가 직원의 동기를 반드시 유발시키지는 못한다는 점이다. 그것은 Herzberg에 의하면 동기요소가 아니라 위생요인이었기 때문이라 한다. 이런 이론은 개인 차이를 인정하지 못했으며, 인간의 복잡한 직무 만족의 성격을 너무 단순화 했다는 비판을 받고 있다.

4) D.C. McClelland의 성취 동기이론

McClelland는 개인의 퍼스낼리티는 인간의 행위를 유발할 수 있는 잠재력을 가진 제 요소들, 즉 성취 욕구, 권력 욕구, 자율욕구로 구성되어 있다고 보았다.[133] 그는 특히 이들 중 성취 욕구를 중시하여 이를 통하여 인간의 행동을 설명하려고 시도하였다. McClelland에 따르면 인간은 성취 욕구가 강한 사람과 약한 사람

---

133) D.C. McClelland, *Business Drive and National Achievement* (Harvard Business Review, Vol. 40(1962), pp. 99-112.

으로 구분할 수 있으며, 성취 욕구가 강한 사람은 소수에 속한다고 한다. McClelland는 조직의 성과를 향상시키기 위해서는 성취 욕구가 강한 사람을 선발하거나 기존 직원의 성취 욕구를 향상시켜야 한다고 하였다. 그는 구성원들의 성취 욕구를 개발할 수 있는 구체적 방안을 다음과 같이 제시하였다.

(1) 업무를 재배정하여 정기적으로 성과에 대한 환류를 받게 한다.
(2) 모범이 될 만한 성과모형을 찾고 그 모범을 따르도록 한다.
(3) 자신에 대한 이미지를 수정하도록 한다. 성취 욕구가 작은 사람은 자기 자신에 대해서 애정을 갖고 적정한 도전과 책임을 추구하도록 한다.
(4) 상상력을 조절한다. 현실적인 시간으로 사고하고 목표의 달성방법을 적극적으로 생각하게 한다.

McClelland의 성취 동기이론은 창업 적 행동이 강하게 요구되고 있는 창업 초기의 조직체나 변화무쌍한 환경하에서 신규 사업 활동을 전개하는 조직체에서 특히 많은 관심을 보이고 있다. 개척교회나 새로운 프로젝트를 이루기 위한 프로그램에서 활용될 수 있다.

Maslow의 욕구 이론, Aldefer의 ERG 욕구 이론, Herzberg의 동기 위생론, McClelland의 성취 동기이론을 비교하면 다음의 그림과 같다.[134]

(표7 - 욕구 이론, 동기위생이론, 성취동기 이론 비교)

---

134) 김장대,「교회행정학」, pp. 331-332.

욕구 이론		동기-위생이론	성취동기 이론
Maslow 욕구단계	Aldefer의 ERG	Herzberg	McClelland
자아실현	성숙(성장) 단계	동기요인 : 성취,성장,성숙,승진,인정	성취 욕구
존경			
소속과			능력 욕구
사회적, 참여	관계성 단계	위생 요인 :	
안전, 보상	존재성 단계	직업 안정, 보수, 근무조건, 대인관계, 정책	참여 욕구
생리적, 육체적			

5) McGregor의 X이론과 Y이론

Maslow의 욕구 단계이론을 바탕으로 인간관을 두 가지로 분류하였다. 하급욕구 X이론, 고급욕구 관리전략 Y이론이다. X이론은 인간은 일을 하지 않으려 하며, 경제적이고, 생리적 욕구에서 동기를 찾기 때문에 인간의 하급욕구를 충족시키거나 외부적 통제를 가해야만 한다고 본다. Y이론은 일하기 싫은 존재는 아니며, 자기통제가 가능한 존경의 욕구, 자기실현 욕구를 동기 요인으로 보고 있으며, 조직의 목표와 개인의 목표가 융합될 수 있다고 전제한다. Y이론은 인간의 잠재력을 발휘하는 여건을 조성한다. X이론은 그릇된 것이며, Y이론을 제시한다. 그러나 Y이론은 욕구체계나 관리전략을 너무 양극화했으며, 조직 현실에서 실제로 적용하기에는 너무 이상적이고 비현실적이라는 비판이 있다. 고급 관리자나 전문직업인을 중심으로 일정한 수준의 조직에서만 적용이 가능하다고 보아야 할 것이다.

6) Lundstedt의 Z 이론

McGregor의 X이론과 Y이론이 지나치게 단순화했다고 비판하면서 Z이론을 제시하였다. X이론은 권위적이고, Y이론은 민주적인 반면, 자유방임적인 Z이론을 제시하였다. Z이론이 전제하는 인간관은 인간은 무정부 상태나 비조직적인 상태에서 생활하기를 원하며, 이때 인간의 창의력이 발휘될 수 있다고 전제한다. 이런 Z이론은 Y이론 보다 더 좋다기보다는 실험실이나 대학 조직 같은 데서 적용될 수 있을 것으로 본다.

7) Argyis의 미성숙 -성숙 이론

Argyis는 인간이 성숙해지려면 아래 그림과 같은 일곱 단계를 거쳐야 한다고 하였다. 공식 조직의 본성은 인간의 미성숙 상태를 고정시키거나 조장하는 것으로 보았다. X이론에 해당하는 기계적인 조직 원리를 추구하게 되면, 인간에게 어린아이 같은 역할만 맡기 때문에 성숙을 저해한다고 보았다. Argyis는 X이론을 대체할 관리전략을 제시하였다. 이것은 Y이론을 함축하는 것이다.

(그림 4 - 미성숙 -성숙)

미성숙		성숙
1. 수동적	→	능동적
2. 의존적	→	독립적
3. 한정된 행동방식	→	다양한 행동방식
4. 변덕스럽고 피상적인 관심	→	깊고 강한 관심
5. 단기적인 안목	→	장기적인 안목
6. 예속적인 지위	→	대등하거나 우월한 지위
7. 자아의식의 결여	→	자아의 의식과 통제

B. 교회행정 동기부여

1) 영적 동기유발

교회행정은 교회 안에서 이루어지는 영적 특성이 있다. 그러기 때문에 교회에서 이루어지는 모든 행정에는 영적인 동기유발이 있어야 한다. 위로부터 주시는 은혜가 공급되지 않으면 결코 교회행정은 원활하게 이루어질 수 없다. 그래서 교회행정은 영적인 요소인 은혜 충만, 성령 충만의 분위기가 고조되어야 한다.

2) 행정 동기유발

비전을 인식하고 성도들과 비전을 공유할 때, 기획 목회로 질서있게 진행할 때, 완전하며 효율적인 조직과 충분한 재정, 그리고 직임에 맞는 적절한 인사가 직임을 잘 수행해 나갈 때 행정을 촉진하게 된다.

3) 사기 앙양

교인들에게 적절한 칭찬, 역할에 대한 자율적인 권위 부여, 선물이나 포상, 적절한 교육과 훈련, 멘토링, 동역자 관계를 통해 사기가 진작된다. 반면에 예민하지만, 조언이나, 권면의 컨설팅을 통해 잘못된 것을 깨닫게 하고 바로 잡아 줄 때 사기가 진작된다.

IX. 커뮤니케이션

커뮤니케이션 이론은 최근에 와서 다양한 분야에서 매우 활발하게 전개되고 있다. 커뮤니케이션 이론은 일반행정에서도 중요하게 다루어지고 있으며, 교회행정 역시 중요한 부분이다. 리더십을 효과적으로 발휘하게 하는데 커뮤니케이션이 필요하다. 교회를 운영함에 있어서도 커뮤니케이션은 매우 중요한 위치를 차지한다.

A. 커뮤니케이션의 의미

커뮤니케이션의 사전적 의미는 "일정한 뜻의 내용을, 언어 그 밖의 시각, 청각에 호소하는 각종의 몸짓·소리·문자 기호 따위를 매개로 하여 전달하는 일"로 정의하고 있다.[135]

커뮤니케이션의 어원은 라틴어의 '나누다'를 의미하는 코무니카레(communicare)다. 개인이나 집단 간에 언어 또는 비언어적 방법으로 다양한 정보를 교환하고, 상호간의 이해를 촉진하는 활동을 말한다. 커뮤니케이션은 서로 의미를 공유하여 이해하고 합의에 도달하는 과정이지 메시지 그 자체를 가리키는 것은 아니다.

커뮤니케이션은 의사소통으로 번역된다. 의사소통은 사람들과의 관계를 통해 전달되는 과정을 말한다. 서로의 생각과 감정을 말, 행동, 글 등을 통해 주고받는 것이다.

커뮤니케이션은 전달과 수용, 또는 반응을 행하는 2개의 주체와 그러한 교류작용을 연결하는 매개물을 필요로 한다. 이 매개물에는

---

135) 동아출판사 국어사전.

먼저 무엇을 표시하거나 행동을 촉구하는 신호가 있다. 이렇게 약속된 표식을 상징이라고 한다. 인간의 상징은 언어·몸짓·표정·장식·냄새 등 다양한 형태가 있다. 상징은 복잡한 의미를 내포하고 있어 행위자간의 능동적인 해석과 상호작용이 요구된다. 커뮤니케이션은 전달자와 피 전달자의 직접적인 접촉으로 행해지는 대인 커뮤니케이션, 매스 미디어를 통해 대중에게 전달되는 매스 커뮤니케이션으로 나뉜다.136)

B. 커뮤니케이션의 중요성

  1. 개인의 개성적 역할을 발견하게 하여 자신의 욕구를 충족시킨다.
  2. 조직으로 하여금 협동하게 한다. 집단은 개인을 연결시킨다. 개인으로서는 불가능한 일을 집단은 가능하게 한다.
  3. 추진력을 준다.

C. 커뮤니케이션의 목적

  킬린스키와 위포드는 커뮤니케이션의 목적을 다음과 같이 열거한다.

  1) 다른 사람들로 하여금 나의 아이디어를 이해하게 한다.
  2) 다른 사람들로 하여금 나의 아이디어를 수용하게 한다.
  3) 나의 아이디어에 적절한 반응을 얻게 한다.

---

136) Daum 백과사전.

4) 다른 사람들과의 좋은 관계를 유지하게 한다.

5) 다른 사람들이 일치하지 않을 때 나의 아이디어를 바꿀 수 있게 한다.

6) 문제를 해결함에 있어서 다른 사람들과 상호작용을 하게 한다.

D. 커뮤니케이션의 원칙

레드필드는 의사전달의 원칙으로 다음의 7가지를 소개한다.[137)]

1. 명료성

전달자는 간결한 문장과 쉬운 용어를 사용하여야 한다. 청중에 맞는 언어를 사용해야 한다.

2. 일관성

의사전달 내용은 일관성이 있어야 하며, 처음의 명령과 나중의 그것이 일치되어야 한다. 그리고 그것은 목표와 부합되는 내용이어야 한다.

3. 적시성

의사전달은 너무 늦어서도 너무 빨라서도 안 되고 적절한 시간에 이루어져야 한다.

---

137) 황성철, 「교회 정치행정학」, pp.233-234

4. 적당성

의사전달은 적정량이 되어야 하며, 너무 많아도 너무 적어도 안 된다.

5. 분포성

의사소통은 필요한 자에게 정확하게 전달되어야 한다. 누구에게 전달되어야 할 것이냐 하는 문제는 무엇을 전달하느냐 하는 것 못지않게 중요하다.

6. 적응성과 통일성

적응성이란 의사전달의 융통성 개별성 현실 적합성을 말하며, 통일성이란 의사전달이 전체로서 통일된 내용이 되도록 하는 것이다.

7. 관심과 수용성

의사전달에 있어 관심이 주어져야 하고, 수신자는 전달자의 메시지에 수용적 자세를 가져야 하며, 개방적 태도를 가질 때 메시지가 능률적으로 전달된다.

이 외에도

1) 신실성

커뮤니케이션은 전달자와 수신자와의 신실한 관계에서 좋은 커뮤니케이션이 이루어진다. 존경과 신뢰의 인격적 관계를 형성하게 될 때 좋은 커뮤니케이션이 이루어진다.

  2) 설득력

  좋은 커뮤니케이션은 일방적 명령이 아니라, 쌍방의 설득이다. 그러므로 서서히 설득시켜 나가는 방법이 필요하다.

E. 커뮤니케이션의 과정

  1. 크리빈은 커뮤니케이션의 과정을 아래와 같이 여러 단계로 설명한다.

  1) 둘 이상의 사람, 혹은 사람과 기계 등이 상호작용을 요하는 관계가 형성하게 한다.
  2) 커뮤니케이션을 요하는 필요, 문제, 상황이 발생하고 상호교환이 서로에게 이익을 준다.
  3) 커뮤니케이션 발의자는 과정을 통하여 얻고자 하는 어떤 목표를 가진다.
  4) 전달자의 의도가 구체화 된 메시지가 형성된다.
  5) 메시지가 전달되기 위하여 하나 혹은 여러 개의 전달경로가 선택된다.
  6) 메시지가 적절한 언어로 기호화된다.
  7) 메시지가 전달되고 수신된다.
  8) 메시지가 수신자에 의하여 해독된다.
  9) 메시지가 전달자가 보낸 것과 동일하게 수신자에게 같은 의미로 이해된다.
  10) 전달자가 메시지가 수신자에게 수신되고 이해됨을 확인하는

반응을 확보한다.

11) 수신자가 전달자의 목표와 동일하게 행동한다.

2. 러쉬의 과정

1) 전달자의 과정

(1) 전달하고자 하는 아이디어와 느낌의 분명한 개념을 개발한다.

(2) 아이디어와 느낌을 전달할 수 있는 바른 언어와 행동을 선택한다.

(3) 전달을 극소화하는 장애와 일들이 커뮤니케이션에 있다는 사실을 알아야 한다. 조직에 있어서 커뮤니케이션이란 우리 몸의 피와 같다는 역할을 한다.

2) 수신자의 과정

(1) 수신자는 전달자의 언어에 청취를 기울이고 행동을 주시하면서 전달되는 정보를 수용한다.

(2) 수신자는 전달자의 언어와 행동을 자신의 것을 해석한다.

(3) 수신자는 정확한 아이디어와 느낌을 개발해야 한다.

F. 커뮤니케이션의 구성 요소138)

1. 전달자

---

138) 이성희, 「교회행정학」, pp. 192-195.

커뮤니케이션의 근원은 정보의 발상지인 전달자(Communicator)
이다. 전달자는 커뮤니케이션의 시작이기에 전달자에 따라 영향과
결과가 달라진다.

2. 수신자

수신자는(Receiver)는 듣고, 혹은 읽는 정보를 받아들이는 피전달
자이다. 수신자는 정보의 내용을 단순히 받아들이는데 그치는 것이
아니라, 그 정보에 대하여 적절하게 반응하여야 한다.

3. 전달내용

전달내용은 전달자의 생각이나 느낌이 상징을 통하여 수신자에게
전달되는 정보의 내용이다. 전달내용은 커뮤니케이션의 질을 형성
한다.

4. 전달경로

전달경로는 커뮤니케이션의 수단으로 전달자의 메시지가 수신자
에게 전달되는 길이다. 주로 청각과 시각을 이용한 전달은 공식적
경로와 비공식적 경로가 있다. 공식적 경로는 제도화된 경로로서
일반적 행정 절차에서 사용되는 경로이며, 비공식적 경로는 제도화
되지 않은 인간사회에서 감정과 의식을 전달하는 데 사용된다. 교
회는 제도화된 유기체로서 공식적 경로를 통하여 전달하지만, 목회
자가 교인 개인에게 의사전달을 할 때 비공식적 경로가 더 효과를
낼 수 있다.

5. 반응

반응(Feedback)은 수신자의 전달에 대한 응답이다. 반응이란 커뮤니케이션의 종합적 결과이다. 전달자의 정보에 대한 자세와 이해, 수신자의 전달내용에 대한 이해, 전달내용의 선명성, 그리고 전달경로의 차이에 따라서 반응은 다른 결과를 가져온다.

G. 커뮤니케이션의 유형[139]

커뮤니케이션은 전달하려는 내용의 목적, 전달경로, 전달수단에 따라 그 유형이 분류된다.

1. 공식성에 의한 유형

커뮤니케이션의 제도가 공식적 전달경로인가 아니면 비공식적 전달경로인가에 따라 공식적 커뮤니케이션과 비공식적 커뮤니케이션으로 분류한다. 공식적 커뮤니케이션은 조직의 공식 경로를 통하여 정보가 전달되는 형태이다. 이러한 형태는 가장 합리적이고 계획적이며, 동시에 권위적이다. 전달자와 수신자는 개인의 행동에 제한을 받는다.

비공식적 커뮤니케이션은 구성원 인간관계를 통하여 정보가 전달된다. 신축성이 있고 가변성에 대한 적응력을 가질 수 있다. 전달의 속도가 빠르고 구성원의 관심과 참여를 고조시킬 수 있다. 그러나 때론 파괴적인 정보가 전달되어 조직에 불신과 분열을 야기 시킬 수 있다.

---

139) ibid., pp. 199-205.

2. 전달 방향에 의한 유형

커뮤니케이션에서 정보가 전달되는 방향에 따라서 하향 커뮤니케이션과 상향 커뮤니케이션, 횡적 커뮤니케이션으로 구분한다. 하향 커뮤니케이션은 정보의 전달 방향이 조직의 상부조직에서 하부조직으로 흐르는 것을 말한다. 수신자가 순종의 형태를 띄우며, 수동적이 되게 한다. 상향 커뮤니케이션은 하부조직에서 상부조직으로 거슬러 올라가는 형태이다. 인간 관계와 조직의 협력 체계를 가능하게 한다. 조직의 상부 계층은 하부 계층의 의사를 적절하게 제안하게 하여 제안된 정보를 검토하고 결정하게 한다. 자율성이 있고 사기를 진작시키며, 하부 계층의 의견이 수렴되어 업무에 만족도를 누릴 수 있게 한다.

횡적 커뮤니케이션은 정보의 전달 방향이 수평적인 것을 말한다. 개인과 개인, 개인과 조직, 그리고 조직과 조직 사이에서 대등한 관계로 정보를 전달하는 것이다. 하향 커뮤니케이션 보다 강제성이 없기 때문에 정보의 교환이 원활하며 상향 커뮤니케이션보다 정보의 전달 시간이 단축된다.

3. 전달수단에 의한 유형

전달수단은 언어적 수단과 비언어적 수단이 있다. 언어적 수단은 구두 의사 전달로 대화, 지시, 명령, 회의 등이 있다. 비언어적 수단은 문서와 상징으로 전달하는 수단이다. 상징은 이미지 형상, 제스처 등으로 상징화해서 전달하는 것이다.

4. 정보 전달의 태도에 의한 유형

말콤 쇼(Malcolm Shaw)는 다음과 같은 유형을 소개한다.

1) 개발 유형

전달자와 수신자가 동등한 자격으로 상호 분배의 형태를 가지는 것이다. 커뮤니케이션이 전후로 왕래하는 유형이다.

2) 통제 유형

한 사람이 전달자로서의 일차적 역할을 한다. 대부분의 커뮤니케이션은 그로부터 다른 사람에게 전달한다. 주입식이다.

3) 포기 유형

통제 유형과 상반된 유형이다. 전달자가 통제 유형의 전달자에게 책임을 전임하고 자신은 위에 머물기만 하면 편히 지낼 수 있다. 타인의 정보가 더 가치 있다고 생각한다. 타인의 대안을 쉽게 수용한다.

4) 탈퇴 유형

다른 사람을 만나기를 피하는 유형이다. 자신의 정보를 다른 사람에게 제공하지도 않고, 다른 사람의 아이디어를 얻을 생각조차 하지 않는다. 단지 도망가거나 싸움을 하면서 탈퇴하는 유형이다.

H. 커뮤니케이션의 기능

1. 조직 체제를 적절하게 유지시킨다.

조직이란 조직구성원의 상호작용과 협동을 통해 유지되는바, 의사
전달이란 매체에 의해 가능하기 때문이다.

2. 외부 환경에 적응하게 한다.

외부 환경이나 다른 관련된 것에서 발생하는 정보나 사실에 대해
의사전달의 매체를 통해 사전에 파악할 수 있기 때문이다.

3. 합리적 의사결정을 하게 한다.

조직구성원의 공동의 관심사를 이끌어낸다. 합리적인 결정을 유도
할 수 있다.

4. 조직의 갈등을 예방하게 한다.
5. 조직구성원의 참여를 극대화 시킨다.

조직원의 사기 앙양과 참여를 촉진하는 기능이 있다.
6. 효율적 행정 운영의 기능을 발휘하게 한다.
7. 효과적인 리더십을 발휘하게 한다.
8. 조직의 의사소통을 원활하게 한다.

I. 효과적인 의사소통

1. 전달자는 수신자에게 전달하고자 하는 자신의 의도, 생각, 감
정을 분명하게 인식한다.

ex. 자신이 상대방에게 메시지를 전달하는 의도(설명, 요청, 부탁,
거절)등, 생각이나 의견(특정한 주제에 대한 구체적 생각, 믿음, 입
장 등), 감정(호감, 애정, 분노, 실망감 등)을 구체적으로 인식하는
것이 중요하다.

2. 전달하고자 하는 의도, 생각, 감정을 적절한 메시지로 전환한다.

메시지에 전달하고자 하는 내용이 충분히 그리고 명료하게 담길 수 있도록 메시지를 구성하는 것이 중요하다.

3. 메시지를 전달하는 전달 매체와 경로를 신중하게 선택한다.

동일한 메시지일지라도 전달되는 매체에 따라서 수신자에게 전달되는 의미와 영향력이 달라진다.

ex. 한 대학생이 지도교수에게 장학금을 받도록 추천해 주어 감사하다는 메시지를 전달하는 방법에는 직접 말로 하는 방법, 친구를 통해 전하는 방법, 문자 메시지로 전달하는 방법, 이메일로 전하는 방법, 편지로 우송하는 방법 등이 있다.

4. 자신의 메시지가 수신자에게 어떻게 받아들여졌는지에 관한 피드백을 받는 것이 중요하다.

5. 의도나 감정을 효과적으로 전달하기 위해서는 비언어적 메시지를 활용하는 것이 좋다.

얼굴 표정, 눈 맞춤, 목소리의 높낮이, 몸동작 등과 같은 비언어적 표현은 메시지의 내용을 강력하게 전달하는 수단이 될 수 있다. 오감을 사용하라. 우리 신체에서 사물을 인지하는 시각, 청각, 촉각, 후각, 미각을 사용한다.

6. 무엇을 소통해야 할지를 분명히 알고 기획을 한 후 어떻게 말할지 연습하라.

7. 상대방에게 관용적인 마음을 가져라.

8. 설득이 필요하면 얼굴과 얼굴을 맞대고 대화하라.

9. 항상 공개적 자유로운 대화의 통로를 열어 놓아라. 불쾌한 사람과도 마음껏 대화하라.

10. 상대방에게 생각할 기회를 줘라. 생각한 것들을 밝힐 수 있게 하라.

11. 차가운 인상을 주지 않는다. 여유 있고 온화한 이미지를 보여

라.

12. 목사의 심정으로 대화하라.

13. 말하기보다 듣는 자가 되라. 잘 경청하는 자가 되어라.

좋은 의사소통은 수신자의 말을 잘 듣는 것이 중요하다. 수신자의 의도를 먼저 파악하고 전달자의 메시지를 전하는 것이 효율적이다.

* 청취의 기술을 향상시키는 방법

1) 명확성을 확인하기 위하여 질문을 하라.

2) 전달자의 메시지가 시작되는 동안 자신의 반응을 쉽게 시작하지 말라.

3) 전달자가 말하고자 하는 바를 너무 서둘러 잘못된 가정을 하지 말라.

4) 전달자의 말을 방해하지 말라. 최선의 예우. 침묵하라.

5) 편견을 걸러서 최소화하라. 인상, 직업, 출신, 학력, 성별, 인종, 재산, 지위 등.

6) 전달자의 말의 이면에 있는 아이디어와 느낌을 청취하라.

* 청취의 요소

1) 주의를 집중하라.

2) 참 메시지를 청취하라. 전달자의 의도를 파악하라.

3) 말하지 않은 것을 청취하라. 전달자의 말 중단, 침묵, 눈물의 의미를 살펴라.

4) 열심히 청취하라. 훈련을 통해 가능하다.

5) 신중히 청취하라. 주제에 맞춰 이야기하도록 적절히 질문을 하라.

6) 청취함으로 배우라.

X. 갈등 조정

행정을 진행함에 있어 조직 내에 많은 갈등이 일어난다. 이런 갈등을 효율적으로 잘 관리할 수 있게 될 때 좋은 결론에 도달할 수 있다. 특히 지도자의 갈등 관리역할은 상당히 중요하다.

지도자는 행정을 진행함에 있어 어떤 비판도 예상해야 한다. 그것에 대해 생각할 수 있는 여유를 가져야 한다. 비판을 통하여 오히려 자신이 발전이 되는 것을 생각해야 한다. 자신에게 주어진 피드백을 자기 변신의 도구로 삼아야 한다. 자기를 혹독하게 비판하는 사람 앞에서 감정적으로 대하지 않는 능력이 필요하다.

A. 갈등의 정의

갈등은 사회 내의 개인이나 집단 사이에 생각이나 태도 등이 충돌하는 것을 말한다. 사회변동 과정에서 상호 간에 이해관계나 가치관이 다를 때, 희소한 자원이나 기회에 접근하거나 그것을 통제하기 위해 경쟁을 할 때 갈등이 발생한다.140)

갈등이란 서로 다른 관점의 결과에서 비롯된 공개적이고 적대적인 반대를 의미한다. 갈등은 의견의 불일치와 혼돈하지 말아야 한다. 의견의 불일치는 반드시 적대적인 감정의 표현은 아니기 때문이다. 그러나 갈등이란 항상 적대감을 포함한다.141)

---

140) Daum 백과사전.
141) Myron Rush, *Management : A Biblical Approach* (Wheaton :

일반적으로 조직 사이에 존재하는 갈등의 요인은 두 가지 기본 요인으로 발생한다. 첫째는 갈등의 요소를 가진 두 집단이 모두 소유하려는 무엇 때문이다. 여기에서 무엇이란 그들이 경쟁의 요소로 삼는 물질적 목표, 향상의 기회, 지위, 지역 등이다. 둘째는 각 집단이 가진 의도나 목표이다. 만일에 쌍방이 그들이 소유하려는 무엇이 없다면 갈등은 없겠지만 어느 하나라도 쌍방이 함께 소유하려고 할때에 갈등은 야기된다. 또한 결정되고 수행되어야 할 것들을 두고 서로의 의견과 생각이 상이하기 때문이다. 그래서 루이스 (Douglas Lewis)는 갈등을 "같은 장소, 같은 시간에 두 개 이상의 물체를 동시에 소유하려는 것"이라고 정의하였다.142)

B. 갈등의 요인

1. 인간의 기본적인 본성에서 발견할 수 있다.

인간은 무엇을 추구하고, 성취하려는 욕구가 있다. 목표 선택을 결정하는 인식구조에 갈등이 기인한다. 성경에서도 인간은 타락 후 부패성이 남아 있어서 죄를 지을 가능성 때문에 갈등이 야기된다. 즉 인간은 상대방을 고려하지 않는 강한 이기심을 통해 갈등을 발생시킨다.

2. 교회의 다양한 구성원 때문이다.

교회는 그리스도의 몸으로서 완전하지만, 그 교회를 구성하고 있

Victor Books, 1983), p. 202.

142) G. Douglas Lewis, *Resolving Church Conflict*(San Francisco : Harper & Row, 1981), p. 5.

는 사람들이 불완전하기 때문에 그 인간적인 약점으로 인하여 많은 갈등을 야기한다. 교회 안에는 다양한 사람들이 모인다. 성격, 학력, 나이, 성별, 인종, 사상, 영적 수준 등의 차이가 존재한다. 이렇게 다양한 사람들이 다 거룩하고 사랑이 풍성한 성도가 아니기에 갈등이 일어날 수밖에 없다.

3. 사단의 집요한 역사가 교회 안에서 일어나기 때문이다.

교회는 영적 공동체이기에 사단의 공격과 유혹이 주도적으로 일어나는 곳이다. 물론 교회는 주님의 교회이기에 사단이 힘을 쓰지 못한다. 그렇지만 그럼에도 사단이 역사할 수 있기에 갈등이 일어날 수 있다.

4. 로드 십(Lordship)의 문제이다.

교회 안에서 일어나는 갈등의 가장 주된 원인은 교회 구성원이 자신의 직무와 역할을 오해하기 때문이다. 주로 교회 안에서 일어나는 갈등은 담임목사와 당회의 구성원인 장로와의 갈등이다. 또한 교회가 문제가 생겼을 때 당회 원 장로들과 안수집사나 권사들의 소외 '교회 지킴이'들과의 갈등이다. 이것은 누가 교회의 주인이 되느냐 하는 로드 십(Lordship)의 문제이다. 성경은 분명히 교회의 주인은 그리스도라고 말씀한다. 그리고 교회 안의 모든 구성원은 주를 섬기고 교회를 섬기는 사역자일 뿐이라고 했다. 그런데 교회를 섬기기 위해 세워진 사역자들이 자신의 위치를 떠나 교회의 주인 노릇을 하는 데서 갈등이 일어나고 문제가 발생한다.

5. 교회의 이권 문제 때문이다.

교회가 점차 성장을 거듭할수록 교회 안에서는 이권이 생긴다. 조직의 권한을 통해서 얻어지는 부수적인 혜택들이 주어지기 때문이다. 그래서 그러한 자리다툼에 교회가 갈등이 일어난다.

C. 갈등의 근원

1. 태도적 갈등 - 사람과 더불어 편견을 가지므로 갈등이 생긴다. 고정 관념, 특수한 신념, 개인의 특성에 따라 달라진다. 목회자는 촉매 역할을 해야 한다.

2. 실재적(substantive) 갈등 - 사건 목표 수단에 대한 견해의 차이에서 오는 갈등이다. 만일에 성경에서 말하는 세례의 형식에 대하여 반대의 견해를 갖게 될 때 갈등이 온다.

3. 감정적 갈등 - 개인의 태도에서 오는 갈등이다. 실재적 갈등에 부속되어서 오는 결과이다. 미국의 인종적 갈등.

4. 의사소통 갈등 - 대화의 단절에서 오는 갈등이다.

D. 갈등 예방 지침

1. 교회 정관

신자들과 정관을 세부적으로 충분히 의논하고 결정한다. 교단 헌법에 어긋나지 않는 정관을 작성한다.

2. 투명한 재정관리

교회 갈등의 대부분이 재정문제로 야기된다. 재정보고를 교단 헌법에 따라 보고한다. 교회 자체적으로(정관에 따라) 관리한다.

3. 성도들과 공유

교회의 모든 계획을 성도들과 충분히 공유할 때 갈등을 줄일 수 있다. 목회자의 비전, 목회 방침, 프로그램 등을 공유한다. 설교, 광고, 제자훈련, 각종 수련회, 프로그램 등을 통해 광범위하게 홍보한다.

4. 목회자의 자세

목회자는 설교 시간에 개인적으로 인신공격을 해서는 안 된다. 목회자는 재정관리에 대해서 철저히 투명하게 관리한다. 무리한 목회를 하지 않기(성도들과 충분히 공유한 뒤에 하기), 인격적 존중감과 신적 영권을 가지고 성도들을 대하기, 은혜로운 설교, 깊은 영성, 탁월한 통찰력을 가지고 영적 리더십을 발휘하여야 한다.

E. 갈등 관리 유형

갈등이 일어났을 때 갈등을 어떻게 관리하느냐가 중요하다.

1. Jay Hall의 유형[143]

---

143) Jay Hall, *Conflict Mangement Survey*(1965) by G. Douglas Lewis, pp. 76-79.

1) 승리-패배

 갈등의 다른 당사자에게 피해를 주기도 하지만 위험 부담을 안으
면서도 개인적 목표를 성취하려는 높은 관심을 가진 유형이다. 이
유형은 공격적이고 독단적이며, 불합리한 갈등관리의 유형이다. 표
면적 갈등이 해소되면 또 다른 갈등을 야기될 수 있다.

 2) 조정

 이 유형은 개인적 목표를 성취하지 못하는 대가를 지불 하더라도
관계를 유지하려 한다. 인간관계를 중요하게 생각하며 인간관계를
위협하는 갈등을 해소하기 위해 자신의 목표 성취하기를 조급해하
지 않으며 심각한 갈등도 잘 견디는 유형이다.

 3) 회피

 이 유형은 갈등에 대하여 가장 비관적인 형태이다. 이런 갈등관리
유형을 가진 자들은 갈등 상황 속에서는 목표의 성취란 불가능하
며 갈등은 인간관계를 파괴한다고 생각한다. 그러므로 가능하기만
하면 갈등으로부터 물러나며 회피하려 한다. 이러한 유형을 가진
사람은 육체적으로 갈등을 관리하지 못하면 심리적으로 떠나 버린
다.

 4) 타협

 이 유형은 누구든지 자신이 원하는 대로 모든 것을 얻을 수는 없
다고 생각하며 인간관계가 더 중요하다고 생각하는 유형이다. 이러
한 유형은 자신이 원하는 것을 어느 정도는 얻지만, 결코 다른 사

람과의 관계를 상실할 만큼 압력을 행사하지는 않는다.

5) 승리-승리

이 유형은 자신의 개인적 목표를 성취하기 위하여 높은 관심을 가질 뿐 아니라 다른 사람과의 관계 보존과 향상에도 관심을 가진다. 양자의 목표를 동시에 만족하고 성취할 수 있는 대안이 있다는 궁극적 가정을 가진다.

2. 토마스(Thomas)

1) 경쟁 형

상대방을 희생시키고 자신의 갈등을 해소한다. 한쪽은 이익을 얻는 반면, 다른 한쪽이 손해를 보게 되는 접근 방법이다. 긴급한 상황, 조직의 성장에 매우 중요한 문제일 때 해당된다.

2) 회피 형

갈등이 없었던 것처럼 행동하여 이를 의도적으로 피하는 방법이다. 쟁점이 사소한 것일 때, 효과보다 비용이 클 때, 사태를 진정시키고자 할 때, 다른 문제가 해결되면 자연스럽게 해결될 수 있는 하위갈등일 때 적용된다.

3) 수용 형(순응형)

상대방의 갈등이 해소되도록 노력하는 방법이다. 자기가 잘못한 것을 알았을 때, 보다 중요한 문제를 위해 좋은 관계를 유지해야 할 때, 조화와 안정을 추구할 때, 패배가 불가피해 손실을 극소화할 때 적용된다.

4) 양보 형

양자가 조금씩 양보하여 절충안을 찾으려는 방법이다. 양쪽이 모두 손해를 보기 때문에 앙금이 남아 다른 갈등의 원인이 될 수 있다. 복잡한 문제에 대해 일시적인 해결책을 얻고자 할 때, 당사자들의 주장이 서로 대치할 때, 목표 달성에 따른 잠재적인 문제가 클 때 적용된다.

5) 협력 형

양쪽 모두 다 만족할 수 있는 갈등해소책을 적극적으로 찾는 방법이다. 합의와 헌신이 필요할 때, 관계 증진에 장애가 되는 감정을 다루어야 할 때, 목표가 학습하는 것일 때 (win-win 전략), 양자의 관심사가 매우 중요하여 통합적인 해결책만이 수용될 수 있을 때 적용된다.

F. 갈등 해결 방안

갈등을 해결하는 방안에 대해 *Church Administration and Finance Manual*[144)에서 다음과 같이 제시한다.

---

144) Otto F. Crumroy, Jr., Stan Krkawka & Frank M. Witman,

1) 좋은 청취자가 되라. 양편의 의견을 들어라.

2) 문제를 사려 깊게 잘 관찰하라. 시간을 갖고 정보 수집하도록 과제를 준다.

3) 갈등에 대하여 최소한의 사람들만 관련시킨다.

4) 사실관계를 확실히 하라. 너무 빨리 결론에 도달하지 않도록 하라.

5) 인간적으로 가능한 한 객관화 공평한 중재자가 되라. 양편의 감정이나 의제를 상정하지 않도록 하라.

6) 갈등 해결을 위한 선택적인 방법들을 분명히 한다. 그중에서 보다 나은 하나를 선택한다. (성경적, 헌법적, 교회적으로 위배되지 않도록).

7) 선택한 방법에 대해 합의점을 도출하라.

8) 해결이 진행되고 있다면 끝까지 결정을 고수하라. 잠재적 반대와 폭발할 수 있음을 유의하라.

9) 만일 갈등이 존재한다면 위 단계를 완전히 해결할 때까지 다시 철저하게 시도하라.

이러한 해결방안과 함께 필자의 해결방안을 소개한다.

1) 갈등은 사전 지식, 또는 이해 부족에서 온다. 정보의 혼선에서 온다. 그러므로 사전교육, 홍보, 로비 활동이 매우 중요하다.

2) 갈등은 영적으로 마귀 역사이다. 그러므로 기도로 분별, 통찰을 얻어 해결한다. 은혜로운 회의가 되도록 인도한다.

3) 문제는 철저하게 맨투맨으로 조절한다. 조정위원회를 가동할 수 있다.

4) 갈등의 문제 원인을 철저히 진단한다. 양편의 의견을 청취한

Church Administration and Finance Manual : Resources for Leading the Local Church(Harrisburg : Morehouse Publishing, 1998), pp. 264-265.

다. 다양한 역사적 정보를 수집한다.

5) 타협점을 발견한다(기도하면서).

6) 타협점을 제시하고 조정, 또는 타협을 한다. 사전에 로비 활동, 타협안에 대해 충분한 교육을 한다.

7) 양쪽 타협안을 조정한다.

8) 타협안을 의결한다. 타협 위원들을 맨투맨으로 로비한다.

9) 잠재된 문제를 해결한다.

10) 조직원은 홀수로 구성되어야 한다. 의장은 타이 브레이커 역할을 한다. 의장은 필요할 때는 확고한 결단이 필요하다. 그러나 쓸데없는 고집을 피우면 안 된다. 사적인 욕심으로 선택해서는 안 된다.

XI. 진단 과정

교회행정의 마지막 단계는 진단이다. 진단은 한국교회적 상황에서는 아직은 활발하지 않다. 그것은 교회나 목회자의 보수적인 성향 때문이다. 대부분의 목회자는 성도들 앞에서 자신의 사적인 감정이나 문제점이 노출되기를 꺼려한다. 다 그러는 것은 아니겠으나 목회자 나름의 주관성과 선입견, 편견 등으로 교회 진단이란 것을 받아들이는 것을 거부하는 경향이 있다. 개인적으로도 자신을 발전시키기 위해서 자아 성찰이나 반성 등을 통해 새롭게 하는 것이 필요하듯, 교회행정 역시 교회가 바르게 되기 위해서는 진단의 과정이 반드시 필요하다.

진단은 평가, 혹은 피드백(feedback))의 과정이다. 평가(피드백)은 어떤 행위의 결과가 최초의 목적에 부합되는 것인가를 확인하고, 그 정보를 행위의 원천이 되는 것에 되돌려 보내어 적절한 상태가 되도록 수정을 가하는 일이다. 교회행정의 시작, 과정, 결론에 이르기까지 전반에 걸쳐서 진단하고 평가하는 것이 필요하다. 이러한 진단은 초기 진단, 중기 진단, 마지막 단계의 진단의 부분적인 진단이 필요하고 전체적인 진단이 필요하다. 진단은 교회행정을 바른 방향으로 가게 한다. 그리고 다음 사업을 위한 계획의 시작이다.

A. 진단의 성경적 근거

1. 느헤미야의 문제 진단과 개혁

느헤미야는 무너진 예루살렘 성벽의 상태와 백성들의 상황을 철저히 분석하고, 종합계획서를 마련하고 이에 동참할 지도자들을 설득하여 성벽 재건에 착수하였다.

2. 예수님의 시대적인 상황 진단과 개혁의 말씀

예수님은 당시 율법을 형식적으로, 외식 적으로 지켜온 바리새인들과 서기관들의 잘못된 신앙의 행태를 바라보며, 개탄해 하며, 그들을 힐책하셨다. 그리고 새 율법을 제시하셨다.

3. 사도 바울의 교회 진단

사도 바울이 각 교회를 돌아보며 사역한 일에서부터 찾아볼 수 있을 것이다. 바울은 각 교회를 순방하면서 교회를 진단하며 권면과 칭찬 그리고 책망 등으로 교회를 치리하며 세워나갔다. 특별히 고린도 교회의 분파 문제, 할례 문제, 음식의 문제 등의 분쟁을 진단하고 해결하는 데 교회를 진단하는 절차를 밟았다는 점이다. 그는 이러한 문제들을 해결하는 데 있어 율법과 복음과의 상관관계를 설명하면서 복음적 관점에서 문제를 해결하였다. 이러한 과정에서 교회는 분쟁이 해결되었고, 교회는 하나가 되어 성장을 하게 되었다.

4. 요한계시록 일곱 교회 진단

또한 요한계시록에 나타난 소아시아 일곱 교회의 진단은 교회 진단의 중요한 성경적 배경이라 할 수 있다. 칭찬과 책망으로 진단되어진 교회들은 축복과 처방으로 이어지는 것을 볼 수 있다. 일곱 교회 중 칭찬만 들은 교회는 서머나와 빌라델비아 교회이다. 에베소, 버가모, 두아디라, 사데 교회는 칭찬과 책망을 들었다. 그리고 라오디게아 교회는 책망만 들었다. 이와 같은 진단을 통해 주님은

당부의 말씀과 함께 약속의 말씀으로 처방을 주셨다.145)

5. 교회 본질에 있어서 진단

바울은 교회를 그리스도의 몸이라고 표현하였다. 또한 그리스도의 몸은 그리스도를 중심으로 교회는 유기체적 조직을 형성한다. 그리고 유기체적 그리스도의 몸은 예수 그리스도를 머리로 하며 성도들은 각 지체로서 연결된 전체적인 몸으로서 이루어진다. 교회도 사람의 몸과 같이 때론 병들 수 있고 건강하게 유지할 수 있다. 그러므로 사람의 몸을 진단함과 같이 유기체적 몸의 교회도 진단될 수 있다. 교회의 체계적 조직을 해부하는 일은 교회의 질병을 발견할 수 있으며 건강한 교회로의 처방을 할 수 있다.

B. 진단의 과정

1. 착수 단계

진단 자는 진단 받는 목회자나 성도, 교회의 시설 및 여러 자료들을 접하고 문제들을 진단한다. 그리고 진단에 대한 구체적인 계획을 수립한다.

2. 조사 및 분석 단계

각종 정보를 수집하고 분석하며 진단한다. 교회, 프로그램, 목회자, 성도들의 질병의 원인을 진단한다. 그리고 치료 및 개선 방안

---

145) 계 2:1-3:22.

을 연구한다.

3. 권고 단계

진단에 대한 종합적인 결론을 내린다. 개선안을 작성한다. 개선할
사항을 지시하고 조언한다. 그리고 계속해서 관찰하며 지도한다
(feedback).

C. 진단의 영역

1. 외부진단

교회는 교회가 위치해 있는 지역과 무관하지 않다. 그러므로 교회
에 관계된 여러 외부적인 상황을 관찰할 필요가 있다. 외부진단의
영역에 대해 Waymire와 Wagner는 그들의 저서인 "*The Church
Growth Survey handbook*" 다음의 준거 틀을 제시하였다.[146)

1) 광역적 상황적 요인

광역적 상황 요인은 국제 정세, 경제 상황, 정부 정책, 사회적,
씨족 적, 인구 적 요인 등을 살펴보는 것이다. 정치, 시사 자료 등
을 조사한다. 또한 기독교에 대한 정부의 태도, 종교의 박해 등도
알아보는 것이다.

2) 광역적 제도적 요인

---

146) Bob Waymire and C. peter Wagner, *The Church Growth
    Survey handbook* (Milpitas Ca : Global Growth, 1984). pp. 22-25.

광역적 제도적 요인은 교단의 정책, 교파의 선교 전략 등을 분석한다. 교단 통계, 지역 교단, 교단 정책, 한국교회적 상황을 참조한다.

3) 지역적 상황적 요인

교회가 위치해 있는 지역의 역사, 특성, 지리, 정부 정책의 구체적 실현, 인구의 성장 및 쇠퇴, 신도시 건설(연감, 지역 통계 연보 참조). 지역 교회 및 교회 주변 교회의 상황, 교회 주변의 지역적인 상황 등을 살펴보는 것이다.

4) 지역적 제도적 요인

지역적 제도적 요인은 조사하고자 하는 교회의 제도적 요인을 살펴보는 것이다. 여기에는 교회의 역사, 목회자, 교인, 교회 구조, 시설, 전도 방법, 주일학교, 각종 프로그램, 목회전략 등등을 살펴보는 것이다.

2. 내부 진단

1) 사역자(목회자, 평신도) 2) 프로그램 및 행정 3) 시설, 위치, 환경 4) 영적 분위기 5) 예배, 소그룹 6) 양육 구조 7) 재정 8) 통계 9) 전도, 선교 10) 조직 등을 진단한다.

D. 진단의 도구

1. 설문 조사

지교회의 사역자, 성도, 시설, 환경, 영적 상태, 조직, 프로그램 등에 대한 설문서를 작성하여 진단한다. 또한 지역사회 주민에 대한 조사이다. 지역사회 주민의 종교 실태, 교회를 바라보는 인식 등에 대한 설문서를 만들어 조사한다. 그리고 교단에 대한 조사인데, 교단의 신앙적·신학적 배경을 통한 지 교회의 영향에 대한 조사를 한다.

2. 인터뷰

인터뷰는 진단 초기에 전문가가 지교회의 사역자나 성도들을 만나면서 가볍게 하는 진단 과정이다. 전반적이고 개략적인 흐름을 파악한다.

3. 심층 상담 조사

심층 단계에서는 사역자나 성도들을 개인적으로 깊이 있게 대화한다. 때론 상담의 기법을 사용하면서 전문적인 조사를 한다.

4. 녹음, 영상, 촬영 등의 기법을 활용

진단 조사에 필요한 각종 기기를 활용하는 방법이다.

E. 진단의 기준[147]

---

147) 황의영, 「목회진단학」 (서울 : 쿰란출판사, 2002), pp. 299-313.

1. 척도의 타당도

교회행정의 진단에 있어 중요한 것은 공정한 척도를 만드는 작업이다. 그리고 척도가 바르지 못하면 정확한 진단이 어렵다. 타당도는 어떤 평가에서 원래 목적으로 설정하여 측정하려고 계획한 것을 어느 정도 제대로 측정하고 있느냐의 정도를 가리키는 개념이다.

교회행정 타당도는 다음과 같은 기준이 있어야 한다.

1) 성경의 원리
교회행정의 근거는 성경에 두어야 하기에 시작부터 끝까지 성경의 원리에 합당한지 검토해보아야 한다.

2) 신학적인 입장
교단마다, 목회자마다 신학적인 입장이 다르겠지만, 성경의 원리에 합당한 신학적 입장에서 벗어나는 교회행정이 되어서는 안 된다.

3) 복음적인 입장
교회행정은 복음적이어야 한다. 교회의 존재 목적 자체가 주님의 십자가의 복음을 전하고자 하는 데 있기 때문이다. 즉 예수 그리스도 중심이어야 하며, 복음을 전파하는 사명성에 두어야 한다.

4) 영적인 측면
교회행정은 영적으로 올바른지 검토해야 한다. 행정 자체가 세상적일 수 있고, 인간적일 수 있기 때문에 항상 영적인 측면을 고려해야 한다. 교회행정은 항상 영적인 면인 말씀과 기도, 성령의 충만한 상태를 유지해야 한다.

5) 성장과 성숙의 열매

교회행정은 성도들의 영적 성장과 성숙이 이루어져야 한다. 이런 결과가 없는 교회행정은 무의미하다. 그리고 교회의 성장과 성숙 또한 이루어져야 한다.

6) 일반적 기준

Newton Malony는 풀러 신학대학교 강의 노트인 *Organizational Management and Church Planning*에서 아래와 같이 'E'의 평가 법을 소개하였다.[148]

(1) Effective - 얼마나 효과적이었나?
행사를 위하여 얼마나 목표를 성취하였는가를 묻는 것이다.

(2) Efficient - 얼마나 능률적이었나?
같은 행사라 할지라도 소모한 시간, 돈, 그리고 제반 여건에 따라서 얼마나 능률적으로 집행되었는가를 따지는 것이다.

(3) Enjoyable - 얼마나 재미있었나?
어떤 행사나 프로젝트가 거기에 참가한 사람들에게 즐거움을 주었는가 하는 것은 평가에 있어서 중요한 요소이다.

---

148) Newton Malony, *Oganizational Management and Church Planning* (Pasadena : Fuller Theological Seminary, 1983), 강의 노트. 이성희, 「교회행정학」, pp. 368-372 재인용.

(4) Exciting - 얼마나 흥미로웠나?

얼마나 많은 사람들에게 흥미를 이끌었는가를 묻는 것이다. 교회 행정이 원활하게 진행되려면 사람들에게 흥미를 느끼게 하며 동기부여를 유발하는 것이다.

(5) Excellent - 얼마나 훌륭했나?

행사나 프로젝트의 질적 우수성의 평가는 상대적으로 어려운 일이지만 단편적인 조항들을 질적으로 평가해 보는 것은 필요하다.

(6) Essential - 얼마나 필수적이었나?

교회의 행사는 연례행사가 그 주종이다. 부흥회, 여름성경학교, 절기 행사 등은 거의가 매년 유사한 범위와 내용으로 진행된다. 그러므로 교회의 행사는 그 자체의 의미를 상실하고, 습관적이고 관례적인 행사가 되기 쉽다. 이런 점을 고려해 꼭 필요한 행사인가를 따지는 것이 필요하다.

(7) Embodying - 얼마나 일체감을 주었나?

교회의 행사는 모든 구성원이 함께 참여하는 행사가 되어야 한다. 교회는 그리스도의 몸의 일체를 이루는 것이 중요하다.

(8) Enlightening - 얼마나 분명하였나?

교회의 행사를 통하여 구성원들에게 분명한 내용과 목표를 심어주는 것은 중요한 일이다. 아무리 좋은 목표를 가지고 있다고 하더라도 참가자들에게 분명하지 못하면 그것은 좋은 행사가 아니며 좋은 내용이 아니다. 교회의 행사와 프로그램이 모든 참가자들에게 깊은 이해가 되었나 하는 것이 중요하다.

(9) Economical - 얼마나 경제적이었나?

행사에 투자한 시간과 물질도 경제적인 차원에서 적절하였나를 점검해 보는 것이 효율성을 따지는 측면에서 필요하며, 또 다음 행사나 프로젝트를 위하여 상당히 중요한 의미를 가지게 될 것이다.

2. 척도의 신뢰도

신뢰도는 그 내용을 어느 정도의 안정성을 가지고 일관성 있게 정확성을 기하고 있느냐, 정확성과 정밀성에 주된 관심의 개념이다. 정확한 정보 수집과 치밀한 분석을 통해 정확한 진단을 하여야 한다.

3. 진단자의 공정성

진단의 척도가 올바르다지라도 진단자가 공정하지 않게 진단하면 진단은 의미가 없다. 그래서 진단자는 사적인 감정이나 인정에 치우셔서는 안 된다.

F. 진단의 대상

1. 목회자 진단

목회자의 성격, 은사, 지도력, 재능, 소명, 목회 철학, 비전, 설교, 영성, 기도 생활, 말씀 생활, 지·정·의 인격적인 부분, 추진력, 창의력, 믿음, 능력, 건강, 시간 관리, 가족, 취미, 대외 활동 등을 진단한다.

2. 부 교역자 진단

사역의 적절성, 성격, 추진력, 믿음, 열매(전도, 성숙), 담임목사와의 관계를 진단한다.

3. 평신도 사역자 진단

사역의 적절성, 사역의 열매, 예배 출석 및 헌신도, 담임목사의 목회 방침 순응, 전도에 대한 사명과 열정 등을 진단한다.

4. 교회 구조 진단

예배, 교육, 친교, 봉사, 전도, 구제, 선교 등의 조직, 행정, 운영의 체계를 진단한다.

5. 프로그램 진단

예배, 양육, 전도, 기도, 선교, 친교, 봉사 등의 각종 프로그램을 진단한다.

6. 재정관리 진단

교회의 모든 재정관리, 조직, 인사, 재정 상태, 성도들의 헌금의 내역 등을 진단한다.

7. 시설, 건물 진단

교회의 시설에 관계된 교회의 상황 등을 진단한다. 불편한 시설이나 건물을 통해 성도들이 어려움을 겪는 문제점 등을 진단한다.

8. 위치, 환경 진단

교회가 위치해 있는 환경, 지역사회의 환경을 진단한다. 교회가 올바르게 성장할 수 있는 위치와 적절한 환경이 주어져 있는지 진단한다.

9. 미래 예측 진단

교회 진단은 현재를 진단하고 미래를 대비하여야 한다. 미래를 대비하기 위해 현재의 정확한 진단과 미래를 예측할 수 있어야 한다.

G. 교회행정에 관련한 기타 토의사항

목회를 하면서 일반적으로 가질 수 있는 궁금증 내지는 풀어야할 숙제 같은 것들이 있다. 지극히 사적인 것이지만, 그러한 것이 목회자 개인에게 어려운 문제가 될 수도 있는 것들이며, 교회적으로도 문제가 될 소지가 있는 것들이다. 아래의 사항들은 목회현장에서 일반적으로 일어나는 것들이며, 일어날 가능성이 있는 것들이다. 이런 점들을 사전에 염두에 두면서 정리해나갈 때 목회에 큰도움이 되리라 생각한다.

1. 목회자와 관련한 토의사항

1) 성도들의 헌금 사항을 목회자가 알아야 하나?
2) 목회자가 재정관리 감독을 해야 하나?
3) 목회자가 차량 운전을 해야 하나?
4) 목회자가 교회 청소를 해야 하나?

5) 목회자가 자가용을 타고 다녀야 하나(분에 넘치는 고급 승용 차)?

6) 목회자가 성전 건축 일을 해야 하나?

7) 목회자가 취미 생활을 해도 되나?

8) 목회자가 학위를 위해 공부를 해도 되나?

9) 목회자가 교단이나 외부 활동을 해야 하나?

10) 목회자 자녀나 사모는 교회에서 잠잠히 있어야 하며 희생을 해야만 하나(갈등의 요소)?

11) 목회자가 재정을 위해 직업을 선택해도 되는가?

12) 사모가 직업을 가져도 되는가?

13) 현대 교회의 목회자 청빙 과정. 서류심사, 설교 테스트를 해야 하는가?

14) 예배 시간에 목사 가운을 입어야만 하는가?

2. 일반 토의사항

1) 헌금 사항을 주보에 기록해야 하나?

2) 재정보고를 꼭 해야 하나?

3) 직원회를 꼭 해야 하나?

4) 회의를 기도회나 부흥회식으로 해야 하나?

5) 사택이 교회에 붙어 있어도 되나?

6) 교회 건물을 크게 지어야 하나?

7) 교회 인테리어를 고급스럽게 해야 하나?

8) 교회에서 꼭 버스를 운행해야 하나?

9) 멀티미디어 시설을 예배 시간에 도입을 해야 하나?

10) 오후 예배를 드려야 하나?

11) 주일 오후 시간에 운동을 해도 되는가?

12) 금요 심야기도회가 철야 기도회로 대치될 수 있는가?

13) 주일 오후예배나 저녁예배를 안 드려도 되는가?

14) 구역예배 방학을 해도 되는가?

15) 교회 본당을 레포츠 시설로 이용해도 되는가?

16) 교회가 바자회 등 사업을 해도 되는가?

17) 주일 야외 예배는 어떤가?

18) 금, 토요일을 주일 예배로 드려도 되는가?

19) 교회에서 치리는 가능한가?

20) 십일조를 다른 교회에 내는 경우는 어떻게 신학적으로 해석해야 하는가?

21) 축하 예배 등 예배의 본질 면에서 어떻게 다루어야 하는가?

22) 수석 부목사 수석 장로 호칭은 정당한가?

23) 추수감사주일에 강단에다 제단을 쌓아도 되는가?

3. 조동진 목사 - 교회행정 관리에 나타난 문제들[149]

1) 제직회에서 사려가 부족한 즉흥적 발언을 어떻게 막을 수 있으며 조절할 수 있는가?

2) 목사가 계획 하지 않던 일들이 결정되는 것을 어떻게 막을 수 있는가?

3) 각 부서의 돌발적 무질서 돌출 행위에 대해 어떻게 조절할 수 있는가?

4) 교회의 재정을 목사가 손대지 않고 운영해 나가는 방법이 있을까?

5) 교회의 분규와 파벌 어떻게 잘 조절하며 해결할 수 있을까?

6) 목사와 성도와의 관계를 어떻게 유지하며 권위를 지킬 수 있을까?

---

149) 조동진, 「현대 교회행정학」, pp. 48-49.

H. 진단의 마무리

　마무리 과정은 최종적으로 교회와 성도에게 유익하도록 조정하는 과정이다. 교회행정의 종결은 반드시 영적 마무리가 되어야 한다. 아무리 교회행정이 잘 된다 하더라도 영적 마무리가 되지 아니하면 의미가 없다.

　마무리 과정은 다음과 같은 기준을 점검해봐야 한다. 첫째, 하나님께 영광이 되어야 하고, 둘째 교회에 유익이 되어야 하고, 셋째, 성도의 삶에 변화가 일어나야 하며, 넷째, 전도와 선교의 본질을 이루어야 한다. 그리고 부족한 부분을 점검해서 수정 보완하여 합력하여 결과를 이루어내야 한다.

제3부 교회행정의 여러 부문

Ⅰ. 교육행정150)

A. 교육행정의 개념

김종철은 그의 책「교육행정의 이론과 실제」에서 교육행정이란 "교육 활동에 관한 목표수립, 그 목표 달성을 위한 인적 · 물적 조건의 정비 및 목표 달성을 위한 지도 감독을 포함하는 일련의 봉사 활동을 말한다."고 하였다.151)

교회 교육행정은 하나님의 나라를 이루기 위해 필요한 인재들을 양성하기 위해 마련되는 행정으로서 이러한 교육행정을 이루기 위해 교회교육에 종사되는 사람들이 계획을 수립하고 이를 위해 인적, 물적 자원을 확보하여 그 교육을 실행에 옮기는 과정에서 봉사하고 협력하고 평가하는 일련의 총체적인 과정이라 할 수 있다.

즉, 교육행정은 다음과 같은 과정을 거친다.

1) 목표 설정 및 계획 활동

교육을 시작하기에 앞서 교육의 목적 및 목표를 설정하고, 구체적

---

150) 이광복, 「교회행정학의 실제」, pp. 180-206 참조.
151) 김종철, 「교육행정의 이론과 실제」 (서울 : 교육과학사, 1982), p. 19.

인 계획을 수립한다.

2) 교육의 조건 정비 및 조성 활동

교육을 하기 위해 인적, 물적 조건들을 확보하고 개발, 조성하는 일이다. 교회학교 학생의 학사관리, 교육과정 관리, 교사의 충원과 능력 계발, 교육재정의 확보와 분배이다.

3) 조직 관리 및 운영 활동

교육조직을 효율적으로 관리, 운영하는 일이다. 교육제도 및 법규 관리, 교회학교 학급의 조직과 경영, 인사 시설, 사무, 재무관리이다.

4) 지도, 조언, 평가 활동

교육이 보다 잘되도록 지도, 조언하며 평가를 통해 다시 수정, 보완, 힘을 실어주는 과정이다.

B. 교육행정의 성경적 근거

1. 구약의 근거

"7저가 위(位)에 있은 지 삼 년에 그 방백 벤하일과 오바댜와 스가랴와 느다넬과 미가야를 보내어 유다 여러 성읍에 가서 가르치게 하고 8또 저희와 함께 레위 사람 스마야와 느다냐와 스바댜와 아사헬과 스미라못과 여호나단과 아도니야와 도비야와 도바도니야

등 레위 사람을 보내고 또 저희와 함께 제사장 엘리사마와 여호람을 보내었더니 ⁹저희가 여호와의 율법 책을 가지고 유다에서 가르치되 그 모든 성읍으로 순행하며 인민을 가르쳤더라"(대하 17:7~9)

여호사밧 왕은 재위 삼 년인 주전 867년에 5명의 방백과 9명의 레위인과 2명의 제사장으로 구성된 율법교육사절로 교육개혁을 일으켰다. 여호사밧이 하나님의 모든 백성들에게 여호와의 율법 책을 가르치는 것이 얼마나 중요한가를 인식하였음을 나타내고 있다.

2. 신약의 근거

"¹하루는 예수께서 성전에서 백성을 가르치시며 복음을 전하실새 대제사장들과 서기관들이 장로들과 함께 가까이 와서 ²말하여 가로되 당신이 무슨 권세로 이런 일을 하는지 이 권세를 준 이가 누구인지 우리에게 말하라"(눅 20:1~2)

3. 초대교회의 근거

"그가 혹은 사도로, 혹은 선지자로, 혹은 복음 전하는 자로 혹은 목사와 교사로 주셨으니"(엡 4:11)

C. 교육행정 조직

대부분의 교회들은 규모에 상관없이 교육체계를 두고 있다.

1. 개척교회의 교육조직

(그림5 - 개척교회의 교육조직)

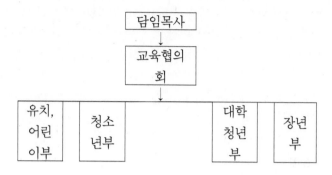

개척교회 단계에서는 교육 부서를 세분화하기가 어렵다. 따라서 역할도 분화되어 있지 않은 상태이다. 따라서 아직은 교육위원회를 두기보다는 각 부의 책임자들을 중심으로 교육이 이루어져야 할 것이다.

2. 소형 교회의 교육조직

(그림6 - 소형 교회의 교육조직)

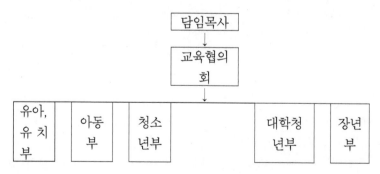

소형 교회의 경우 담임목사가 교육부 전체를 총괄한다. 담임목사
는 교육협의회의 의장이 된다. 교육협의회는 담임목사, 교육 관련
교역자, 교육부장, 각 부서장 및 총무로 구성된다. 교회학교의 전반
적인 사항을 함께 협의하고 결정하는 자리이다. 규모가 작은 교회
는 교역자보다는 각 부서의 부장을 중심으로 운영한다. 부장의 역
할이 크지만, 부서의 다른 임원들과 협의하여 운영한다.

3. 중형교회의 교육조직

(그림7 - 중형교회의 교육조직)

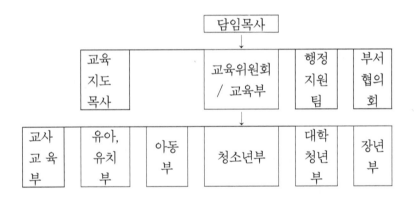

중형교회의 경우는 교역자 한 분을 교육 부서 전담으로 두게 한
다. 교육을 전담하는 목사는 담임목사를 대신하여 교육 목회적 지
도를 한다. 교육 목사는 교육위원장과 교육부서장과의 협의가 중요
하다. 상호협력 관계를 잘 가져야 한다. 교육위원회는 교회교육에
관한 제반 사항을 관장하고 협의하는 상설 부서이다. 교육 목사,
교육담당 교역자, 교육위원장, 각 부장 등으로 구성한다. 정책 협
의, 방향을 잡아간다. 행정지원팀은 교회학교 운영에 어려운 부분

들을 협력한다. 각 부서를 유기적으로 연결하고 협력 체계를 만들어 갈 수 있게 한다. 행정지원팀은 매일처럼 근무하는 상설 기구이다. 부서협의회는 부서의 지도자들이 한자리에 모이는 자리이다. 매월 또는 정기적인 모임을 갖고 각 부서의 현안들을 내어놓고 상호 협력과 조정을 모색하는 자리이다.

4. 대형 교회의 교육조직

(그림8 - 대형 교회의 교육조직)

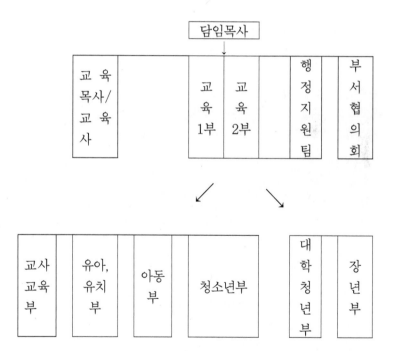

대형 교회의 경우에는 교육 부서가 더욱 세분화된다. 먼저 교육위원회를 교육 1부와 교육 2부로 나누어 편성한다. 교육 1부는 유아, 유치, 아동부, 청소년부에 관련한 교육 활동을 관장하고, 교육 2부는 대학청년부, 장년부를 관장한다. 교육 목사는 기독교교육을 전공한 기독교교육 전문가여야 한다. 교육위원회, 행정지원팀, 부서협의회는 중형교회와 별 차이가 없다. 다만 교육 1, 2부 사이에 상호 협력적인 관계를 유지하는 노력이 필요하다.

D. 양육체계

교회와 목회자마다 양육에 대한 체계가 다양할 것이다. 대체로 초신자, 새가족에 대한 양육체계, 기존 신자에 대한 제자훈련의 체계로 나누어진다. 초신자와 새가족에 대한 양육은 훈련이라기보다 양육에 가깝다. 양육의 내용은 복음을 받아들이는 과정, 신앙생활, 성경의 개론 등을 다룬다. 기존 신자의 양육은 훈련의 의미에 중점을 둔다. 이런 훈련에는 영성 훈련, 인격 훈련, 사역 훈련 등이 있다. 영성 훈련에는 말씀 훈련, 기도 훈련, 예배 훈련 등이 있다. 인격 훈련은 말씀을 통한 제자훈련이다. 말씀을 통해 적용되는 인격의 변화를 바란다. 사역 훈련은 훈련된 제자를 사역자로 세우며 파송하여 다른 초신자나 새가족 등을 돌보는 재생산의 사역을 말한다. 이런 사역은 전도 훈련, 제자 양육훈련 등이 있다. 양육체계에 대해서 다음과 같이 군산삼성교회의 단계별 훈련 과정을 소개한다.

군산삼성교회의 단계별 훈련 과정

1. 단계별 훈련 과정

1) 새가족 - 새신자 양육

2) 양육 - 양육 성경공부, 성경 읽기, 기도학교, 찬송학교, 목장 참여, 수련회나 집회 참석

3) 제자 - 제자훈련, 직분자 훈련, 새가족 일대일 사역, 새가족 도우미 훈련, 아버지 학교, 어머니 학교, 중보기도 학교, 전도 훈련 (Ⅰ), 성령 충만 수양회

4) 사역자 - 사역자 훈련, 목장 훈련, 섬김의 리더십 훈련, 전도 훈련(Ⅱ), 품성 훈련, 효도 학교, 사역자 수련회, 선교 훈련

2. 훈련 방법

1) 자가 훈련 : 성경 묵상, 기도 생활, 봉사 생활
2) 통신 훈련 : 교육 Tape, CD, 교재, 인터넷 자료를 첨삭지도
3) 일대일 훈련 : 멘토와 함께 교육받음
4) 그룹 훈련 : 새가족 코스, 양육, 제자훈련, 사역자, 각종 훈련 과정 참여

(표8 - 단계별 훈련 과정 체계)

단계별 훈련 과정 체계

성명 :

단계	자가 훈련		통신 훈련		일대일 훈련		그룹 훈련	
	훈련 내용	참석	훈련 내용	참석	훈련 내용	참석	훈련 내용	참석
초보	예배 출석 훈련		이슬비 전도편지		바나바 성경공부		새가족 성경공부	
			성경통신				새가족	

			문제				훈련 코스	
					목양 심방			
양 육	QT		성경통신 문제		양육 일대일		양육 성경공부	
	성경읽기		양육 성경 통신공부		목양 심방		기도학교	
	기도 생활						찬송학교	
	봉사 생활						목장 참여	
	독서						수련회 및 집회	
	성경 필사						성경 파노라마	
제 자	QT		인터넷 자료, 첨삭		목양 상담		제자훈련	
	성경읽기						직분자 훈련	
	새벽기도						바나바 사역	
	봉사 생활						새가족 도우미 훈련	
	독서						아버지 학교	
	성경 필사						어머니 학교	
							중보기도 학교	

						전도 훈련(1)	
						성령충만 수양회	
사 역 자			인터넷 자료, 첨삭		목양 상담		사역자 훈련	
	QT						목장 훈련	
	성경읽기						리더십 훈련	
	새벽기도						전도 훈련(2)	
	봉사 생활						품성 훈련	
	독서						효도 학교	
	성경필사						사역자 수련회	

II. 예배 행정

예배는 하나님께 올려드리는 신령한 시간이다. 교회의 기능 중 가장 우선적인 기능이다. 예배에 관련한 행정은 예배를 좀 더 경건하고, 질서 있고, 영적이며 준비된 예배를 드리게 한다. 예배 행정에 있어서는 우선 예배위원회가 조직되어야 한다. 그리고 예배에 관련한 전반적인 사항들을 점검하며 준비하여야 한다.

A. 예배위원회

예배위원회는 예배에 관한 모든 것을 관장한다. 위원장은 소형 교회는 담임목사가 될 수 있으며 중형, 대형 교회는 담당 목사나 평신도가 위원장이 될 수 있다. 위원회는 예배에 관련한 모든 것을 연구한다. 즉 년 중 예배위원, 예배 담당, 예배 순서자 등을 계획하며 찬양, 기도, 헌금, 성찬, 안내, 분위기 등을 연구하며 지도한다.

B. 예배의 종류

예배는 교단에 따라 다르겠으나 대체로 공 예배를 주일낮예배, 주일저녁(오후)예배, 수요예배로 나눈다. 그리고 새벽기도회, 금요기도회, 구역예배, 심방 예배 등이 있다. 그리고 부흥성회, 특별 집회, 찬양 집회 등으로 예배를 드리는 경우가 있다.

C. 예배 준비에 관련한 제반 준비사항

1. 예배 전

1) 위원들과 함께 기도회로 모인다. 소형 교회는 담임목사와 예배위원들이 구성이 되고 중형, 대형 교회는 예배위원회로 모인다. 기도회를 통해 구체적인 사항들을 점검하며 준비한다.

2) 예배 시설을 전반적으로 점검한다. 음향, 냉난방, 조명, 찬양에 관련된 컴퓨터, 프로젝트, TV, 의자 배열, 꽃꽂이, 출입문, 계단, 엘리베이터, 화장실, 교회 안과 밖의 청소상태, 주보 등을 점검한다.

3) 안내위원은 복장을 가급적 통일한다. 통일된 복장(혹은 유니폼)은 일체감을 갖게 하고 준비성을 통해 예의를 갖춘 것으로 보이게 한다. 명찰도 패용하면 좋다.

4) 안내위원과 예배위원은 예배 시작 전 30전에는 미리 나와 기도하며 준비하여야 한다. 그리고 성도들을 대하는 자세는 감사한 마음과 반가운 태도로 누구에게나 먼저 인사한다. 예배를 마친 후에는 로비에 한 줄로 서서 인사한다.

5) 비 오는 날에는 우산꽂이를 준비한다.

6) 물컵과 물수건을 예배 때마다 교환하여 강대상이 올려놓는다.

7) 헌금 꽃이 대를 잘 정리한다.

8) 새 가족을 잘 영접하여 등록하게 하고 등록 기록한 것을 강대상에 올려 놓는다. 새 가족 옆자리에 앉아 친절하게 안내한다.

2. 예배 중

1) 늦게 오는 사람들을 자리를 배치해 준다.

2) 순서 맡은 분들을 사전에 점검해주며 준비케 한다. 찬양 대

원, 기도위원, 헌금 위원들을 준비하게 한다.

　3) 성찬식과 세례식 시에는 위원들을 안내하고 배치한다.

3. 예배 후

　1) 목사님 축도 후 출입문을 열어 놓는다.

　2) 성도들과 반갑게 인사한다.

　3) 새 가족을 담임목사님에게 안내한다.

　4) 안내를 마친 위원들은 본당 입구로 모여 출석 체크를 한다.

　5) 새 가족을 일대일로 양육할 수 있도록 양육자와 새 가족을
맺어 준다.

III. 시설행정

교회의 건물은 성도들이 생활하는 시설이다. 교회는 예배하는 곳, 거룩한 공동체가 모이는 곳, 교제하는 곳이다. 그러기에 일반 시설과는 다른 성격이 있다. 건물은 똑같은 건물이지만 영적인 시설이다. 교회의 어원에 고대 그리스어 '시나고게(συναγωγή, synagogē)'는 우리 말 성경에 회당으로 번역되었다. 이 말은 유대인의 종교적 집합이나 혹은 공 예배를 위하여 모인 건물을 의미한다. 그러므로 성별된 시설로 구별되는 교회는 특별한 관리가 필요하다.

시설행정에는 건물의 건축, 관리, 보전의 부서와 역할이 필요하다. 건축에 관련한 건축위원회, 건축 후 관리와 보전을 위한 관리위원회가 필요하다. 임대 교회일 경우 역시 관리위원회와 향후 건축하게 될 건축위원회가 필요하다.

A. 건축위원회

1. 건축을 위해 기도하며 건축에 필요한 재정을 적립한다.
2. 부지 선정, 부지 매입, 설계 및 시공의 모든 과정을 관장한다.

B. 관리위원회

1. 건물의 유지, 보수 등의 모든 관리를 관장한다.
2. 건물의 관리에 따른 재정을 충당한다.

3. 시설의 모든 비품의 구입, 유지, 보수를 관장한다.

4. 각 건물 및 시설물 관리 책임자는 성실하게 건물을 관리하여 모든 시설물이 최상의 상태로 가동될 수 있도록 한다.

5. 각 건물 안의 현황을 정확히 파악하여 공기순환, 화재방지, 냉난방시설, 위생, 조명등이 적정한 상태로 유지되고 또한 예방적 조치를 강구하여 그 기능이 효율적으로 발휘될 수 있도록 관리에 만전을 기하여야 한다.

6. 관리책임자는 유지·보수가 필요하다고 판단되면 위원장과 상의 후 보수 요청 시 사진 및 업체의 견적을 첨부하여 담임목사의 승인을 받아야 한다.

7. 각 건물에 비치된 주간, 월별 체크 리스트를 참고하여 점검한다.

IV. 사무관리 행정

교회행정에 있어 사무관리는 보조적인 업무로서 교회행정 전반에 걸쳐 요청되는 분야이다.

A. 사무관리의 개념

사무관리의 개념은 행정관리에 필요한 정보를 효율적, 합리적으로 생산하기 위한 관리 활동이다. 사무관리는 교회행정의 전 과정에서 관리 활동의 진행을 간접적으로 보조하며 촉진시킨다. 보조 촉진이라 함은 준비한다는 개념과 서비스의 개념을 가지고 있다. 또한 관리자의 의사결정과 실행하는 자의 직무 수행에 필요한 정보를 제공한다.

B. 문서 사무의 개념

문서란 객관적으로 독해할 수 있는 문자나 부호, 도면 및 도표 등으로 업무상 필요한 사항이나 특정한 의사를 구체적으로 작성해 놓은 것이다. 문서의 자격은 그것을 작성한 주체가 밝혀져 있어야 한다.

C. 사무 관리자의 역할

교회의 사무장, 사무국장, 총무과장, 등이 담당한다.

1. 직무 단위를 정해주고, 책임 있게 활동할 수 있도록 적절한 책임을 부여한다.
2. 능률적인 사무작업을 하는데 필요한 사무실의 환경, 설비, 비품, 기계 및 보급품의 지정과 구입을 관리한다.
3. 통신, 전산, 문서작성 및 보관, 문서 및 물품 발송, 전신, 전화, 지시 및 전달과 같은 업무를 관장한다.
4. 사무원의 감독과 협조, 유지하게 하는 책임이 있다.

D. 교회 문서 사무와 장표

1. 장표란 무엇인가?

장표란 기입할 것을 예견한 모든 사무용 용기구류를 총칭하는 말이다. 사무 처리상 표기되는 일체의 형식을 의미한다.

2. 교회에서 크게 쓰이는 장표

문서접수대장, 문서발송대장, 교인등록카드, 교적부, 세례인명부, 학습인명부, 입교인명부, 금전출납부, 수입전표, 지출전표, 비품관리대장, 물품관리대장, 물품구매대장, 포상대장, 물품검수대장, 증명서교부대장, 결혼 및 약혼대장, 임직대장, 교회학교졸업대장, 보조금청구대장, 차량관리대장, 배차대장, 징계대장, 도서대장, 악기관리대장, 소모품관리대장, 숙직 및 당직대장, 직원 출근부, 직원인사카드 등이 있다.

3. 장표의 기능

1) 사무 처리의 방법과 절차를 일정한 표준에 의해 이끌어주는
역할을 한다.
2) 행정 의사의 전달과 보존역할을 한다.

E. 교회 문서 접수와 발송

문서가 기관과 기관에서 오고 갈 때 문서수발절차에 따라 분명하
게 처리하지 않으면 문서가 유실되거나 중요한 사안에 제때에 처
리되지 못하여 행정업무의 차질을 가져올 수도 있다.

1. 문서 접수 요령

1) 문서의 개봉 분류
들어 온 문서에 대해서 개봉 금지된 것에 외에 문서들을 개봉하
여 해당 부서별로 분류한다.

2) 문서 접수인
개봉된 문서는 문서 접수인을 날인하고 접수번호와 접수 연월일시
를 기입한다.

3) 접수 대장 기록
문서 접수 대장에는 대내와 대외로부터 보내온 모든 문서를 접수
번호와 접수 연월일시 순으로 기록하고 첨부된 문서도 품명 및 수
량, 매수를 파악하여 기입한다.

4) 배부 처리
접수 대장에 기록이 완료된 문서는 담당자에게 인계하고 서명을

받아 둔다.

2. 문서 발송 요령

1) 기안문과 시행문의 내용이 일치하고 착오가 없는지 대조한다.
2) 결재 과정을 제대로 거쳤는가? 확인, 서명 확인한다.
3) 공문서 작성 원칙과 규정에 따라 작성되었는지 확인한다.
4) 발송인을 날인하고 발송번호와 발송 연월일시를 기입한다.
5) 문서 발송 대장에 발송 문건에 대하여 필요한 사항을 기입한다.
6) 외부로 발송되는 문서에는 당회장 직인을 찍고, 내부에서 주고받는 문서는 발신자가 서명을 한다.
7) 발송 시 확실한 근거를 남겨 놓거나 문서의 변조를 막기 위해 계인을 날인한다.

F. 교회 사무의 전산화

도시화, 산업화, 첨단 과학 문명의 발전, 컴퓨터 하드웨어와 소프트웨어, 인터넷 및 네트워크, 스마트폰의 발전은 교회 행정사무의 과학화, 전산화의 필요성을 요청하게 되었다. 또한 교회가 양적으로 성장해감에 따라 업무량의 증대와 복잡화 역시 교회행정 사무의 전산화를 갖게 하였다.

교회행정 전산화의 효과로는 다음과 같다.

1) 신속 정확한 자료처리로 인한 업무 향상을 가져온다.
2) 자료 정리, 통계, 집계 및 문서작성 등 모든 행정업무 처리

시간을 단축시킨다.

3) 업무 폭주로 인해 소홀했던 성도에 대한 관리를 개선한다.

4) 인원 증원을 억제시킨다.

5) 장부기장 등 단순반복 업무를 감소시킨다.

6) 담당자 부재 시, 퇴사 시, 조직 변경 시 정보 전달이 용이하다.

7) 비품, 자산, 성물 등 정확한 관리를 할 수 있다.

8) 각종 교회 사료를 보관하는 것이 용이하며, 항구적으로 보존, 유지할 수 있다.

9) 재정관리 업무의 신속성과 정확성을 기할 수 있다.

10) 사무체계의 합리화와 간소화를 이룰 수 있다.

11) 교적 자료의 정확한 관리와 열람의 편이성을 가질 수 있다.

G. 교회 사무의 정관

정관은 교회행정을 집행하기 위해 필요한 모든 규정을 말한다. 정관은 교회의 사무총회(공동의회), 직원회(제직회), 당회에서 충분히 의논하고 결정되어야 한다. 정관은 우선 교단의 헌법에 따라 세워져야 하며, 개 교회의 실정에 맞게 조정되어야 한다. 한 번 정해진 정관은 규칙에 따라 수정, 보완할 수 있어야 하며, 정관에 따라 모든 행정을 집행할 수 있도록 하여야 한다. 정관이 분명하게 세워지면 교인들은 정관에 따라 모든 것을 운영할 수 있기 때문에 교회행정이 투명하고, 공정하게 원활하게 진행될 수 있다. 부록으로 기독교대한성결교회 서울남지방회의 정관을 예로 소개한다.152)

---

152) 부록. p. 328. 위 정관은 기독교대한성결교회 서울남지방회가 2014년도에 전문가의 도움을 받아, 해 지방회 지교회를 위하여 만든 정관임.

V. 미래사회와 교회행정 대안

교회행정은 교회가 어떻게 함은 하나님의 뜻에 합당한 교회가 되게 하는 데 있다. 영적인 교회를 행정이란 원리를 통해 보다 더 주님의 교회답게 만들어가야 하는 사명이 있다. 그러므로 교회행정은 끊임없는 연구와 노력을 다하여야 한다. 그러기에 교회행정은 오늘의 현실에 안주하는 것이 아니라 다가오는 미래를 대비하여 준비하여야 한다. 미래를 정확히 예측하고 거기에 따른 대책을 미리 준비하여 대처해야 한다. 미래사회를 예측하고 오늘의 교회행정의 대안을 준비하는 것은 교회행정의 마지막 부분의 중요한 과정이다.

A. 미래사회의 특징

1. 세계화

전 세계는 하나의 공동체로, 일일생활권으로 자리를 잡고 있다. 다음의 세 요건이 세계화를 이루고 있다.

1) 교통(Transportation) : 첨단 교통수단의 발달이다. 서울에서 미국 뉴욕까지 하루에 왕복할 수도 있는 빠른 비행기가 계발될 것이다.
2) 통신(Telecommunication) : 장거리 통신수단인 통신 위성, 화상 회의, 인터넷의 발달이다.
3) 관광(Tourism) : 교통수단의 발달과 경제적 발전과 함께 폭발적인 해외 관광이 이루어지고 있다. 문화의 다양한 교류는 세계

화(Unity)와 지방화(Diversity)를 동시에 이루고 있다.

이런 세계화 시대의 목회의 키는 "연대성"이다. 이제 세상은 열린 시대로 기존의 절대적 리더십을 가진 지도자 한 사람에 의해 주도되는 하향식 교회 구조는 더이상 어울리지 않는다. 지구촌 시대에 다향한 생각과 문화를 가진 사람들로 구성된 공동체를 섬기기 위해서는 평신도들을 각자의 은사에 맞게 배치하여 사역에 자발적으로 참여하도록 하며, 교회 전체적으로는 각 부서가 연대하여 사역의 질서와 조화를 이루도록 조직을 구성해야 한다.153)
또한 인터넷으로만 만나는 장에서 인격 대 인격으로 만나는 장을 만들어야 한다.

2. 최첨단 과학기술의 시대

최근에 4차 산업혁명이란 말이 등장하였다. 4차 산업혁명이란 디지털을 이용해 가상 세계와 물리 세계를 연결하는 것이다. 4차 산업혁명에서는 제조업이 디지털 즉, 사물 인터넷(Iot-Internet of Things), 인공지능(AI), 로봇, 모바일, 빅데이터, 생명공학 등과 하나의 시스템이 된다. 현실과 가상의 공간이 융합되면서 가상적 물리적(Cyber Physcial) 생산시스템이란 기묘한 키워드가 등장한다. 가상공간과 현실의 물리적 공간이 서로 얽히고설키면서 등장하는 새로운 무엇인가가 이 시대를 만들어가고 있다. 현실의 차가운 기계와 기계가 말랑한 가상공간에서 서로 소통하고 협력하는 것을 가상적 물리적 생산시스템이라 한다. 이것은 인공지능을 지닌 로봇과 기계들을 말한다. 인공지능은 경제, 정치, 사회, 문화, 건축, 예술, 제조업, 서비스업, 스포츠 모든 분야에 적용될 것이다.
사물 인터넷은 스마트폰, PC를 넘어 자동차, 냉장고, 세탁기, 시

---

153) 김석년, 「패스 브레이킹」, p. 24.

계 등 모든 사물이 인터넷에 연결되는 것을 말한다. 이 기술을 이용하면 각종 기기에 통신, 센서 기능을 장착해 스스로 데이터를 주고받고 이를 처리해 자동으로 구동하는 것이 가능해진다. 교통상황, 주변 상황을 실시간으로 확인해 무인 주행이 가능한 자동차나 집 밖에서 스마트폰으로 조정할 수 있는 가전제품이 대표적이다. 사물 인터넷은 아주 간단히 정리하면 세상 모든 물건에 통신 기능이 장착된 것을 뜻한다. 이를 통해 각 기기로부터 정보를 수집하고 이를 가공해 사용자에게 제공할 수 있다. 대표적인 예가 최근 급성장하고 있는 웨어러블(착용 형) 기기다. 시계나 목걸이 형태의 이런 기기는 운동량 등을 측정하고, 스마트폰과 연결해 전화 · 문자 · 웹서핑 등이 가능하다.

첨단과학기술 시대의 키워드는 "전문성"이다. 변화에 민감한 현대인들을 리드하기 위해서는 교회 사역이 창조적인 동시에 최고 수준을 지향해야 한다. 목회자는 최소한 두 가지 영역의 전문가여야 한다. 첫째 비전가가 되라! 교회를 향해 꿈꾸는 전문가요, 그 꿈을 위해 언제든 기꺼이 대가를 치를 수 있는 준비된 자가 되는 것이다. 둘째, 말씀과 기도의 대가가 되라!(행6:4) 다른 것은 부족하더라도 말씀과 기도만큼은 결코 양보할 수 없다.154)

최첨단과학기술 시대의 또 하나의 키워드는 "영성"이다. 고도의 과학기술 시대가 되면 문화적으로는 편리한 시대가 되겠지만 사람들의 인격과 정서는 점차 메말라져 가고 외로움과 고독이 몰려올 것이다. 또한 인간의 존재 가치가 기계에 의해 소외되는 현상이 올 것이다. 이때 사람들에게 필요한 것은 영성이다. 그러므로 목회자는 무엇보다도 말씀 충만, 성령 충만한 목회자가 되어야 할 것이다.

3. 복지화의 시대

---

154) ibid., p. 21.

선진국이 될수록 복지국가가 된다. 경제가 성장할수록 국가와 사회가 주는 복지 혜택이 많아진다. 이런 사회적 복지 혜택 때문에 21세기에는 교인이 줄 것이다. 사회가 주는 여러 기능적 대용물의 발달 때문에 교회가 쇠퇴한다. 교회보다 세상이 더 재미있다. 지난 수년 동안 한국교회 가운데 1% 이상 성장한 교단이 없다. 포기하면 안 된다. 교회 성장에 계속 관심을 두고 노력해야 한다. 교회만이 줄 수 있는 특별한 영성, 은사, 치유, 변화, 공동체의 사귐을 제공할 수 있어야 한다.

4. 다양성의 시대

오늘날은 "다원주의", 곧 포스트모더니즘 시대이다. 이제껏 전통적 미덕으로 강조되었던 전통, 체계, 인격, 관용, 통일성 등은 개성, 개인주의, 개별성 등 그야말로 "튀는 것"을 선호하는 문화로 변화하고 있다. 이러한 인간 양식의 변화는 기존 가치관에 대항하는 "탈구조적" 세대의 등장을 예고한다. 흔히 신세대라 불리는 이들은 소위 "PANTS 신드롬" - Personal(개인적), Amusement(흥미본위), Natural(자연스러움), Trans-border(경계를 넘나든다. 남녀 성별 구분이 모호하다), Self-Loving(극단적인 자기 사랑)의 특징을 나타낸다.[155].

또한 미래의 시대에는 다국적의 사람들이 모여 살게 된다. 다문화의 시대를 만들어간다. 이러한 세대의 목회 키는 "다양성"이다. 교회는 이러한 새 시대의 다양성을 인정하고 이해하고 수용하고 적극적으로 그들과 소통할 수 있어야 한다.

---

155) ibid., p. 25.

B. 교회행정 대안156)

1. 전문화, 특성화의 목회

미래 목회는 전문화가 되지 못하면 살아남지 못한다. 목회자도 전문화, 분업화, 특성화, 협동 목회가 되어야 한다.

2. 메가 처치(Mega Church)에서 메타 처치(Meta Church)로

인류학자이자 풀러신학교 교수인 폴 히버트(Paul Hiebert)는 교회를 메가 처치(mega church)와 메타 처치(meta church)로 나누면서 메타 처치는 변화를 추구하는 교회로서 초대형교회보다 한 차원 높은 교회라고 말한다. 미국의 교회성장학자 칼 조지(Carl. F. George)는 미래교회는 메타 교회가 될 것이라고 정의하였다. 접두어 메타는 헬라어의 '변화'를 의미하는 말로서 메타 교회란 전환기의 교회, 돌아서는 교회, 혹은 되어가는 교회를 말한다. 양적인 성장을 넘어 질적인 성장을 추구하는 교회이다. 그러므로 메타 교회는 대형 교회의 메가 교회와는 의미가 전혀 다르다. 메타 교회는 대형 교회가 아니라 변화를 모색하는 모든 미래 구조를 지향하는 교회이다. 미래형 메타 교회는 목회자와 평신도와의 관계를 극대화시키는 교회이다. 미래사회는 목회자 개인의 역량에 의해 좌우되는 교회가 아니라, 평신도를 통하여 교인 상호 간의 관계성을 유지하며, 목회자와 평신도 사이의 목회적 돌봄을 공유하는 체제이다. 메타 교회는 소그룹을 통한 교회 활동을 강조한다.

서강대학교 사회학과와 감리교신학대학교 기독교통합학문연구소

---

156) 김동일, 「교회성장 진단을 통한 성장정체 요인의 치료 및 성장 전략에 관한 연구」박사논문, 평택대학교 신학전문대학원, 2003, pp. 104-105.

가 주관하는 "2015 해외학자 초청세미나"157)에서 발제자 앤드류 존슨(Andrew Johnson)은 "로스앤젤레스 : 미국 복음주의의 혁신적 국면"(Los Angeles: The innovative Edge of American Evangelicalism)"이라는 제목으로 LA에서 일어나고 있는 복음주의 교회들의 헌신적인 변화에 대해서 다음과 같이 발표했다.

초대형교회의 시대는 끝났다. 먼저 존슨 박사는 새들백 교회나 수정 교회같이 잘 갖추어진 메가 처치가 창의적 혁신의 전면에 있었던 적이 있었다고 발표했다. 그러나 그는 현재 미국 특히 LA같은 도시에서는 초대형교회가 아니라, 20명에서 수백 명 사이의 중소형교회들이 사회적 혁신의 전면에 등장하고 있다고 분석했다. 창의적 혁신이라는 측면에서 큰 변화가 일어나고 있다는 것이다.
앤드류 박사는 혁신의 영역을 3가지로 분류했다. 인종(Race), 사회적 봉사(Social Service) 그리고 조직(Organization)이라는 세 가지 측면에서 혁신을 보아야 한다는 것이다. 초대형교회들은 인종 문제에 대한 대안이 없다. 이런 메가 처치는 백인들이 중심이 되어 모이는 교회가 많기 때문이다. 이런 대형 교회들은 LA의 다양한 인종들을 포용하지 못한다. 따라서 인종 문제에 대해 창의적 혁신 방안을 내놓지 못하고 있다. 그런데 초대형교회가 아닌 중소형의 새로운 교회들이 인종 문제에 대해 창의적 혁신을 일으키고 있다고 한다. 대표적인 예로, 미국으로 이민한 한인 1세대의 자녀들이 개척한 한인 2세 교회들이다. 영어를 사용하는 한인 2세들이 한국어를 사용하는 한인 1세대 교회로부터 독립하여 영어로 예배하는 한인 2세 교회로 모이게 되었다. 이들은 영어를 사용하기 때문에 예수를 믿지 않는 흑인과 라티노들을 포함하여 백인들에게까지 복음을 전하게 된다. 그 결과 한인 2세 50%, 기타 다양한 인종 50%가 모인 다국적 다인종 교

157) 세미나 일자 2015.10.1. 출처:
http://cafe.daum.net/jmsoo./JJuv/2384?q=%B8%DF%B0%A1%C3%B3%C4%A1.

회가 세워졌다. 기존의 대형 교회들과는 다른 다인종 다문화 교회가 세워진 것이다. 이런 교회들로 말미암아 인종적 갈등이 자연스럽게 해결되고 있다고 한다.

또한 중소형교회들이 메가 처치보다 더 혁신적인 사회봉사 (Social Service)를 효과적으로 할 수 있다고 했다. LA에 홈리스가 약 10만 명 정도 있다고 하는데 초대형교회의 세련된 현대식 건물들은 이런 홈리스들이 접근하기조차 힘들다는 것이다. 오히려 교회 건물도 없고 큰 예산도 없이 길거리에 모여서 예배하고 기도하는 교회가 LA 홈리스들을 위한 혁신적 봉사를 하고 있다고 한다. 예를 들어 그런 길거리 교회는 지역사회를 위한 부엌을 오픈해서 유효기간이 하루 남은 음식들을 기부를 받거나 싼값으로 사다가 길거리에서 홈리스들에게 제공하는 일을 정기적으로 하고 있다. LA에는 이러한 교회들이 점점 늘어나서 홈리스들에게 음식을 제공하는 네트워크를 형성하고 있다. 이런 봉사 사역의 중심에 있는 교인들은 만약 교회가 커지면 이런 사역을 더이상 못할 것이라고 예상하고 있다고 한다. 교회가 더 커지면 건물과 조직을 유지하는 것이 중심 사역이 되고, 홈리스 사역은 부수적인 일이 되기 때문이다. 중소형의 혁신적인 교회들은 사회봉사가 그들의 중심 사역이 되기 때문에 지속적으로 혁신적인 사회봉사를 진행할 수 있다고 한다.

또 하나의 혁신은 조직의 혁신이다. 초대형교회의 치밀한 조직이 초대형교회를 죽인다고 한다. 예를 들어 누군가 죽어서 대형 교회에 전화를 하면 사람이 응대하는 것이 아니라 자동 응답기가 응대를 한다고 한다. 미국에서 이런 농담이 유행을 한다고 한다. 헌금을 위해서는 1번, 기부금 영수증을 위해서는 2번, 그리고 다른 목적을 위해서 8번까지 번호가 지정되고 맨 마지막에 죽은 자를 위해서 9번이 남아 있다는 것이다. 그래서 교회에 죽음을 알리는 전화를 하면 "9번을 눌러주세요"라는 응답기의 멘트가 나온다는 것이다. 인격적인 관계가 끊어진 초대형교회의 조직을 풍자하는 유모이다. 예를 들어 세계적인 조직을 가지고 있는 힐송 처치는 LA에 문을 연 지 단 18개월 만에 초대형교회가 되었다고 한다. 이런 현상은 인격적 관계가 없이 성장하는 메가 처치의 모습을 단적으로 보여준다고 하겠다.

3. 심방 목회에서 교육 목회로

미래사회가 될수록 개인의 생활이 노출되는 것을 꺼려하여 심방을 기피하는 현상이 올 것이다. 미래 목회는 제자훈련의 목회, 소그룹의 목회로 현장에서 사람들을 만나는 것이다.

4. 집회 목회에서 관계 목회로

미래 목회는 대중적 집회는 별로 환영을 받지 못한다. 소그룹의 관계를 회복해야 한다.

5. 프로그램 목회에서 영성 목회로

하이테크 시대일수록 더욱 영성을 필요로 한다. 프로그램만 가동하는 목회보다 영성 중심 목회로 이루어야 한다.

6. 나 홀로 목회에서 팀 목회로

셀 그룹이나 팀 모임의 지도자를 세워 함께 일을 한다.

7. 주일 목회에서 매일의 목회로

주중에 각 소그룹의 공동체를 갖는다. 직장이나 사업 기타 형편상 주일 예배를 드리지 못하는 사람들 중심으로 현장이나 그들에 맞는 주중의 예배나 교육을 실시한다.

8. 예배당 중심에서 현장 중심으로

가정, 직장, 사업장 중심으로 만남을 갖는다.

9. 정보화 목회 - 인터넷 활용 목회

미래는 인터넷 온라인 시대이다. 인터넷을 통한 목회자와 성도, 성도와 성도 간의 교류가 활발한 시대이다.

10. 공동 목회(네트워크 목회)

세계는 블록화, 그룹화되어 가고 있다. 경제도 그룹화되어 가고 있다. 은행 합병, 대형 마트 등장이 그 예다. 교회도 작은 교회끼리 연합, 대 교회를 이룰 수 있다. 주중에는 각각 독립교회 형태로 있으면서 주일에는 전체 회중이 함께 모인다. 각 교회를 돌아가면서 모일 수 있다. 그러나 번거롭고 질서가 깨질 우려가 있으며 초 신자들이 적응하지 못하는 경우가 있다. 한 곳을 정하여 모이는 것이 좋다. 구역 관리와 제자훈련, 심방도 독립적으로 한다. 헌금은 공동 관리한다. 운영 자금은 기본금을 정하되 자연스럽게 헌신의 분위기로 헌금하게 한다. 운영 자금은 교회 운영이사회를 조직하여 운영하게 한다. 목회자 사례비를 운영이사회에서 책정한다. 운영이사회는 각 교회 담임목사와 평신도 대표 1인으로 한다. 교회 등기는 운영이사회 이름으로 공동으로 한다. 또한 교단의 법인에 등기를 낸다. 대표는 각 교회 담임목사로 순연으로 돌아가면서 한다. 투표로 할 수도 있으나 과열 경쟁으로 공동 목회가 깨질 수도 있다.

11. 이멀징 처치(Emerging Church)로의 전환

미래 행정 대안에서 제시한 여러 방안들이 어쩌면 새롭게 떠오르는 이멀징 처치의 현상들일 수도 있다. 이멀징 처치는 포스트모더니즘이라는 시대적 상황 속에서 서방교회의 위기감에서 발생했다. 이 운동은 교회 본질과 성질을 재고하는 것으로 공동체 네트워킹 강조하고, 인격적 관계와 참여 강조하였다. 지금도 생겨나고 있으며, 아직도 정형화되지 않았다. 이멀징 처치는 새로운 것이 아니다. 시대마다 그 시대 교회에 대한 반성이 있었다. 포스트모던 시대에 맞추어 나왔기 때문에 부각되어 나타나지만, 항상 새로운 시대에 나온 교회들이 있다. 전통적 교회의 쇠퇴에 대한 대안으로 자리매김하고 있다.

이멀징 처치가 지향하는 바는

1) 복음의 본질을 변경시키지 않고 포스트모던 사회에 맞게 옷을 갈아입는 운동이다.

2) 시대의 문화에 대한 이해에서 출발하고 있다. 독선적인 자세로는 복음을 전하기 힘들다는 뜻이다. 문화에 대한 정확한 이해가 필요하다. 세상 속의 교회가 될 것을 의미한다. 즉 교회 안에 머무는 교회가 아니라, 세상 속에 파송되어 세상 속에 존재하는 선교적 교회가 될 것을 말해 준다.

3) 지식과 깨달음에만 호소하는 스타일에서 모든 감각을 총동원해서 느끼고 경험하게 하는 종교로서의 전환이다. 말씀 중심의 예배에서 참여적, 경험적, 감각적, 예전적 예배로의 전환을 의미한다.

4) 사회적인 책임을 강조한다. 긍휼 사역과 사회정의 사역에 관심을 둔다. 교회만을 위한 교회가 아닌 사회를 변화시키는 사명을 중요하게 생각한다.

5) 하이테크, 하이터치의 원리를 강소한다. 고도의 하이테크 시

대가 되면 사람들은 고감도의 하이터치를 원한다는 것이다. 그래서 이런 하이터치를 교회가 주어야 한다는 것이다. 많은 사람들이 하이터치를 문화에서 받으려고 하는데 진정한 하이터치를 교회가 주어야 한다는 것이다.

6) 모이는 형태에 있어서는 주일의 개념은 점차 없어지고, 평일에도 자유롭게 주어지는 생활의 영역에서 모여 다양한 형식으로 예배를 드린다.

7) 신앙의 대상이 개인에서 공동체로 이동됨으로 모든 교파를 하나로 통합하는 새로운 공동체의 형성을 지향한다.

현대의 문화와 환경에 다양하게 적응해가는 이멀징 처치의 모습은 아무리 변화할지라도 성경과 복음적 신앙에 근거를 두어야 할 것이다. 이것을 떠난 이멀징 처치는 의미가 없다. 다양한 문화와 환경들을 성경의 텍스트에 검증하여 상황 속에 새롭게 재현하는 교회의 모습을 구현해야 할 것이다.

결 론

교회행정은 목회 모든 분야를 행정적인 시각으로 보는 것이다. 그러므로 교회행정은 목회가 복잡하면 할수록 더욱 폭넓은 발전을 할 것이다. 목회와 교회행정, 목회와 경영, 목회와 정치, 목회와 멀티미디어, 목회와 과학 등 목회와 관련된 모든 분야에 교회행정이 필요하다. 또한 교회는 조직체로 성장하면서 행정이 필요하다. 행정은 교회를 튼튼하게 건강하게 성장할 수 있는 뼈대다. 원활하게 교회의 모든 운영이 잘 이루어질 수 있도록 촉매 역할을 하여 준다. 미래 시대로 갈수록 교회는 행정을 더욱 필요로 한다. 교회행정은 교회 성장과 조화로운 관계를 잘 유지하여 교회 성장에 이바지할 수 있어야 하겠다. 주님이 보시기에 아름다운 교회가 되게 위하여 미래 시대에 알맞는 교회행정을 더욱 발전시킬 수 있어야 할 것이다.

교회행정의 주체는 성령님이시다. 성령님보다 앞서가는 행정이 되어서는 안 된다. 그러나 행정은 전혀 필요 없다는 영성 지상주의가 되어서는 안 된다. 또한 행정만 중요시하는 행정 지상주의(기술 방법 지상주의)도 되어서는 안 된다. 행정의 원리를 사용하되 하나님 중심적, 성령의 역사를 통한 교회 운영이 되어야 한다.

부 록

정관

기독교대한성결교회
○○교회 정관(안)

전 문

성경적 복음의 역사적 전통과 계승을 위한 사명에 빛
나는 우리 ○○교회는 신 · 구약 성경 및 **요한 웨슬레의
복음적 성결의 주창을 배경으로 하여 중생, 성결, 신유,
재림의 복음으로 요약된 교리적 정신이며 그리스도와 그
사도들로 말미암아 나타내신 복음적 성경해석에 근거한
교리와 만국 성결교회의 신앙 교리를 토대로 신학적 전통
과 이념을 계승하고** 하나님의 나라 확장과 건설을 위한
복음 전도의 사명에 입각하여 사랑과 섬김, 봉사로써 교
회의 지체된 교인들의 협력을 공고히 하고 모든 악행의
폐습과 비 진리와 불법을 타파하며, 모든 영역에 있어서
하나님을 영화롭게 하며 성도로 진리와 본분을 준수하여
사명을 감당하게 하며, 양심의 자유와 교인의 권리에 따
르는 책임과 의무를 다하여 주님의 지상명령을 준수할 것
을 다짐하면서 ○○○○년 ○월 ○○일에 ○○○목사가
개척 설립하여 교회를 운영해 오는 중 이제 당회의 심의
를 거쳐 사무총회에 의하여 재 제정한다.

제 1 장 총칙

제1조 명칭

1. 본 교회는 「기독교대한성결교회 ○○교회」(이하 '본 교회'라
   함)라 칭한다.

제2조 소속과 헌법

2. 1. 본 교회는「기독교대한성결교회 총회」에 소속한다.

3. 2. 본 교회는 자체 의결권이 있는 교회이다

4. 3. 본 교회 정관에 명시되지 않는 부분은 「기독교대한성결교회
   총회 헌법」(이하 '총회 헌법'이라 한다)을 본 교회의 자치규범
   과 신앙원리로 삼으며 본 교회의 독립성이나 종교적 자유의 본
   질을 침해하지 않는 범위 내에서만 총회 헌법에 구속된다.

제3조 교회 및 정관의 목적과 용어

5. 1. 본 교회는 요한 웨슬레의 복음적 성결의 주창을 배경으로
   하여 중생, 성결, 신유, 재림의 복음으로 요약된 교리적 정신이
   며 그리스도와 그 사도들로 말미암아 나타내신 복음적 성경해
   석에 근거한 교리와 만국 성결교회의 신앙 교리를 토대로 한다
   (단, 본 제3조 제1항은 불변조항으로 한다).

6. 2. 본 정관은 교인의 권리 및 의무를 명시하고 교회 재산을 소
   유 관리하며 교회 내의 조직과 기구의 직무상 한계를 정하여
   그 임무를 수행하기 위함을 목적으로 한다.

7. 3. 본 정관을 근거로 당회에서는 각종 규정을 제·개정할 수 있
   으며, 이를 근거로 각 부서는 시행세칙, 내규를 제정하여 운영
   할 수 있다.

제4조 위치

8. 1. 본 교회는 서울특별시 ○○구 ○○동 ○○번지에 둔다(신주
   소)

9. 2. 본 교회의 예배당과 부속시설은 교회 재산 목록에 등재된
   것으로 한다.

제5조 조직

10. 본 교회의 최고의결기구인 사무총회와 치리를 위한 당회, 재
    정수납을 위한 직원회를 두고, 실행을 위해 필요한 기구를 당
    회의 결의로 둘 수 있다. 단, 재정은 직원회와 당회가 집행하
    며 교회 대표자는 담임목사로 한다.

제 2 장 교인의 권리와 의무

제6조 교인의 구분
11. 1. 신입교인 - 죄악에서 구원을 얻고자 하여 등록하고 주를
    믿기로 결심하고 공예배에 참석하는 자로서 신입교인 명부에
    기입된 자.
12. 2. 세례교인 - 교회에 출석하고 거듭난 증거가 확실한 자로
    예문에 의하여 세례를 받은 자와 유소년 세례교인 및 유아세
    례를 받은 15세 이상 된 자로 문답을 받고 세례교인 명부에
    기입된 자.
13. 3. 유아 세례교인 - 세례교인의 자녀로서 예문에 의하여 유아
    세례를 받은 자.
14. 4. 유소년 세례교인 - 교회에 출석하고 거듭난 증거가 확실한
    자로 예문에 의하여 세례를 받은 자.
15. 5. 사무총회 회원으로서 법적 교인은 다음과 같다.
    16. ① 세례교인으로서 예문에 의하여 서약하고 입회한 20
        세 이상 된 자.
    17. ② 타지 교회 및 타 복음주의 교파에서 이명 증서를 가
        지고 온 자로 당회 결의에 의하여 입회한 자.
    18. ③ 세례받고 교적이 없는 자로서 6개월간 무흠하여 당
        회 결의로 입회가 허락된 자.
    19. ④ 이명증서 없이 전입하여 1년 이상 경과된 자로 당회

결의에 의하여 입회한 자. 단, 미조직교회는 담임교역자의 허락으로 입회한 자.

20. 6. 본 정관에 특별한 규정을 제외한 교인이란 사무총회 회원을 의미한다.

제7조 교인의 권리 의무의 취득과 상실

21. 1. 교인의 권리와 의무는 교인의 지위를 취득 상실함으로써 취득 상실된다.

22. 2. 본 교회에 등록신청서를 제출하면 예배 시간에 소개한 후 당회 결의를 거쳐 교인명부에 등록되어야 교인의 지위가 부여된다. 단 당회의 결의를 담임목사에게 위임할 수 있다.

23. 4. 본 교회 정관에 따라 시벌을 받은 자는 상급기관의 판결과 상관없이 사무총회 회원권을 일정 기간 보류하되, 제명 및 출교 처분을 받은 자는 교인의 지위가 상실되며, 교회에 출입하여서는 아니 된다.

제8조 교인의 사용·수익권

24. 1. 본 교회 교인은 정관 기타의 규약에 좇아 총 유물을 사용·수익한다.

25. 2. 당회가 주관하는 예배 시간과 예배 장소를 벗어난 별도의 예배 및 집회를 불법행위로 간주하며 당회의 행정 결정으로 교인 지위를 상실케 할 수 있다.

제9조 교인의 권리

26. 1. 사무총회를 통해 의결권에 참여할 수 있는 권리가 있다.

27. 2. 본 정관에 정하는 바에 의하여 선거권과 피선거권을 갖는다.

28. 3. 본 정관이 정하는 바에 의하여 당회에 문서로 청원할 권리를 가진다.

29. 4. 본 정관과 총회 헌법이 정한 절차에 따라 재판을 받을 권리를 가진다.

제10조 교인의 의무

  30. 1. 본 정관과 총회 헌법이 정하는 바에 의하여 주일성수, 십일
조, 기타 헌금의 의무를 가진다.

  31. 2. 각자의 은사에 따라 봉사 의무가 있다.

  32. 3. 침해받지 아니할 양심의 자유가 있으며, 반대로 교회의 자
유에 의해 제정된 규칙에 복종할 의무가 있다.

제11조 교인의 권리 제한

  33. 1. 권리는 의무를 수반한바 의무를 이행하지 아니하며, 불법을
행한자는 당회의 결의로 권리를 제한할 수 있다.

  34. 2. 성경과 본 교회 정관을 준행하며, 치리에 복종해야 하며,
이를 위반할 경우 교인의 의무를 이행하지 않는 것으로 간주
한다.

  35. 3. 본 정관에 따라 소송 중에 있는 원, 피고는 유죄의 판결이
확정될 때까지 당회의 결의로 교인의 권리를 보류할 수 있다.

  36. 4. 소송의 피고가 무죄 판결로 확정될 경우 소송의 원고는 일
정 기간 교인의 권리를 당회의 결의로 제한할 수 있다.

제 3 장 직 원

제12조 직원의 구분

  37. 1. 교역자 - 본 교회 담임목사, 부목사, 교육목사, 음악목사,
전도사를 둔다.

  38. 2. 교직자 - 본 교회 교직자는 장로, 권사, 안수집사, 집사를
둔다.

  39. 3. 유급직원 - 행정 사무직원을 둔다.

제13조 직원의 임기

  40. 1. 교역자 - 본 교회 담임목사의 시무 정년은 만70세로 하며,

부목사, 교육목사, 음악목사, 전도사의 임기는 1년으로 하며, 담임목사의 제청에 의해 당회 결의로 1년간 더 연장할 수 있다.

41. 2. 교직자 - 본 교회 장로, 권사, 안수집사, 시무 기간은 만70세까지이며, 집사는 1년으로 한다.

42. 3. 유급직원 - 행정 사무직원의 임기규정은 시행세칙을 제정하여 운영한다.

제14조 직원의 직무

43. 1. 담임목사 - 지방회로부터 교회 목양권과 교리 권, 치리권, 교훈권을 위임받은 자이다.

44. 2. 교역자 - 교역자는 담임목사를 보좌하며 맡은 직무를 수행한다.

45. 3. 교직자 - 교직자는 목사를 도와 맡은 직무를 수행한다.

46. 6. 유급직원 - 행정 사무직원은 별도의 인사규정으로 제정한다.

제15조 직원의 이명(이래)자 취임규정

47. 1. 장로 - 타 지교회에서 전적하여 온 장로를 시무하게 하고자 하면 해 지교회에서 1년이 경과한 후 절차에 따라 취임한다. 단, 복음주의 타 교파에서 동등자격으로 전입한 자는 해 지교회에서 2년을 경과한 후 절차에 따라 취임한다.

48. 2. 권사 - 타 지교회와 복음주의 타 교파에서 전입한 권사는 1년 이상 경과한 후 절차에 따라 취임한다.

49. 3. 안수집사 - 타 지교회에서 동등자격으로 전입한 자는 해 지교회에서 집사 시무 1년을 경과하여야 하며, 복음주의 타 교파에서 동등자격으로 전입한 자는 해 지교회에서 집사 시무 2년을 경과한 후 절차에 따라 취임한다.

제16조 은퇴

50. 1. 원로목사 - 안수받은 후 본 교단에서 25년 이상 근속 시무

중 본 교회에서 10년 이상 무흠하게 근속 시무하여 지 교회에
서 원로목사로 추대받은 자로서 당회에 발언권이 있다. 단 추
대 절차는 시행세칙으로 정한다.

2. 원로장로 - 본 교회에서 20년 이상 무흠 근속 시무한 자
   로서 당회의 결의로 원로장로로 추대하며 직원회, 당회에
   발언권이 있으며 지 교회에서 시무 중 교회를 개척하여
   이적되었을 때에는 시무 근속으로 인정한다. 단, 추대 절
   차는 시행세칙으로 정한다.

3. 명예장로 - 본 교회에서 정년으로 은퇴한 자를 명예장로
   로 추대하며, 직원회의 회원이 된다. 단, 추대 절차는 시
   행세칙으로 정한다.

4. 협동장로 - 타 지교회와 복음주의 타 교파에서 이명 해
   온 자는 당회 또는 직원회의 결의로 협동장로로 칭하며
   직원회 회원이 된다. 단, 정년이 되었을 시 명예장로로
   추대할 수 있다.

제17조 시행세칙

51. 1. 교회직원(유급직원 포함)에 대한 인사규정(청빙, 선거, 채
    용, 상벌, 취임 및 퇴직, 급여, 상여금, 퇴직금, 기타 등)은 시
    행세칙을 제정하여 시행한다.

52. 2. 선교사 파송에 관한 문제는 별도의 시행세칙으로 제정한다.

제 4 장 사무총회

제18조 조직

53. 1. 본 교회의 최고의결기관인 사무총회를 둔다.

54. 2. 회원은 본 교회에 교인으로 등록된 자로 한다.

55. 3. 의장은 당회장이 되며, 서기는 의장이 지명한다.

제19조 소집

56. 1. 사무총회는 당회의 결의로 당회장이 소집하되, 정기 사무총회는 2주일 전, 임시 사무총회는 1주일 전에 그 회의의 목적과 시간, 장소를 주보 혹은 예배시 구두 광고, 기타방법으로 공고하여야 한다.

57. 2. 임시사무총회는 다음의 경우 당회의 결의로 당회장이 소집할 수 있다.

    58. ① 당회가 소집할 필요가 있다고 인정할 때

    59. ② 상회의 지시가 있을 때

60.   ③ 지교회가 필요할 때(재적 교인 3분의 1인 서명이 있을 때)

61. 3. 당회가 사무총회 소집을 보류할지라도 소집 청원자는 당회의 결의에 순종하며 이의를 제기하지 않는다.

제20조 의사 및 의결정족수

62. 1. 정기사무총회는 재적 교인 과반수 이상 출석으로 하며, 임시사무총회는 재적 교인 3분의 1 이상 출석으로 한다.

63. 2. 정기·임시사무총회 의결은 재석 회원 과반수 이상으로 한다.

64. 3. 정관변경 및 지방회, 교단 탈퇴는 재적 교인 과반수 이상 출석과 재석 회원 3분의 2 이상 찬성으로 한다.

65. 4. 모든 인사문제에 대한 의사의결정족수는 정기사무총회 의사의결정족수에 의한다.

66. 5. 서면위임은 출석한 것으로 간주하며, 결의된 의결권에 포함한다.

제21조 결의 사항

67. 1. 당회와 직원회로부터 인사, 사업, 재산 목록, 회계결산 등의 보고 승인

68. 2. 사업계획안 인준 및 예산안 협찬

69. 3. 각 기관의 경과보고 승인

70. 3. 교역자와 장로의 인사에 관한 안건을 처리하며, 당회 또는 치리 목사가 선출한 권사, 안수집사, 집사, 일반 직원 임명공포

71. 4. 정관의 제정, 변경

72. 5. 교단 및 지방회의 탈퇴, 지방회 소속 변경, 행정보류, 교회 합병, 분립

73. 6. 재정장부공개 및 열람 승인

제22조 특별제한

74. 1. 원로목사, 위임목사, 담임목사의 해임이나 징계는 안건으로 상정할 수 없다.

75. 2. 이명증서 없이 이거한 자로 1년간 주소가 불명한 자는 가제적을 하고 다시 1년을 기다려 소식이 없는 자는 회원이 될 수 없다.

76. 3 이유 없이 1년간 공 예배에 출석하지 않은 자를 자주 권면하되 듣지 아니하는 자는 회원이 될 수 없다.

77. 4. 범법행위를 은폐할 목적으로 이탈한 자는 회원이 될 수 없다.

제23조 재정장부열람

78. 1. 정기사무총회에서 당해 년도 결산 안이 승인된 이후에는 개인이 재정장부를 열람할 수 없으며, 단 필요시에는 사무총회를 개최하여 임시사무총회 의사의결정족수에 따라 재정장부를 열람할 수 있다.

79. 2. 개인헌금 내역은 당회장의 허락으로 본인만이 확인할 수 있다.

제24조 특별규정

80. 1. 특별한 경우 정기사무총회를 소집하지 못했을 경우 새해 예산은 전년도 예산을 기준으로 하되 차기 사무총회 때 결산

승인을 채택할 수 있다.

81. 2. 특별한 경우 위임목사, 담임목사는 재정을 선 집행한 후 보고할 수 있다.

제25조 회의록

82. 1. 회의 결과에 대해 회의록을 채택하여야 하며, 그 채택은 당회장과 서기에게 위임한다.

83. 2. 사무총회 회의록 열람청원은 당회 결의로 열람 여부를 의결한다.

84. 3. 사무총회 서기는 채택된 회의결의를 회의록에 기록하고 당회장의 확인 서명을 받아 당회장실에 보관한다.

85. 4. 정관 제정, 변경의 경우 당회장, 당회 서기, 당회 결의로 선임한 당회원 1인이 간서 인이 된다.

제26조 시행세칙

86. 사무총회의 상세한 운영 지침은 별도의 시행세칙으로 제정한다.

제 5 장 당 회

제27조 조직

87. 1. 담임목사와 시무장로로 조직한다.

88. 2. 목사는 당회장이 되고 당회 서기는 당회원 중에서 당회장이 임명한다.

89. 3. 당회장은 특별한 경우(긴급한 상황)에 한하여 당회장이 선임 장로, 당회 서기, 관련 부서 당회원이 선 처리 후 당회에 보고할 수 있다.

제28조 소집

90. 1. 당회는 격월로 소집된 정기 당회와 필요에 의한 임시 당회로 구분한다.

91. 2. 당회는 1주간 전에 그 회의의 목적과 시간, 장소를 주보 혹

은 예배 시 구두 광고, 기타방법으로 공고하여야 한다. 단 특별한 경우에는 예외로 한다.

92. 3. 임시 당회는 다음과 같은 경우 당회장이 소집한다.

    93. ① 당회장이 필요하다고 인정한 경우

    94. ② 당회원 3분의 1 이상의 요청이 있을 경우

    95. ③ 교인의 사무총회 소집 청원이 있을 경우

제29조 의사 및 의결정족수

96. 1. 본 교회 담임목사와 당회원(장로) 과반수 이상 출석으로 개회한다.

97. 2. 당회의 결의는 당회원(장로)의 재석 과반수 이상의 찬성과 당회장(목사) 결의공포가 있어야 한다.

98. 3. 당회원의 찬반 동수일 경우 당회장의 가부로 결정할 수 있다.

제30조 당회원 권 제한

99. 1. 당회원 본인 문제로 안건이 상정될 경우 의사정족수에는 포함되나 안건 결의 시는 제척된다.

100. 2. 당회로부터 시무 사임 권고 결의된 자는 당회에 참석할 수 없다. 단, 시무 사임 권고 결의는 재적 회원 3분의 2 이상의 찬성으로만 할 수 있다.

제31조 당회의 직무와 권한

101. 1. 인사 사항

    102. ① 교역자 청빙 및 소속 목사 허락

    103. ② 부목사 및 남·여전도사 갱신 결의

    104. ③ 원로목사, 명예목사, 원로장로, 명예장로 추대 결의

    105. ④ 명예전도사 추대

    106. ⑤ 장로 후보자, 권사, 안수집사 선택

    107. ⑥ 신학생 천거

    108. ⑦ 직원, 일반 직원, 각부 부장, 교사, 구역장, 찬양대

원 임명

109. ⑧ 지방회 파송 장로대의원 선출

110. ⑨ 교인의 이명증서 접수 및 발부

111. 2. 치리 사항

112. ① 교인의 신앙상태를 돌아봄

113. ② 소속기관 지도 감독

114. ③ 교인의 포상, 징계, 해벌에 관한 일

115. ④ 직원회와 사무총회 소집

116. ⑤ 특별 집회 결정과 강사 선임

117. ⑥ 각 기관행사 강사선정 인준

118. 3. 사무 행정

119. ① 교회 회계감사, 각 기관 회계감사

120. ② 상회에 청원하는 일체의 사무

121. ③ 각종 문부를 작성 및 보존

122. ④ 특별 헌금 결재, 예산안 작성, 추경 예산안을 작성

123. ⑤ 교회 재산 관리 보존

124. ⑥ 사무총회록을 지방회에 제출

125. ⑦ 연말 교세통계표 제출

126. 4. 예식

127. ① 목사 위임식, 취임식, 장로장립식, 취임식 거행의
    일을 결의

128. ② 권사 취임, 집사 안수식, 원로목사, 원로장로 추대
    식, 명예목사, 명예장로 추대식 거행 결의

129. 5. 기타사항

130. ① 재산의 취득 및 처분, 증여, 매매, 교환, 변경, 관리
    및 차입 및 담보 제공

131. ② 법인 설립을 결정한다.

132. ③ 위임사항은 당회의 선결의 후 사무총회에 보고하

여야 한다.

133. ④ 당회의 직무 중 사안에 따라 담임목사에게 위임할
수 있다.

제32조 권징의 정의 및 방법

134. 1. 진리를 보호하며 그리스도의 존영을 견고하게 하며 악행
을 제거하고 교회를 정결하게 하며 덕을 세우고 범죄 한 자
의 신령 적 유익을 도모한다.

135. 2. 고소 고발이 있을 경우 당회는 치리회로 소집하여 소송
건을 처리한다.

136. 3. 권징 필요시 당회가 재판위원회(판결위원 3명, 기소위원
2명, 변호위원 2명)를 조직하여 처리한다.

137. 4. 당회의 치리권에 불복할 경우 판결문을 송달받은 날로부
터 10일 이내에 당회에 재심을 청구할 수 있다. 재심청구 없
이 상급기관인 지방회에 상소 및 소원을 할 경우 교인의 지
위가 박탈된 것으로 간주한다.

제33조 시벌 자 공고

138. 정당한 절차에 따라 치리회(당회, 지방회, 총회)에서 책벌을
받은 자는 교회 주보 및 당회가 결의한 곳에 공고한다.

제34조 명부 록

139. 당회의 명부 록은 시행세칙으로 제정한다.

제35조 회의록

140. 1. 회의 결과에 대해 회의록을 채택하여야 하며, 그 채택은
당회장과 서기에게 위임한다.

141. 2. 당회 회의록 열람청원은 당회 결의로 열람 여부를 의결한
다.

142. 3. 당회 서기는 채택된 회의결의를 회의록에 기록하고 당회
장의 확인 서명을 받아 당회장실에 보관한다.

제 6 장 직원회

제36조 조직

143. 1. 교역자와 교직자로 조직한다.

144. 2. 의장은 담임목사가 되며, 서기는 의장이 지명한다. 단 의장 유고시에는 의장이 위임한 당회원이 대행한다.

제37조 소집

145. 1. 정기직원회는 분기별로, 임시 직원회는 필요시에 의장이 소집한다

146. 2. 직원회는 1주일 전에 그 회의 목적사항과 시간 장소를 주보에 공고하되 특별한 경우는 제외한다.

제38조 의사 및 의결정족수

147. 의사정족수는 출석 인원으로 하며, 재석회원 과반수 이상의 찬성으로 의결한다.

제39조 의결사항

148. 1. 사무총회에서 승인된 예산의 집행을 보고받는다.

149. 2. 각 기관의 경과보고를 받는다.

150. 3. 당회 또는 예산위원회가 제출한 추가경정 예산안을 협찬한다.

제40조 회의록

151. 1. 회의 결과에 대해 회의록을 채택하여야 하며, 그 채택은 당회장과 서기에게 위임한다.

152. 2. 제직회 회의록 열람청원은 당회 결의로 열람 여부를 의결한다.

153. 3. 직원회 서기는 채택된 회의결의를 회의록에 기록하고 당회장의 확인 서명을 받아 당회장실에 보관한다.

제41조 시행세칙

154. 직원회와 재정운영지침은 별도의 시행세칙으로 제정하여

운영한다.

제 7 장 재산 및 재정

제42조 재산정의

155. 교인들의 헌금, 기타 교회의 수입으로 이루어진 재산을 의미
한다.

제43조 재산의 소유 등기

1. 본 교회의 재산은 「기독교대한성결교회 ○○교회」의 소
유로 등기하여야 한다. 단, 특별한 경우 예외로 한다. 재산
의 대표자는 담임목사로 하며, 지방회가 임시 파송한 치리
목사는 재산의 대표자가 될 수 없다.

2. 본 교회 재산을 교단 유지재단에 편입할 경우는 이를
명의신탁으로 하며, 사무총회에서 재적 교인 과반수 이상
출석과 재석 회원 3분의 2 이상 찬성으로 결의하며, 환원
할 경우도 이 같은 의사의결정족수에 따른다.

제44조 관리 보존

156. 재산의 관리·보존행위를 위한 법률행위는 당회에 위임하며,
당회의 결의를 사무총회 결의로 간주한다.

제45조 재산의 처분과 취득

157. 1. 교회 재산의 처분 및 담보설정은 당회의 선결의 집행 후
사무총회에 보고한다.

158. 2. 교회 재산 취득은 당회의 선결의 집행 후 후 사무총회에
보고한다.

제46조 법률행위 대행

159. 본 교회의 재산의 취득과 처분에 따른 법률행위 및 사실행
위는 교회 대표자인 담임목사(당회장)에게 위임하여 대행
케 한다.

제47조 회계연도

160. 본 교회의 회계연도는 12월 1일부터 11월 30일까지로 한다.

제48조 재정 운영

161. 1. 교회의 재정은 사무총회에서 선교, 교육, 구제, 및 교회 운영에 있어 균형 있게 배분하여 인준한 예산에 따라 집행하는 것을 원칙으로 하며, 내부 집행(신청 및 사용, 보고) 단계에서부터 투명성이 보장되어야 한다.

162. 2. 상세한 규정은 별도의 시행세칙으로 제정한다.

제49조 재정 감사

163. 1. 재정 투명성 및 적정성을 제고하기 위하여 당회 산하 감사위원을 둔다.

164. 2. 감사는 당회원 중에서 당회장의 천거와 당회의 결의로 2인으로 한다.

165. 3. 정기 감사와 수시감사를 하며, 당회를 경유하여 사무총회에서 연도 말 결산에 대한 감사보고를 한다.

제50조 장부 보존 기간

166. 교회 이외 제3자에 대해 법률행위를 할 경우 재정장부 및 기타 공문서는 보존 기간을 3년으로 한다.

부 칙

167.

제1조 시행세칙 및 규정

168. 본 정관에 명시한 시행세칙, 규정 등은 시행일로부터 1년 이내에 당회에서 제정하며 변경은 당회의 의사 · 의결정족수에 따른다.

169. 단, 새로운 시행세칙, 규정이 제정되기 전에는 기존 시행되어 온 시행세칙 규정에 준한다.

제2조 시행일

170. 본 정관은 사무총회에서 통과된 날로부터 시행한다.

제3조 주소지 변경

171. 본 교회 주소지 변경은 정관변경 없이 교회주소가 변경될 경우 당회의 결의로 변경된 주소로 한다.

제4조 경과조치

172. 본 정관 시행 이전에 「기독교대한성결교회 ○○교회」에서 시행하여온 정관 및 각종 규정, 법률행위와 제반 관련 행정 사법 처리는 본 정관에 의하여 시행한 것으로 간주한다.

제정일 2014년 12월   일

기독교대한성결교회 ○○교회

사무총회 의장 목사   ○○○ (인)

사무총회 서기 장로   ○○○ (인)

참 고 문 헌

A. 교회론 문헌

은준관. 「현대 신학적 교회론」. 서울: 대한기독교서회, 1988.
이장식. 「현대 교회학」. 서울: 대한기독교서회, 1969.
정하권. 「교회론」. 서울: 분도출판사, 1979.
Schweizer, Edward. *The Church as the Body of Christ*.
Richmond: Jhon Knox Press, 1964.

B. 리더십 문헌

김명호. 「교회를 세우는 리더십」. 서울: 국제제자훈련원, 2002.
블렉커비, 헨리.「영적 리더십」, 윤종석 역. 서울: 두란노출판사,
2003.
정진우. 「코칭 리더십」교보문고 e-book, 서울:아시아 코치센터, 2005.
Callahan, Kennon, L. *Effective Church Leadership*. San Francisco, CA:
Harper & Row, 1990.

C. 미래 목회 문헌

이성희. 「미래목회 대 예언」. 서울 : 규장, 1998.
이성희. 「밀레니엄 목회」. 서울: 규장출판사, 1999.
깁스, 에디.「미래 목회의 9가지 트랜드(Next Church)」임신희 역.

서울 : 교회 성장 연구소, 2003.

Lindgren, Albin J. *Foundation for Purposeful Church Administration*, 박근원 역,
　「교회 개발론」. 서울: 대한기독교출판, 1979.

Vassilliou, George. "우리가 직면한 도전", Klaus Schwab 역음,
　「21세기 예측」 장대환 감역. 서울 : 매일경제신문사, 1999.

토플러, 엘빈.「미래 쇼크」 이규행 감역. 서울 : 한국경제신문사, 1999.

Hodgson, Peter C.「전환기의 교역론」, 박근원 역. 서울: 그리스도교 신학연구소, 1991.

D. 교회행정 문헌

권영찬.「기획론」, 서울 : 법문사, 1967.

권오서.「교회행정과 목회」, 서울: 도서출판 감신, 1996.

김광섭.「미래사회와 한국교회행정 전략」, 석사논문, 침신대 신학대학원, 1998.

김동일.「교회 성장 진단을 통한 성장 정체 요인의 치료 및 성장 전략에 관한 연구」, 박사논문, 평택대학교 신학전문대학원, 2003.

김득용.「현대 행정학 신강」, 서울: 총신대 출판부, 1985.

김수남.「교회행정의 민주화 실천 방안에 관한 연구」, 석사논문, 한성대 행정대학원, 1990.

김일기. "중국 일본과 비교해 본 한국의 행정문화", 김운태 외 공저「한국 정치 행정의 체계」, 서울: 박영사, 1982.

김장대.「교회행정학」, 서울: 도서출판 솔로몬, 1995.

김정기.「교회행정신론」, 서울: 성광문화사, 1996.

김종철.「교육행정의 이론과 실제」, 서울 : 교육과학사, 1982.

김희백.「중소도시 중형 교회의 성장을 위한 효율적 목회 행정에 관한 연

구」, 석사논문, 총신대 선교대학원, 2001.

맥스 랜드버그, 김명렬역. 「코칭 경영의 도」, 서울: 푸른솔, 2003.

명성훈. 「당신의 교회를 진단하라」, 서울: 교회성장연구소, 1996.

박용치. 「현대 행정학 원론」, 서울 :경제사, 2001.

박운암.「교회 성장을 위한 교회행정 원리에 관한 연구」, 부천: 서울신학대학교 대학원 석사학위논문, 1993.

박혜성. 「목회자의 스트레스와 탈진에 관한 연구」, 총신대학교 신학대학원, 석사학위논문(M.div), 1998.

방지형. 「교회 운영 론」, 서울: 성광문화사, 1992.

백완기. 「한국의 행정 문화」, 서울: 고대출판부, 1982.

손병호. 「교회행정학 원론」, 서울: 도서출판 유앙게리온, 2000.

유성훈. 「교회행정의 발전 방향」, 석사논문, 영남대행정대학원, 1993.

유훈.「재무행정론」, 서울 : 법문사, 2000.

윤태림. 「한국인」, 서울: 현암사, 1979.

엄태억. 「교회성장에 따른 교회행정의 능률화 방안에 관한 연구」, 석사논문, 원광대 행정대학원, 1998.

이관직. 「목회심리학」, 서울: 국제제자훈련원, 2011.

이성희. 「교회행정학」, 서울: 한국장로교출판사, 2003.

이광복. 「교회행정학의 실제」, 서울: 횃돌출판사, 1998.

장헌익. 「한국 교회의 행정학 치리 방법에 관한 연구」, 석사논문, 고려대학교 교육대학원, 1990. 각 교단의 치리 비교.

조동진. 「교회행정학」, 서울: 도서출판 별, 2001.

진영훈. 「교회 성장 중심의 교회행정에 관한 연구」, 석사 논문, 한일장신대학원, 1999.

황성철.「교회 정치 행정학」, 서울: 총신대학교 출판부, 2004.

황의영. 「목회 진단학」, 서울: 쿰란출판사, 2002..

홍정근. 「교회 교육행정론」, 서울: 장로교출판사, 2002.

로이스 게바르. 「사람에게 중점을 둔 교회행정」, 서울: 생명의 말씀사,

1983.

Dunnam, Maxie·McCullough, Godon Donald W. *Mastering Personal Growth*, 지명수 역, 「인격성장 어떻게 할 것인가?」, 서울 : 도서출판 횃불, 1996.

John, Sanford. A. *Ministry Burnout*, (New York : Paulist Press. 1982), 심상영 역, 「탈진한 목회자들을 위하여」, 서울 : 도서출판 나단, 1995.

Worley, Robert.「교회의 조직 갱신」, 박근원 역. 서울: 한신대학출판부, 1977.

윈터, 랄프.「교회의 이중 구조」, 백인숙 역. 서울: IVP, 2001.

Appleby, Paul H. *Policy and Administration, Alabama University Press, 1949.*

Arn, Win. *The Pastor's Manual for Effective Ministry.* Monrovia, CA: Church Growth, 1988.

Burkhead, Jesse. *Government Budgeting,* New York : John Wiley, 1956.

Clebsch, Willam and Jaekle, Clarles. *Pastoral Care in Historical Perspective,* Englewood Cliffs, NJ : Prentice-Hall, 1964.

Crumroy, Otto F. Jr., Krkawka, Stan. & Witman, Frank M. *Church Administration and Finance Manual : Resources for Leading the Local Church,* Harrisburg : Morehouse Publishing, 1998.

Dale, Robert, *Managing Christian Institution, in Church Administration Handbook,* ed. Bruce P. Powers Nashville : Broadman Press, 1985.

Dewey, John. *How We Think,* D.C. Heath and Co, 1960.

Dimock, Marshall E. *Mordern Politics and Administration,* New York : America Book Company, 1937.

Dror, Y. "The Planninig Process" : A Facet Design, *"Internationl Review of Administrative Sciences,* vol. 29. 1963.

Esman, Milton J. *The Politics of Development Administration*, CAG, ASPA, 1964.

Getz, Gene A. *Sharpening the Focus of the Church*, Wheaton: Victor Books, 1989.

Glock, Charles Y. "The Role of Deprivation in the Origin and Evolution of Religious Groups," in R. Lee and M. E. Marty (eds.), *Religion and Social Conflict*, New York: Oxford University Press, 1964.

James, E. L. Newbigin, *The Household of God*. NewYork: Friendship Press, 1954.

Leach, William H. *Handbook of Church Management*, New York : Prentice-Hall, 1958.

Lewis, G. Douglas. *Resolving Church Conflict*, San Francisco : Harper & Row, 1981.

Lindgren, Alvin J. *Foundations for Purposeful Church Administration* ,Nashville: Abingdon Press, 1965.

Luckmann, Thomas. *The Invisible Religion*, New York : Macmillan co, 1967.

Luecke, David S. and Samuel Southard, *Pastrol Administration*, Waco : Word Books, 1966.

Malony, Newton. *Oganizational Management and Church Planning*, Pasadena : Fuller Theological Seminary, 1983.

McClelland, D.C. *Business Drive and National Achievement*, Harvard Business Review, Vol. 40. 1962.

Maslach, Christina. *Burnout-the Cost of Caring*, Englewood Cliffs, NJ: Prentice-Hall, 1982.

Moberg, David D. *The Church as a Social Institution*, Grand Rapids : Baker Book House, 1984.

Nigro, Felix A. and Nigro, Lloyd G. *Morden Public Administration*, New York : Harper and Row, 1984.

O'Dea, Thomas F. *The Sociology of Religion*, Englewood Cliffs, N. J: Prentice - Hall, 1960.

Potter, John. *A Discourse on Churh Goverment*, London : Samuel Bagster, 1839.

Rush, Myron. *Management : A Biblical Approach*, Wheaton : Victor Books, 1983.

Schein, Edgar H. *Organizationl Psychology*, Englewood Cliffs : Prentice-Hall, 1980.

Shapp. Harold. *Trained Man in Executive's*, Vol. 44. No.3 March, 1975.

Shawchuck, N·Alvin J. Lindgren. *Management for Your Church*, (Nashville : Abingdon, 1981.

Simon, Herbert. A. *Administration Behavior : A study of Decision Making*, New York : Free Press, 1945.

Smith, Harold D. *The Management of Your Government*, New York : McGraw-Hill, 1945.

Tidwell, Charles A. *Church Administration Effective Leadership for Ministry*, Nashville : Broadman Press, 1985.

Waldo, Dwight. *The Study of public administration*, New York : Random House, 1955.

Waymire, Bob. and Wagner, C. Peter. *The Church Growth Survey handbook*, Milpitas Ca : Global Growth, 1984.

White, Leonard D. *Introduction to the study of public administration*, 1st ed. New York : Macmillian Company, 1926.

Wilson, Woodrow. "The Study of Administration" *Political Science Quarterly*, vol.2, 1887.

E. 기타 문헌

김석년, 「패스 브레이킹」,서울 : 생명의 말씀사, 2006

김양선. "한국 선교의 회고와 전망", 「기독교사상 강좌」3권.

민경배.「한국 기독교회사」, 서울: 대한기독교출판사, 1982.

민경배. 「민족 교회 형성사론」, 서울: 연세대학교, 1978.

박선웅 외.「고등학교 사회 문화」, 서울: 금성출판사, 2012.

이병철 편저, 「성서원어대전 : 신학사전」, 서울 : 브니엘 출판사, 1985.

전택부. "삼일운동의 교회사적 의미"「기독교사상」, 1972. 3.

기독교대한성결교회 헌법.

다음 백과사전.

위키 백과사전.

Maltz, Maxwell. *Psycho-Cybernetics* Hollywood, 1964.

Weber, Max. *The Theory of Social Economic Organization*, translated by A. M. Handerson and Talcott Parson, New york: Free Press, 1947.

김동일 목사
서울신학대학교 및 동 신대원(M. Div.) 졸업
평택대학교 신학전문대학원(D. Min.) 졸업
현재 군산삼성교회 담임목사, 영남사이버대학교 신학과 교수
기독교대한성결교회 호성신학교 교수

현대 교회행정학

발 행 | 2023년 03월 13일
저 자 | 김동일
펴낸이 | 한건희
펴낸곳 | 주식회사 부크크
출판사등록 | 2014.07.15.(제2014-16호)
주 소 | 서울특별시 금천구 가산디지털1로 119 SK트윈타워 A동 305호
전 화 | 1670-8316
이메일 | info@bookk.co.kr

ISBN | 979-11-410-1989-1

www.bookk.co.kr